COELHO SE CALA

JOHN UPDIKE

COELHO SE CALA

e outras histórias

Tradução:
PAULO HENRIQUES BRITTO

COMPANHIA DAS LETRAS

Este livro foi publicado mediante acordo com Alfred A. Knopf, uma divisão da Random House Inc.

Título original
Licks of Love — Short Stories and a Sequel, "Rabitt Remembered"

Capa
João Baptista da Costa Aguiar

Preparação
Maria Cecília Caropreso

Revisão
Isabel Jorge Cury
Otacílio Nunes

Os personagens e as situações desta obra são reais apenas no universo da ficção; não se referem a pessoas e fatos concretos, e sobre eles não emitem opinião.

Dados Internacionais de Catalogação na Publicação (CIP)
(Câmara Brasileira do Livro, SP, Brasil)

Updike, John, 1932 -
Coelho se cala e outras histórias / John Updike; tradução Paulo Henriques Britto. — São Paulo : Companhia das Letras, 2003.

Título original: Licks of love : Short Stories and a Sequel, "Rabit Remembered"
ISBN 85-359-0375-5

1. Contos norte-americanos I. Título.

03-2775 CDD-813

Índice para catálogo sistemático:
1. Contos : Literatura norte-americana 813

2003

EDITORA SCHWARCZ LTDA.
Rua Bandeira Paulista, 702, cj. 32
04532-002 — São Paulo — SP
Telefone: (11) 3707-3500
Fax: (11) 3707-3501
www.companhiadasletras.com.br

SUMÁRIO

AS MULHERES QUE ESCAPARAM

Pierce Junction era uma cidadezinha isolada de New Hampshire, de certo modo enobrecida pela presença de uma pequena faculdade de ciências humanas; para sobreviver, nós nos apegávamos uns aos outros como cobras emboladas numa caverna no meio do deserto. Os anos 60 nos tinham ensinado o elevado valor moral do coito, e relutávamos em abandonar uma atividade ao mesmo tempo tão prazerosa e tão saudável. Mas o fato é que não se podia dormir com todo mundo: éramos burgueses, responsáveis, tínhamos empregos e filhos, e as obrigações demandavam energia e causavam desgaste. Ainda não havíamos aprendido a separar emoção de sexo. Olhando para trás, constato que, no total, nossas conquistas não chegavam ao que um universitário de hoje acumula em quatro anos. Havia mulheres com quem a gente não conseguia dormir, e elas, como se por pirraça, são as que se conservam mais vivas na lembrança; e permaneceram distintas talvez porque, dentro da escorregadia bola de cobras, os contatos fossem tão poucos.

"Ora, Martin", murmurou para mim Audrey Lancaster num verão, ao final de um passeio num barco alugado em Portsmouth, para comemorar o aniversário de quarenta anos de alguém, "finalmente estou entendendo o que dizem sobre você." O "finalmente" era uma espécie de farpa, e o sujeito de "dizem" era aparentemente as mulheres em geral. Fiquei imaginando que tipo de conversa, mais genérica ou mais específica, teriam entre si as esposas e as mulheres divorciadas de nosso grupo. Quando Audrey fez o comentário, eu estava parado junto à amurada, sozinho por um momento, amolecido pelo Chablis da Califórnia que havia tomado, vendo no rio Piscataqua os reflexos trêmulos das luzes do porto no momento em que o barco manobrava para atracar e os alto-falantes tocavam Simon e Garfunkel na noite quente e aquosa.

Minha mulher dançava devagar no tombadilho de proa com seu amante, Frank Greer. Audrey materializou-se a meu lado e minha mão pousou em sua cintura como se nós dois também fôssemos dançar. E lá ficou minha mão, e, como o formigamento suave proporcionado por um fio mal encapado, a realidade daquelas ancas começou a arder-me nos dedos e na palma. Audrey era uma mulher sólida, de rosto liso, tão míope que andava com os pés muito abertos, com um passo desafiador, como se temesse ser derrubada por alguma coisa que não estivesse vendo direito. Vivia perdendo as lentes de contato nos gramados ou nos cantos dos olhos. Casara-se cedo e era um pouco mais nova que o resto da turma. Não havia como não adorá-la, ao vê-la na quadra de tênis com a bermuda de jeans esfiapada, as pernas fortes e morenas, o sorriso largo e tenso, tentando acertar a bola e errando o alvo por completo. Tinha a cintura lisa e flexível por baixo da roupa de algodão, e, sim, Audrey estava certa: pela primeira vez em todos aqueles anos que nos conhecíamos eu a via como uma companheira em potencial, como uma peça do quebra-cabeça cósmico que talvez se encaixasse na minha.

Porém eu também sentia que, no fundo, ela não gostava de mim, não o bastante para atravessar as barreiras perigosas do adultério, sofrer os espasmos da culpa, saltar por todos aqueles aros de fogo. Ela desconfiava de mim como quem desconfia de um concorrente. Nós dois éramos palhaços, sempre disputando o troféu O Mais Engraçado da Turma. Além disso, já tinha dono, aliás mais de um: não apenas era casada com um certo Spike e tinha os quatro filhos que eram de praxe na nossa geração, como também se metera numa série de flertes e namoricos, um deles com meu melhor amigo, Rodney Miller — até onde era possível uma pessoa ter amigos do mesmo sexo no nosso meio fanaticamente heterossexual. Audrey tinha um jeito delicioso de prolongar comentários venenosos; assim, me disse: "Você não acha que devia avisar à Jeanne e ao Frank que o barco está quase atracando? Eles podem ser presos pela polícia de Portsmouth por atentado público ao pudor".

Retruquei: "Por que eu? Não sou o dono do barco".

Jeanne era a minha mulher. Seu amor por Frank, dentro da lógica perversa da época, me aproximara dela: eu sentia pena de Jeanne por ter que passar a maior parte do tempo comigo e as crianças e não com a pessoa que amava. Era de origem francesa e católica, e havia algo de nobre naquele sofrimento, naquele sacrifício; o cilício invisível que ela sempre usava mantinha seu torso ereto, como o de uma bailarina, e tornava-a ainda mais bela para mim. Não gostei de ouvir Audrey zombando dela. Ou será que gostei? Talvez meus sentimentos fossem mais primitivos, mais tacanhos e possessivos do que eu imaginava na época. Apertei mais a cintura de Audrey, a ponto de quase machucá-la, depois a soltei e segui em direção a Jeanne e Frank, que, tendo a música parado, davam a impressão de haver acordado naquele instante, os rostos ainda inchados, surpresos. Frank Greer fora casado com uma mulher chamada Winifred até um tempo bem recente na nossa pequena história local. O divórcio, que havia dez anos espreitava nosso grupo à medida que nosso imenso contingente de filhos atravessava a escola primária em direção — esperávamos nós — à saúde mental, ainda era uma raridade e destacava-se como uma ferida ainda fresca no rosto de Frank, rubra como a bochecha que ele havia apertado contra a de minha mulher.

Maureen Miller, num daqueles intervalos na cama quando a paixão já estava saciada porém ainda restavam uns constrangidos trinta minutos de tempo utilizável antes que eu tivesse coragem de bater em retirada, uma vez me contou que Winifred incomodava-se de constatar que, durante todos aqueles anos em que o caso de Frank com Jeanne era de domínio público, eu nunca havia tentado cantá-la. Winifred, a quem às vezes chamávamos Freddy, era uma mulher pequenina que parecia uma coruja, uma coruja branca e graciosa, com olhos negros e grandes, uma pele que jamais pegava sol, um penteado à Emily Dickinson no alto de um corpo gorducho que terminava em mãos e pés pequenos e bem-feitos. Se minha mulher andava ereta como uma bailarina, quem sabia dançar bem era a mulher de seu amante; dançava com um aconchego macio e um toque leve que tinham sobre mim um efeito erótico constrangedor. Sempre que eu a tinha nos braços, o resultado era uma ereção, motivo pelo qual a prudência me aconselhava a só dançar com ela no final da noite, quando ou eu ou ela, tentando convencer nossos cônjuges a desgrudar um do outro, já havíamos vestido o casaco. Fora isso, não me sentia atraído por Winifred. Tal como a mulher que inspirara seu penteado, ela nutria ambições literárias e cultivava um estilo dogmático, seco, propositadamente oblíquo. Quando falava, afetava uma firmeza ligeiramente excessiva.

"Bem, não vou dizer não", respondeu ela de forma pouco graciosa certa vez, quando, já bem depois da meia-noite, Jeanne sugeriu que eu acompanhasse Winifred até sua casa, em meio à nevasca que começara a cair durante o jantar e ao período de inércia alcoólica que se seguiu. Os outros casais, e remanescentes de casais, já haviam todos ido embora até só restar Winifred; ela possuía a capacidade de ingerir, séria e impassível, um volume impressionante de álcool, cuja presença em seu organismo só era acusada pelas pálpebras um pouco caídas sobre os olhos negros brilhantes e pelo tom mais pedante que o habitual de sua voz melíflua. Isso foi antes de os Greer se divorciarem. Frank não estava naquela festa porque tinha partido numa misteriosa viagem a negócios. Já era a primeira etapa da separação, percebi depois. Jeanne, que sabia mais do que dava a entender, tratara a mulher solitária como se fosse sua irmã menor. À medida que os convidados iam embora, Jeanne insistia com Freddy para que ela nos contasse mais uma história sobre a oficina literária de que estava participando, como aluna especial, na faculdade local, Bradbury. Bradbury fora antigamente um macambúzio seminário presbiteriano perdido em nossa pequena cidade, com uma capelinha provida de pilares, nos contrafortes das White Mountains, porém seus laços religiosos tinham se afrouxado havia muito tempo; nos anos 60 passara a aceitar alunos de ambos os sexos, com as mais desenfreadas conseqüências.

"Uma garota", contou Winnifred, aceitando o que jurava ser seu último Kahlúa com conhaque, "leu uma história que estava *na cara* que era baseada numa separação dolorosa que ela tinha acabado de viver, e o professor fez uns comentários *super*sarcásticos, ele parece sádico, ou então foi uma tentativa de cantada." Seu rosto deixava claro que ela estava indignada e enfadada com aquela história toda. Imaginei que estivesse deslocando a raiva que tinha de Frank para o professor, um poeta nova-iorquino que certamente sentia saudades de Greenwich Village, onde a revolução sexual era polimorfa. Era um sujeito maçante, azedo, pernóstico — fora a impressão que me ficara após meus rápidos contatos com ele — e, além disso, tão pequeno que chegava a desconcertar.

Aquelas histórias sobre a oficina literária eram fascinantes, a julgar pela animação de Jeanne, a qual insistia com a outra para que ela contasse mais. Havia em Pierce Junction uma regra segundo a qual a pessoa tinha que ser particularmente simpática com o cônjuge do amante — uma prática que não era de modo algum insincera, pois aquele segredo compartilhado gerava um sentimento tortuoso e culposo de gratidão para com o felizardo que convivia com a pessoa amada. Mas até mesmo Winnifred, em meio à névoa de Kahlúa, começou a ficar incomodada, levantou-se na sala fria (o termostato já havia se recolhido horas antes) e cobriu a cabeça com o xale, como se arrufasse a plumagem. Aceitou de testa franzida a sugestão de Jeanne, que insistia que eu a acompanhasse até sua casa. "Claro, não tenho condição de dirigir, mas foi *tão* divertido", disse ela a Jeanne, com um aperto de mão que minha mulher, de rosto vermelho, transformou num abraço feroz e, por tabela, um tanto frenético (assim me pareceu) de afeto.

O carro de Winnifred estava colado à calçada por uma parede de neve levantada pelas jamantas de luz rodopiante do departamento de estradas, e ela morava a apenas três quarteirões de nós; era só subir uma ladeira coberta por dez centímetros de neve recém-caída. Winnifred precisou apoiar-se em meu braço, mas permanecemos imersos em nossos próprios pensamentos. A neve caía com um sussurro constante, e a presença nas ruas, àquela hora da madrugada, dos limpa-neves, roncando e raspando, criava um efeito de camaradagem — era como se houvesse uma festa maior sob aquele céu carregado, amarelo, que brilhava com a fosforescência estranha e secreta que têm as nevascas. As casas estavam escuras, e a luz da varanda da minha casa foi ficando menor, mais longe, no pé da ladeira. Quando chegamos à porta de sua casa, bem debaixo de um poste de iluminação, Winnifred virou-se para me encarar, como se, embora estivéssemos os dois encasacados, quisesse dançar; mas estava apenas oferecendo seu rosto pálido, oval, gelado e triste para que eu o beijasse. Flocos de neve prendiam-se nos cílios longos de seus olhos fechados e pontilhavam o arco de cabelo negro exposto pelo xale. Como sempre, fiquei excitado. Na casa atrás dela só havia crianças adormecidas. A fachada coberta de ripas precisava de uma pintura; seu estado de abandono traía o casamento em crise por trás dela.

Em Pierce Junction havia todo um folclore em torno das casas dos outros casais — a fusão de gostos, o acúmulo de móveis, as fotos emolduradas do tempo do noivado e de férias anteriores ao casamento. Todos nós gostávamos de receber e visitar, mas preferíamos visitar, invadir, fuçar e bisbilhotar do modo mais irresponsável. Será que ela esperava que eu entrasse? A idéia não me parecia nem um pouco razoável — atrás de mim, ao pé da ladeira, Jeanne certamente estaria recolhendo os destroços da festa na sala e dirigindo um olhar de desânimo ao relógio da cozinha, com seu ponteiro de segundos vermelho sempre em disparada. Também meus cílios estavam pesados de gelo quando, na despedida, beijei nossa convidada, bem na boca mas de leve, de leve, com um toque sutil e alcoolizado de lamento cortês. De todos os beijos que dei e recebi em Pierce Junction, contando crianças, adultos e cachorros, esse beijo, casto e cristalino, permanece intato em minha memória.

Quando voltei para casa, fiquei surpreso de encontrar Frank sentado na sala com uma cerveja na mão, o terno amassado, o rosto comprido vermelho, como se tivesse acabado de fazer um grande esforço. Jeanne, cansada demais para manifestar constrangimento, explicou: "O Frank acabou de voltar da viagem. O avião quase não pôde pousar em Manchester, e quando ele viu que a Freddy não estava em casa resolveu dar um pulinho aqui para pegá-la".

"Subiu e desceu essa ladeira com essa neve toda?", espantei-me. Não me lembrava de ter visto nenhum carro passando.

"Nosso carro tem tração nas quatro rodas", disse Frank, como se isso explicasse tudo.

Às vezes Maureen era muito provocadora. Seu corpo era largo mas não profundo — tinha quadris grandes e seios pequenos —, e no verão inteiro ela ostentava em torno do pescoço uma extensão de pele queimada, sardenta, descascando, por passar horas no jardim com um blusão sem gola, sem chapéu. Era ruiva, e jamais abandonara a moda dos cabelos longos e escorridos da era hippie, quando os hippies já haviam se transformado em marginais ou malucos ou tinham voltado para a casa dos pais havia muito tempo. Depois que lhe contei esse episódio, deixando de lado apenas o estranho efeito fisiológico que ocorria em mim sempre que eu abraçava Winifred, Maureen riu e atirou a juba para trás, como se estivesse prestes a me devorar com seus dentões muito brancos. "A Jeanne é incrível", disse ela. "Imagine só, marcar encontro com o namorado à uma da manhã, crente que o marido ia estar transando com a mulher do cara! Pelo visto, a nevasca atrasou tudo — por isso ela ficou insistindo com a Freddy pra ela não ir embora."

"Não acredito", eu disse, no tom mais indignado de que era capaz estando nu, recostado na cama, com um cigarro e um copo de vermute vermelho, "que a coisa seja assim, calculada friamente. Pra mim, ele apareceu lá em casa porque achou que a festa ainda não tinha terminado."

"Mas ele viu que não tinha nenhum carro parado na frente!"

"Ah", exclamei, com uma discreta sensação de triunfo, "mas o carro da Freddy estava lá, coberto de neve."

"É como aquela história", disse Maureen. "'Se vós não tivésseis lavrado com a minha novilha' — como é mesmo o resto? — 'não teríeis descoberto o meu enigma'." Ela e Rodney haviam se conhecido num curso de verão sobre a Bíblia, e Rodney ainda conservava aquele jeito — cabelo penteado, ar juvenil — de futuro missionário. "Mas enfim", prosseguiu ela, alegre, sacudindo o colchão de tal modo que derramei um pouco de vermute nos pêlos do peito, onde — que droga! — Jeanne era bem capaz de sentir o cheiro, "eu entendo, você está se sentindo culpado em relação à Freddy, mas não entre nessa, não. Ela anda trepando com aquele poeta de Nova York, aquele sujeitinho horroroso, é o que todo mundo diz lá na faculdade."

"Eu preferia que você não me contasse todas essas coisas. Eu gostaria de manter um pouco de inocência."

"Ah, Martin, você bem que gosta, você *adora* saber de tudo", disse ela, esfregando o nariz no lugar onde caíra o vermute, com uma seriedade vigorosa, impessoal, leonina, que me assustou um bocado. Para me livrar dela, consegui encontrar suas orelhas no meio de todo aquele cabelo e, puxando-as, afastei sua cabeça do meu peito. O rosto dela nessa posição, o lábio superior levantado, os olhos semicerrados, lembrou-me Winifred erguendo o rosto para que eu a beijasse na neve, e evocou também uma máscara mortuária. Maureen não tinha um corpo de mulher que esconde os ossos, sua fome ávida e mortal. Rindo, mas com um olhar duro, vingativa, embora bem-humorada, prosseguiu: "O Rodney diz que você parece mulher, mete o nariz em tudo".

Esse comentário me magoou e me excitou. Eu e Rodney éramos de uma discrição severa, só conversávamos sobre nossos esportes castos — golfe, pôquer, tênis, esqui. Nunca falamos de política, nem mesmo no auge da guerra do Vietnã, nem depois, durante toda a prolongada queda de Nixon. No entanto era excitante pensar em Maureen e Rodney conversando sobre mim na intimidade do leito nupcial. "Pareço mulher, é?", retruquei rosnando, obrigando-a a trocar de posição comigo e ficar por baixo naquela cama do quarto de hóspedes que eu conhecia tão bem, uma cama de mogno, de baldaquino, com um abacaxi removível no alto de cada coluna. Resistindo, Maureen soltava gritos alegres que ecoavam pelos cômodos da casa em estilo vitoriano, recobertos de carvalho, e — temia eu — chegavam à rua.

Pierce Junction era uma cidade cheia de segredos que viviam vazando, como vaza serragem de uma viga carcomida pelo cupim. Havia uma série de furinhos microscópicos, com um lampejo de vida no fundo de cada um. Quando Jeanne ficou sabendo de meu caso com Maureen, reagiu com um acesso de fúria que me surpreendeu, pois havia anos que eu não dizia nada a respeito de seu relacionamento com Frank. Para demonstrar sua raiva, fez uma coisa imperdoável — foi até a casa dos Miller e contou tudo a Rodney. Maureen, com aquele seu lado religioso, trabalhava às quartas e sábados num abrigo metodista para crianças delinqüentes em Concord, e foi a eficiência da companhia telefônica, que registrava todas as ligações interurbanas, listando-as por cidade e por número, que revelou nosso segredo. Quando tento relembrar nossa paixão, o que me vem à mente não são imagens pornográficas do que fazíamos na cama, e sim um certo sabor neutro, a *madeleine* de um minuto particularmente vazio num dia à-toa, o anseio que, numa tarde morta e oca, despertava em mim um desejo insaciável pela voz dela — mais grave e rouca ao telefone, mais intensa e musical, do que quando estávamos juntos. Por um momento aquela voz afastava o medo intenso em que eu vivia naqueles anos; a voz e as súbitas inspirações de percepção cáustica por ela trazidas pintavam o mundo, que me parecia envolto num terror vago, com cores vivas e audazes. Ouvir Maureen rir aquele riso tranqüilizador, como se todos nós estivéssemos vivendo uma brincadeira deliciosa e precária, saciava uma sede que me pesava na garganta como um pedaço de ferro. Não estando Maureen presente, nem mesmo como uma voz ao telefone, o mundo ficava descentrado. Eu *precisava* falar com ela, e foi a conta telefônica que nos entregou.

A fome não era só minha, e sim de todo o nosso círculo, atormentado pela ânsia de necessidades insatisfeitas: Jeanne e Frank, coitados, aproveitando-se daquela meia hora ridícula na nevasca. Para mim, Maureen era como uma fogueira num acampamento, cuja luz faz com que a escuridão exterior pareça absoluta e cujo calor se transforma em frio intenso assim que nos afastamos dela, mesmo que apenas alguns poucos passos.

Jeanne levou horas para voltar da conversa com Rodney. Não imediatamente, e sim depois que a passagem de alguns dias nos havia reduzido a esqueletos exaustos de honestidade, ela confessou que, não estando Maureen em casa, acabou dormindo com Rodney, numa espécie de delírio de vingança, embora ele relutasse.

"Uma das tristezas de Maureen", disse-lhe eu, "era ele ser sempre tão fiel, totalmente satisfeito com ela. Pelo menos era o que ela pensava."

"Engraçado. Você lembra a época em que a Winifred e o Frank tinham acabado de se separar, e a Freddy estava louca para transar? Eu estava morrendo de medo que ela tentasse seduzir você naquela noite da nevasca. Pois bem, o Rodney foi o único homem daqui que não decepcionou a Freddy, que correspondeu à auto-imagem dela. Pelo visto, ela é muito ligada em sexo. O Rodney disse que ficou meio grilado de sentir que àquela altura dos acontecimentos — ih, eu falei igualzinho ao Nixon — ela trepava com qualquer um. Eu preferia não saber dessa história — nem mesmo o Frank está sabendo, eu detesto saber segredos que ele não sabe."

"Mas que belos escrúpulos", eu disse.

"Pode me gozar. Eu mereço, não é?"

"Minha mártir. Minha Jeanne D'Arc", eu disse, mal conseguindo conter a vontade de levá-la para a cama para descobrir de que modo ela fora enriquecida por aqueles novos conhecimentos, por aquela corrupção recente.

No entanto, acabamos nos divorciando, num processo arrastado e doloroso, tal como Maureen e Rodney. Mudei-me para Nashua, mas estava sempre voltando a Pierce Junction para visitar as crianças, tirar a temperatura de Jeanne e jogar com a turma de sempre. Uma noite, após uma rodada de pôquer, não querendo que eu voltasse a Nashua dirigindo depois de tomar muita cerveja, Rodney me convenceu a ir dormir em sua cabana dos tempos de solteiro, na serra; era pouco mais de um quilômetro de subida numa estrada de terra. Enquanto esperava minha vez de usar o banheiro, vi uma anotação largada na bagunça da mesa. A letra arredondada, aprumada, em que os "aa" eram como "oo", pareceu-me surpreendentemente familiar; Audrey Lancaster havia trabalhado como secretária de uma comissão de conservação da qual eu participara. Dizia a nota: *Mais uma viagem perdida. Fui eu que entendi mal ou foi outra mancada do frei Laurêncio? Agora minha caminhonete está suja de terra e minhas pernas cheias de picadas de mosquito por conta da hora que passei na sua varanda. Um chato de um pássaro na mata estava tentando me dar um recado, só que eu não entendo linguagem de pássaro. Com o abraço de sempre. E então?* Não havia assinatura. Uma página com pautas azuis, arrancada, certamente com raiva, de um caderno de espiral. Um furo no alto indicava o lugar em que fora perfurada pela tacha que a afixara à porta da cabana. Com uma espécie de pontada, senti-me muito próximo de Audrey, tal como na noite em que pus a mão em sua anca. Ela havia subido aquela estrada de terra no escuro, através da floresta, como um salmão nadando rio acima, à toa, e voltara humilhada. A alusão literária em seu bilhete tinha mais a ver com Winifred do que com ela.

Quando Rodney saiu do banheiro, inocente, com um pijama de algodão de menino, o queixo sujo de pasta de dente, senti por ele um ódio que jamais havia sentido em todos aqueles anos que passei entrando em seu casarão, perto da faculdade, passando pelo cortador de grama e pelas latas de óleo na garagem, atravessando a cozinha onde ele devorava o café-da-manhã todos os dias, passando pela prateleira onde ficavam seus troféus de golfe, em direção à cama de mogno no quarto de hóspedes. Enquanto alguns, como eu, se debatiam nas fímbrias da vida, insaciáveis, tentando ver o que se passava lá dentro, ele se esparramava no centro dela, complacente, esperando que a vida viesse até ele — em ondas tão abundantes que, estava claro, ele nem conseguia dar conta do serviço.

Em Nashua, enquanto os anos 70 morriam à míngua com a inflação e o mal-estar do governo Jimmy Carter, fui perdendo de vista as idas e vindas da vida em Pierce Junction. A possibilidade de que eu e Maureen viéssemos a viver juntos de modo respeitável fora rejeitada por ela desde o início. Era criança demais, despesa demais, águas passadas demais. "Você não entende, Marty?", disse-me ela. "A gente fez o que fez. Um ia ficar olhando pro outro e vendo sempre a prova do nosso *pecado*!"

Fiquei chocado ao ouvir aquela última palavra, tão antiquada, que levantava a possibilidade de que ela — e Jeanne, e todas as mulheres — esse tempo todo estivesse sofrendo em nosso paraíso sexual, vivendo em tensão por estar se desviando da monogamia. Senti-me insultado. Assim, foi com uma certa satisfação vingativa, misturada com outros sentimentos, que fiquei sabendo de sua morte súbita, tarde da noite, na Route 202, num carro dirigido por — logo quem! — Spike Lancaster, um dono de restaurante balofo, que falava aos berros e bebia demais; suas deficiências óbvias haviam investido a imagem de Audrey, em nosso pequeno grupo, de uma aura de santidade. A única coisa que Spike e Audrey tinham em comum era a miopia. Maureen morreu, e ele, o motorista, emergiu do acidente com feridas superficiais e uma fama de garanhão que provavelmente não prejudicou seu restaurante de beira-estrada — que aliás se chamava Lucky Shamrock (Trevo da Sorte).

Eu mal podia acreditar que, depois de nosso romance sublime, Maureen tivesse se envolvido com aquele brutamontes, aquele pateta. Bem feito, quebrou a espinha, aquele pescoço esguio circundado de pele queimada de sol no verão. Esses pensamentos maus, indignos, duraram apenas um instante, claro — um pequeno relâmpago de neurônios amorais antes de ter início a chuva suave da tristeza honesta. Porém a morte de Maureen e esse escândalo final, com marcas de pneu no asfalto e estilhaços de vidro de segurança, foram para mim o fim de Pierce Junction.

Jeanne e Frank casaram-se, e eu também embarquei numa segunda vida, com uma segunda mulher e novos filhos. Meus filhos continuaram a crescer, fizeram faculdade, casaram-se e mudaram-se para outras cidades. Eu tinha cada vez menos motivos para voltar; quando o fazia, a geografia da cidade, que pouco mudara, parecia conter as mesmas correntes elétricas de sempre, só com fios diferentes. Os rostos, e os velhos furos de cupim, se ainda existiam, estavam invisíveis, atravessando vidas mais jovens. Quando pensava nos velhos tempos, que de algum modo haviam se tornado sagrados, era, como eu já disse, menos nas mulheres que me eram mais próximas do que nas que haviam permanecido a meia distância, relativamente virginais, que tinham sido atraídas pelo canto das sereias do desconhecido, levando-o consigo ao desaparecer de meu horizonte.

Um shopping center havia brotado entre Nashua e Pierce Junction, no local onde antes havia uma fazenda cujos silos prateados eu ainda esperava ver, brilhando, naquela curva da estrada. Em vez disso, encontrei uma estrutura fragmentada e reluzente — lojas de grifes com vidraças pós-modernas e um amplo prado de asfalto coalhado de automóveis. Com a intenção de comprar um presente de aniversário para um neto numa dessas lojas de brinquedos cujo nome ostenta um estranho R ao contrário, eu caminhava por uma aléia insistentemente musical, sob uma arcada, ladeada por vitrines que, parodiando uma rua de comércio de cidade do interior de outrora, ostentavam marcas registradas, pontilhada por quiosques pouco freqüentados que ofereciam bijuterias, chás naturais exóticos, balas e biscoitos recobertos de iogurte em compartimentos de plástico leitoso. De repente vi, a meia distância, um passo inconfundível — pés bem abertos, jeito desconfiado, porém determinado e, para meus olhos, sedutoramente juvenil. Escapuli para dentro de uma loja da

Gap e, oculto pelas prateleiras de jeans amaciados e suéteres de tons suaves, fiquei vendo passar Audrey, mais cheia, grisalha, porém ainda ágil. As lentes de contato que ela vivia perdendo tinham sido substituídas por óculos grossos, ostensivamente pesadões. Ela apertava a vista e sorria e falava animada, movimentando aquela boca flexível, murmurante, larga.

Seu companheiro, com cabelos brancos curtos e macios, trajando calças e um colete forrado, por um momento pareceu-me totalmente desconhecido, um homenzinho baixo de cara amarrada. Mas então, com uma pontada de reconhecimento que disparou uma excitação senil por trás de minha braguilha e me fez dar um salto para trás, afastando-me da janela, eu vi; impossível não identificar o corpo de coruja, em forma de barril, os olhos negros sob sobrancelhas espessas, as mãos e os pés delicados. Winifred. Ela e Audrey caminhavam com a suave submissão mútua de um velho casal. Estavam de mãos dadas.

A HORA DO ALMOÇO

David Kern não morava mais na Pensilvânia havia mais de quarenta anos, mas sempre comparecia às reuniões de sua turma do secundário, que se realizavam de cinco em cinco anos. O tesouro fundamental de sua vida estava enterrado ali, na cidadezinha de Olinger, e ele não perdia a esperança de recuperá-lo. Julia Reidenhauser, por outro lado, não ia a uma reunião havia décadas; só comparecera àquelas primeiras comemorações, baratas, no campo de piquenique de Wenrich Grove e no prédio da Associação de Ex-Combatentes de Schenktown, quando todos eles ainda cabiam nas roupas dos tempos de colégio e ainda eram muito importantes um para o outro. "A Julia veio este ano — com a Doris, é claro", disse Mamie Kauffman a David.

Mamie se tornara roliça como um rocambole, e suas mãozinhas ágeis, com covinhas — quando jovem levava jeito para arte e pretendia se tornar estilista — estavam deformadas pela artrite, mas ela ainda tinha o mesmo ar doce e deslumbrado, ainda manifestava aquela mesma alegria aliviada, tocante, de estar ali, de ter *chegado*, que ostentava quando sua mãe ia com ela, de mãos dadas, até a velha escola primária na Alton Pike e a punha do outro lado do muro de um metro que separava o playground asfaltado da calçada. Não era bem um playground; embora as crianças brincassem ali na hora do recreio, não havia balanços, nem escorregas, nem aros de basquete, apenas umas linhas e círculos brancos pintados no chão, já meio apagados. Só as professoras conheciam os jogos e as regras associados àquelas marcas. O asfalto cercava o prédio como um fosso de castelo e era rigidamente dividido em duas metades, uma para os meninos, outra para as meninas, separadas por um caminho de cimento, à frente e nos fundos. Tudo era simétrico e rígido na velha escola primária, menos os alunos, sempre saltitando, correndo, rindo, narizes escorrendo, barrigas doendo, bexigas nervosas, do jardim-de-infância até a sexta série.

"Você está de brincadeira", disse David, mas sabia que não; os olhos de Mamie, menores do que eram nos tempos do primário, brilhavam, travessos, com aquele presente que ela lhe estava dando. Era a secretária da turma e a chefe da comissão organizadora das reuniões desde o início, sempre tramando maneiras de fisgar cada um dos cento e doze membros da turma. "Como você conseguiu convencer a Julia a vir?", perguntou ele.

Inesperadamente, Mamie assumiu um tom ofendido. "Eu não convenci ninguém. Pra mim, chega de implorar, David. Antes eu fazia de tudo pra convencer a Julia e mais umas dez pessoas que eu sabia que iam se divertir à grande se viessem, mas agora comigo é assim: eu mando o convite, quem quiser vir que venha. Tudo mundo já está crescidinho, meu Deus." Estavam todos com mais de sessenta anos; tinham se formado havia quarenta e cinco anos, no mês de junho em que teve início a guerra da Coréia. Sete dos cento e doze, pelas contas da secretária, já tinham morrido. No entanto, à sua volta, em meio à névoa de cabelos grisalhos, rugas e gordura, David via rostos de crianças, que praticamente não mudavam de uma série para a outra. Mamie acrescentou: "A Betty Lou diz que a Doris é que implorou pra ela vir — ela não queria se abalar lá de Schenktown sozinha. E eu acho que pra Julia já passaram os tempos difíceis, com a saúde e o marido e tudo o mais."

Tempos difíceis? Mamie jamais saíra de Olinger — aliás, morava a dois quarteirões da mãe, que ainda estava viva — e imaginava que David, que fora embora para fazer faculdade, depois entrara para o Exército, depois se mudara para Nova York e passara trinta anos trabalhando lá e morando numa cidade próxima em Connecticut, estivesse em dia com o noticiário local. Ele se lembrava de Ann McFarland lhe dizendo havia muito tempo, na reunião de quinze anos, que Julia afirmara que só viria se conseguisse perder cinco quilos, e como não o fizera, orgulhosa, ficara em casa. Ela morava em Schenktown, a dez quilômetros de Olinger, e só entrara para a escola na nona série. Não sentia pela velha Olinger o mesmo fascínio que cativava Mamie, Betty Lou e Ann.

A mãe de David sempre se espantava com a boa opinião que a gente de Olinger tinha de si própria. Não era de modo algum o subúrbio mais rico de Alton, nem o mais bonito, nem o "mais alemão". Na região de colonização alemã da Pensilvânia, o que caracterizava as localidades "mais alemãs" não era apenas o número de celeiros enfeitados ou de velhas estalagens caiadas, e sim um certo ar de resistência implicante em relação a tudo — shoppings, postos de gasolina de auto-serviço, pontas de estoque, conjuntos habitacionais para os mais velhos e menos prósperos — que alterasse as coisas de antigamente. De Baltimore e Filadélfia vinham ônibus cheios de turistas para ver como as coisas costumavam ser. No centro de Olinger ficava uma casa de calcário anterior à Independência, e existira uma pista de corrida de carroças no lugar onde agora ficavam as ruas curvas de um bairro chique, Oakdale, criado nos anos 30 e que subira as encostas da Shale Hill após a guerra. Mas não havia nada de particularmente alemão na cidade, apesar do número cada vez maior — era essa a impressão que David tinha cada vez que voltava — de produtos regionais kitsch produzidos em massa — decalques de *hex signs* e bonecas com trajes *amish*.*

Quem fosse de carro de Lancaster a Alton via, ao passar por Olinger, apenas uma faixa contínua de estabelecimentos comerciais. Quando David era menino, a cidade se espraiava por plantações de milho, um velho moinho, um riacho cheio de agrião, uma enorme pedreira vazia, perigosa e fas-

(*) *Hex signs*: tradicionais símbolos para afastar o mau-olhado, característicos da região de colonização alemã da Pensilvânia; *amish*: seita menonita cujos seguidores vivem em alguns condados da região, com seus trajes e costumes típicos, isolados do mundo moderno. (N. T.)

cinante. Agora todo aquele território misterioso e escassamente povoado estava cheio de shopping centers, agências de automóveis, restaurantes e lanchonetes de beira-estrada. Assim mesmo, Olinger conservava, pelo menos para os da geração de David, uma auto-imagem de meio-termo sensato e feliz entre a ridícula inocência rural de uma cidade como Schenktown, que só tinha uma rua e duas fábricas, espremida entre tristes plantações de milho e pomares de macieiras abandonados, e os horrores urbanos de Alton, uma cidade industrial em decadência, em cuja população cada vez mais predominavam as pessoas de cor. Os habitantes de Olinger orgulhavam-se de estar onde estavam, e David continuava encarando a mudança que o afastara da cidade, por iniciativa de sua mãe, como uma perda. Ela convencera seu pai a irem morar numa velha casa de fazenda alguns quilômetros ao sul dali, quando David tinha catorze anos.

Embora nessas reuniões costumasse permanecer num canto, tímido, David levantou-se e saiu à procura de Julia. A reunião era no salão de festas de um restaurante em Alton, enfeitado com as cores da escola, grená e dourado. Fotos ampliadas dos bons tempos — topetes, meias soquete, lanchonetes enfumaçadas — destacavam-se nas paredes. Um bufê comprido estava sendo montado. O bar se encontrava cheio e barulhento. David encontrou Julia não muito longe, em pé no meio do salão, com alguns velhos admiradores e a inseparável Doris Gerhardt. Simpática, ruiva, Doris fora talvez a mais baixinha da turma, e uma das primeiras a se casar. As duas mulheres o beijaram, coisa que David não esperava. Embora o beijo de Doris, voltado para cima, fosse o mais cálido e mais insistente, o fato é que Julia o beijara, sim, um úmido instante feminino no centro de seus lábios. O beijo social de Connecticut, um anti-séptico roçar de lábios nas faces, não existia aqui. Julia engordara no mínimo cinco quilos desde os tempos do colegial, mas sua estatura elevada e a postura elegantemente ereta mais do que compensavam. O cabelo estava branco, mas ainda era abundante e parecia volumoso, formando acima da testa uma crista suave, depois caindo em direção aos ombros largos. Tinha um nariz aquilino e olhos de um verde acinzentado, com algo de escuro e tranqüilo: um tipo de beleza alemã, tez amarelenta, um porte que dava a entender que ser ela mesma bastava. David não se lembrava de tê-la visto em nenhuma atividade extracurricular. No álbum da turma ela afirmara que sua maior ambição era "sair da escola". Na sala de aula, era majestosa e imperturbável, salvo quando solicitada a responder a alguma pergunta; quando se levantava, seu rosto era tomado por um rubor que desencadeava um estremecimento erótico por toda a sala. O sorriso tinha um ar indefeso cativante, como se significasse: "Mas o que se há de fazer?". *Was kann mer duh?*

David, que ao ingressar no salão estava nervoso, trêmulo, esforçando-se demais para entrar no clima de Olinger, sentiu-se alterado na presença de Julia e da pequena Doris. Transformou-se em outra pessoa, mais calma e mais alta. "Como é que vocês vão?"

"Ah, a gente não tem muito do que se queixar", disse Doris.

"Você, pode ser; mas eu tenho, sim", disse Julia, jogando para trás o cabelo abundante com um gesto lânguido. "Passo metade do tempo no dentista e a outra metade no quiroprático."

"Você está ótima", disse David. "Vocês duas estão ótimas." E então interrompeu aquela troca de amabilidades, constrangida mas sorridente, para chamar sua mulher, que estava conversando com outras pessoas — ela já havia comparecido a tantas reuniões de turma como aquela que havia formado seu próprio grupo. David queria que ela conhecesse Julia. As duas mulheres trocaram um aperto de mãos e encararam-se com uma curiosidade discreta. David perguntava-se por que teria forçado aquele encontro e por que se sentira tão inesperadamente à vontade e *em casa*. Então se lembrou: a hora do almoço. Para aquelas moças de Schenktown ele fora apenas mais uma pessoa do interior, uma pessoa normal. Não se importavam com o fato de que ele fora arrancado de Olinger por uma mãe com idéias malucas; viam-no tal como ele era, um futuro homem.

A mudança da família ocorreu quando ele estava na nona série. A fazenda não ficava para os lados de Schenktown, e sim para o sudeste, enquanto Olinger e Alton ficavam para o sudoeste. A idéia de estudar na escola do distrito onde tinham ido morar o horrorizava; imaginava-se chafurdando num abismo de estranhas criaturas rurais cheirando a feno e esterco. Mas seu pai era professor em Olinger, e foi fácil fazer David continuar na escola; iam juntos para lá num velho Chevrolet preto. Depois das aulas, David fazia hora no pátio da escola ou na lanchonete ali perto. Ele, que já fora um menino de Olinger, era agora um caipira sem lar que se apegava com unhas e dentes ao status de aluno. De todos em sua turma, ele era quem vinha de mais longe.

Na verdade Olinger já havia começado a escapar de suas mãos antes mesmo da mudança. A partir da quinta série, a escola vivia cheia de conversas e fofocas a respeito de acontecimentos nos fins de semana dos quais ele era sempre excluído — reuniões no porão da casa de alguém, ou na pedreira, ou na pista de patinação no parque de diversões de Alton. Havia se formado uma turma da qual ele não fazia parte. Ele se afastara da trilha que havia seguido desde os tempos das caminhadas até o jardim-de-infância, dos passeios de bicicleta em bando pela cidade, com os outros meninos e meninas que ele conhecia desde pequeno. Entre as meninas, umas eram mais bonitas que as outras, com mais vivacidade e energia, e entre os meninos alguns possuíam mais dos ingredientes mágicos — autoconfiança, astúcia — que garantiam a popularidade, mas tais distinções não eram tão importantes quanto passaram a ser na sétima e na oitava séries. Quando chegou à nona, David já quase sentia que o melhor seria ficar direto no campo, onde podia passar a tarde inteira lendo romances de mistério e praticando basquete num aro que seu pai afixara para ele na parede do celeiro, e trabalhando na horta "orgânica" que a mãe havia plantado na subida da encosta depois do pomar descuidado.

Na décima série, tirou carteira de motorista e passou a ter acesso ao carro da família, que podia ser guardado no estacionamento da escola. Viu-se então no mesmo mundo que

Julia e Doris. Havia em Schenktown uma velha fábrica de chapéus, e embora os chapéus de feltro estivessem prestes a sair de moda em todo o país, a indústria havia gerado prosperidade suficiente para que Julia pudesse ter um conversível Studebaker verde e Doris uma caminhonete Willys com as laterais todas de aço e não de madeira envernizada, o que ainda era uma novidade em 1948. Os carros liberavam os jovens não apenas do ônibus escolar mas também do refeitório da escola. Enquanto a maioria dos alunos ia a pé para casa, para almoçar nos prédios compactos de Olinger, e outros entravam na fila do refeitório para comer carne enlatada e frango com creme de leite, Julia, Doris, David e alguns rapazes de Schenktown, como Wilbur Miller e Morris Hertzog, iam rodar de carro pela Alton Pike em busca do hambúrguer perfeito. Comer numa lanchonete ou num restaurante de beira-estrada saía um pouco mais caro do que no refeitório, mas os pais de David, tal como haviam concordado que ele merecia coisa melhor que a escola do interior, davam-lhe uma semanada de cinco dólares para que ele pudesse comer fora. Agora, quando olhava para trás, surpreendia-se com a generosidade dos pais e seu próprio egoísmo: um predador adolescente, ávido de hambúrgueres, aceitação e gasolina.

A escola previa um período de cinqüenta e cinco minutos para o almoço. Depois de encontrar e comer os hambúrgueres, ainda tinham tempo para dar umas voltas. Na Pensilvânia do final dos anos 40, quando as transformações do pós-guerra ainda não haviam se imposto de verdade, era possível encontrar uma paisagem totalmente campestre saindo de Olinger e rodando apenas cinco minutos em qualquer direção que não fosse a de Alton. Estradas tortuosas e íngremes davam em casas de fazenda isoladas e em uma ou outra venda com duas bombas de gasolina vermelhas e enferrujadas à porta, anunciadas por um Pégaso. David lembrava-se de viajar em pé no banco de trás de Julia, sendo fustigado pelo vento, e depois deitar-se sobre a capota dobrada do conversível, sentindo o metal quente da lataria e contemplando a sucessão rápida e deslumbrante de céu e galhos de árvore diante dos olhos.

Pequenos cemitérios com lápides tortas, misteriosos arvoredos densos de coníferas plantadas, bancas de madeira que pareceriam abandonadas se não estivessem repletas de abobrinhas amarelas e abóboras laranja, sob o olhar vigilante de uma velhota de touca sentada na varanda; fontes de pedra semidestruídas, ruínas de velhas forjas cobertas de mato, riachos que faziam uma espuma pardacenta ao despencar em pequenas cascatas murmurantes; plantações de milho, centeio, fumo; pastagens, pomares com pessegueiros e macieiras em flor ou carregados de frutas — tudo isso se estendia ao redor dos jovens nos passeios da hora do almoço, embora eles só dessem atenção à presença dos colegas e à sensação de velocidade. Quando o dono do carro era David, em seu velho Chevrolet preto, ele recorria a um truque que, embora fosse menos perigoso do que parecia, sempre arrancava gritos dos passageiros: punha o carro em ponto morto no alto de uma ladeira, saltava para o estribo e dirigia com o braço enfiado na janela. A possibilidade de encontrar outro carro era pequena. As estradas, originariamente de terra, feitas para ser usadas por carroças de tração animal, tinham sido pavimentadas antes da guerra. Em breve seriam alargadas, e as curvas seriam suavizadas com o sacrifício de uma pequena casa de fazenda com águas-furtadas aqui, um celeiro com paredes de pedra ali, mas por ora formavam um labirinto vazio que atraía aqueles adolescentes livres, livres da escola de corredores e salas de aula abarrotados, com multidões recendendo a perfume e brilhantina, com suéteres de angorá e camisas de veludo cotelê, sapatos Oxford e mocassins, a sussurrar tramas de namoros e separações e traquinices calculadas, submetidas a implacáveis hierarquias estabelecidas pelos padrões de Olinger — quem estava por cima e quem estava por baixo, os poucos atraentes e admiráveis e os muitos que não eram nem uma coisa nem outra.

As reuniões de turma revelavam que aquela estrutura de discriminações implacáveis, antes levada tão a sério, pouco afetara o desempenho futuro daqueles jovens. Fora o caipira ridicularizado cada vez que abria a boca, totalmente invisível na sala de aula, que tinha se mudado para Maryland e fundado um império de sementeiras, e era dele o Jaguar prateado no estacionamento do restaurante. Fora a infeliz e desprezada filha de uma mulher divorciada — coisa monstruosa naquela época — que se transformara na glamorosa executiva de uma agência de publicidade em Chicago. Os espalha-brasas da turma haviam se tornado professores e policiais, pessoas solenes e ponderadas, incumbidas da responsabilidade de manter a ordem. Quem tivera filho mais recentemente — sua quarta esposa, toda buliçosa num vestido curto de cetim muito decotado, era idêntica à terceira, que comparecera cinco anos antes — era um rapaz que, até onde todos se lembravam, jamais fora a um baile ou tivera namorada. As eternas encalhadas da turma, que formavam um pano de fundo quase invisível de feminilidade incolor, contra o qual as estrelas esbanjavam vivacidade e charme, tinham adquirido modos refinados e toda uma pose matronal, enquanto as rainhas da turma haviam sido prejudicadas pelo desenvolvimento excessivo das exatas qualidades que antes as tornavam espetaculares — seios proeminentes, vigor, imprudência, uma dureza astuciosa.

Julia fora espetacular, mas parecia não ter se dado conta disso ou se importado com o fato. Sua expressão característica, aquele sorriso preocupado que perguntava "O que se há de fazer?", alternava-se, David percebia, com uma determinação masculina, um pouco melancólica, quando dirigia seu conversível a toda a velocidade, o cabelo castanho jogado para trás debatendo-se furiosamente ao vento, ou quando fumava um cigarro na hora do almoço. Nesses momentos o queixo projetava-se para a frente sob o cigarro e os olhos se estreitavam, como se ela fosse homem. O hábito de andar sempre com uma acólita, a pequena Doris, acentuava a imagem poderosamente exótica que ela formava aos olhos da elite da turma. As moças mais bonitas e dinâmicas a cortejavam e a incluíam em seu círculo quase contra a vontade dela. Julia dava de ombros e dispensava, por achar ridículos, os rapazes que confessavam, pelos caminhos tortuosos da fofoca, o amor que sentiam por ela. Que David soubesse, Julia não tinha vida sexual, a menos que fosse em Schenktown. Os rapazes que participavam dos passeios na hora do almoço, Wilbur e Morris, tinham uma suavidade e um tato de interioranos, como se a vida fosse um fluxo inocente sem correntezas ocultas — como se aqueles irresponsáveis passeios na hora do almoço não fossem uma afirmação exuberante da amizade, da coragem, da rebeldia em relação à ordem imposta no colégio e na estreita comunidade de casas geminadas que os circundavam. Havia em Julia algo de negativo, um toque de recusa, que agradava a David, sem que isso o tentasse a ir além da agradável amizade assexuada que os unia. Se ela o havia beijado alguma vez antes daquela reunião — a de quarenta e cinco anos —, ele tinha esquecido.

Aquela mudança para a fazenda tivera conseqüências sociais positivas. Nos fins de semana, o Studebaker de Julia ou a caminhonete de Doris por vezes aparecia na fazenda de David, a fazenda por meio da qual sua mãe tentara colocar uma barreira definitiva entre sua família e a cidade. Elas o levavam embora, no meio de outros passageiros entre os quais se incluíam não apenas os plácidos rapazes de Schenktown mas também moças altamente desejáveis, como Mamie e Betty Lou e Ann, e outros rapazes que elas consideravam aceitáveis. Graças ao magnetismo de Julia e à potência do automóvel americano, David conseguira ser readmitido àquelas misteriosas, indefiníveis e indispensáveis reuniões das quais ele começara a ser excluído na quinta série. Iam em grupo jogar boliche, jogar buraco em meio a nuvens de fumaça de cigarros, ver televisão, que ainda estava em seus primórdios, nadar num lago onde havia um ancoradouro e um trampolim — tudo não passava de desculpas esfarrapadas para estarem juntos e ficarem juntos, no limiar daquelas possibilidades que eles sentiam, ainda vagamente, estar se aproximando para moldar e limitar suas vidas. Para ele era um pouco tarde; estava planejando uma vida para si próprio após Olinger, seguindo os planos de sua mãe, afinal. Porém gostava de voltar a fazer parte de uma turma, e levou para seu mundo o orgulho de ter sido aceito, incluído.

Até aquela noite, ele não havia percebido com clareza o quanto Julia fora responsável pelo prêmio daquela aceitação, um prêmio ao qual ela própria não dava grande valor. Quanto à vida de Julia depois do colegial, David pouco sabia, e não sentia necessidade de saber nada — um marido em Schenktown, uma sucessão de filhos, as doenças e decepções que dão à vida seu sabor final e fatal. Ela provara de tudo isso ainda na adolescência. Mas *was kann mer duh?* No final das contas, tudo que nos resta é nossa pose. Sua postura ereta, naqueles ruidosos corredores já desaparecidos, fazia com que seus seios, por trás do sutiã antiquado e da suéter felpuda, se destacassem com nitidez acima do ventre tão liso que era como se ela tivesse respirado fundo para começar a cantar.

Então por isso se sentira relaxado, mais alto e cheio de gratidão, reconhecido por ser quem era, ao rever Julia Reidenhauser. Mas por que aquele impulso súbito de apresentá-la a sua mulher? No quarto de hotel, perto de Alton, via sua mulher despir-se lentamente, pendurando o sutiã num cabide para toalhas, reclamando das deficiências daquele estabelecimento provinciano — havia café instantâneo no banheiro, mas nada de touca nem de sais de banho —, porém suavemente tranqüila e um pouco ausente por trás daquela camada de irritação. Cada mulher era um círculo cujo centro estava ligeiramente deslocado. David ficou imaginando se viveria para comparecer à reunião dos cinqüenta anos. Mamie, falando ao microfone, mencionara o assunto com aquele jeito infantil de falar, de língua presa, antevendo alguma coisa extraordinária — um passeio de barco pela baía de Chesapeake, até mesmo um fim de semana nas Bermudas, que, fora da temporada, não era tão caro quanto as pessoas pensavam. Ela pedia que todos escrevessem mandando sugestões. "E, por favor, atualizem seus endereços para a lista da turma. Agora não tem mais ninguém para encaminhar a correspondência; nossos pais, que faziam isso... já se foram." Socorro, ela estava dizendo, estamos afundando no mar das gerações. A Olinger High School não existia mais: o nome fora engolido por uma reforma nos anos 50, e o próprio prédio do colégio, com seus corredores de carvalho encerado, sua riqueza oculta de amianto, fora demolido nos anos 70. Na reunião dos vinte e cinco anos, os prêmios sorteados tinham sido tijolos amarelos recolhidos da demolição.

"Talvez essa seja a última reunião a que obrigo você a vir", anunciou David a sua mulher.

Ela dirigiu-lhe um olhar atormentado, descabelado, adorável. "Vai perder a dos cinqüenta anos? Por quê? Eu não me incomodo de vir. As pessoas são simpáticas, sério. O único problema é que elas nunca foram a lugar nenhum."

"Imagino que elas pensam que já estão lá. O que achou da Julia?" Julia tinha ido embora, acompanhada de Doris, antes de os colegas começarem a dançar e a beber após o jantar. Antes, Butch Fogel havia projetado um velho filme oito-milímetros feito por seu pai, um desfile do Dia da Memória* de 1937, e depois um piquenique no terreno baldio ao lado da igreja luterana. David ficou fascinado ao ver por um instante um velho professor da escola dominical fumando charuto, e o médico careca que fizera seu parto e visitava os pacientes com sua mala preta dobrável, e (por uma dolorosa fração de segundo) o pai de David, jovem, fazendo caretas para a câmara, e depois o policial gordo que no Natal sempre se vestia de Papai Noel e distribuía caixas de chocolate Zipf embrulhadas em papel vermelho. David procurava sua própria imagem em meio às multidões que passavam num átimo pela tela, mas naquela época ele teria apenas cinco anos, e talvez nem sequer se reconhecesse.

"Quem era ela?"

"Aquela alta, de nariz adunco e cabelo bem branco."

"Ela deu a impressão de se achar meio superior a todo mundo."

"Era o jeito dela. Mas no fundo ela não era, não." Então compreendeu por que quisera apresentar sua mulher a Julia, por que quisera que elas se tocassem: ele se orgulhava de conhecê-las, aquelas duas mulheres. Antes de Julia, só conhecera meninas.

(*) A última segunda-feira de maio, dedicada à memória dos soldados que morreram em campo de batalha. (N. T.)

GAROTA DE NOVA YORK

Naquele tempo, Nova York parecia ser tão longe de Buffalo quanto Cingapura hoje. Eu ia de trem, oito horas tediosas, ou então de carro, pela Route 17, parando em Corning e Binghamton, onde tínhamos clientes, e depois atravessando os montes Catskill e chegando ao condado de Westchester. Eu me hospedava no Roosevelt ou no Biltmore, porque da Grand Central Station até eles era uma caminhada pequena para quem só levasse uma mala. Quem chegava a Nova York se via num outro planeta, numa praia distante; a cidade parecia exigir que a gente criasse uma vida nova. O tempo, que em Buffalo era totalmente preenchido pelas necessidades da casa, das crianças e da esposa — Carole vivia contando cabelos brancos, e com a sucessão de partos suas pernas se cobriram de varizes —, o tempo aqui era todo livre, horas e horas, sem ninguém dizendo o que se devia fazer depois que todos os deveres haviam sido cumpridos. Produzíamos metais não ferrosos injetados, principalmente liga de alumínio. Nossos principais clientes eram fabricantes de janelas reforçadas para o inverno, mas nos anos 60 começamos também a produzir molduras de metal para quadros, o que me pôs em contato com os mais baixos escalões do mundo artístico. Eu visitava galerias para ver do que precisavam, e numa delas, num andar de cima na West Fifty-Seventh Street, conheci Jane.

Não era feia, mas também não era um tipo de beleza convencional. Havia nela algo de assimétrico; não apenas o sorriso, mas todo o rosto ossudo, com os malares proeminentes e as sardas ocultas por pó-de-arroz, dava a impressão de ser um pouco puxado para o lado. Quando fazia algum gesto, as mãos e os braços pareciam excessivamente compridos, como se tivessem uma articulação a mais. Seus gestos incluíam uma série de movimentos súbitos de retração e carícias dirigidas ao próprio corpo, como se ela estivesse verificando se todas as peças estavam no lugar. Volta e meia jogava para trás o cabelo longo e escorrido, de um tom vermelho-fosco que me fazia pensar em lascas de lápis e na fragrância de cedro que sobe às narinas quando a gente esvazia o apontador. Usava um vestido curto de malha bege e meia-calça preta; os quadris eram mais largos e as coxas mais grossas do que fazia supor a metade superior do corpo, tão ossuda, e isso, à luz impiedosa da galeria de arte, acentuava ainda mais a impressão comovedora de que ela tinha algum defeito. As paredes brancas ostentavam abstrações apressadas, pigmentos azuis lambuzados em telas imprimadas de branco, todas do mesmo tamanho e com molduras finas de aço laminado a frio, como uma fileira de espelhos de banheiro.

"Não vim para ver os quadros", desculpei-me. "Só as molduras. Para ver do que vocês precisam."

"Acho que a gente precisa é de discrição", disse ela, adejando a mão comprida em direção à parede cruel; em seguida pousou a mão no ombro e apertou-o. "Tem muito artista que não suporta moldura nenhuma; dizem que cria uma atmosfera, que eles querem um aspecto mais *rústico*, e que além disso estão sempre lutando contra o retângulo. Mas a gente percebe", prosseguiu, amolecendo, com um sorriso torto enternecedor, "que os fregueses ficam mais tranqüilos quando tem moldura. É uma garantia que o quadro está *terminado*, que o artista levou a coisa *a sério*."

"Estou mais interessado é nos flanges", eu disse, mas ela já sabia que eu estava interessado era nela. Eu estava abobalhado; uma espécie de névoa havia se formado entre nós. Naquela idade das trevas, um homem manifestar tal interesse por uma mulher não era considerado uma afronta, e sim apenas um dado a ser levado em conta na equação da vida em que se estivesse no momento. Eu e Jane tínhamos trinta e poucos anos, época de fazer cálculos novos. Em Buffalo eu havia sobrevivido, com minha família, a uma paixonite tumultuosa com um desfecho explosivo; findo o episódio, eu reajustara para baixo minha avaliação da quantidade de felicidade que eu poderia extrair do mundo e da que eu podia oferecer a qualquer mulher que não fosse minha esposa. Fiquei mais ajuizado e mais tímido. Mas Nova York era outro mundo — uma infinidade de restaurantes e apartamentos e poços de elevadores e apetites humanos. Eu havia combinado voltar para casa só no dia seguinte à noite.

"Pra ver os flanges", disse Jane após uma hesitação desajeitada e uma expressão de susto que por um segundo conseguiu atravessar a névoa, "acho melhor você ir lá no depósito." Ali, em meio a um amontoado não de todo desprovido de ordem de quadros sem moldura e de molduras desmontadas, réguas T e facas e uma mesa de trabalho marcada, sentamo-nos em bancos altos e instáveis, e cada um fumou um cigarro.

"O que é que *você* faz, Stan?"

Expliquei-lhe meu trabalho e contei-lhe que, formado em engenharia, acabei virando vendedor de ligas injetadas. Falei sobre minha casa de oito cômodos, minha família de três filhos, minha garagem de dois carros em Eggertsville e meu limpa-neve Toro vermelho recém-comprado, com o qual eu tentava abrir caminho em meio às famosas neves das margens do lago Erie. "Agora me fale de você."

Ela fumava como se nunca tivesse fumado antes, levando o cigarro aos lábios com a mão esticada, os dedos um pouco curvados para trás de tão tensos. Amassou a guimba num cinzeiro verde grandalhão como se estivesse esmagando um inseto que se recusava a morrer. "Não tenho tempo pra isso, meu bem", disse, descendo do banco com um salto desajeitado. Seus sapatos, na extremidade das pernas longas de coxas grossas, eram de um tom de vermelho surpreendentemente vivo, como unhas vermelhas em dedos negros. "Estou ouvindo gente na loja. Podem estar roubando os quadros. Vou lá dar uma força pra eles." Acrescentou: "Eu também tenho filho. Um menino de nove anos. Não tenho marido, nem carro, nem limpa-neve, mas tenho um filhinho muito querido".

Dessa vez sua hesitação e seu olhar fixo tinham um sentido claro: era minha vez de fazer um lance, e tinha que ser depressa. Era minha vez de ser desajeitado. "Você... você gostaria de jantar comigo hoje? Ou tem coisa mais interessante pra fazer? Aposto que tem."

Fiquei um pouco desapontado — prevendo complicações — quando ela disse que estava livre. "Pra mim, é uma boa idéia", disse ela, afastando o cabelo de uma das orelhas com um ar pensativo. "E pra você? Você não parece muito seguro."

"E o menino?"

"Eu arranjo uma baby-sitter."

"É mesmo? Assim em cima do laço?" Em Buffalo, as baby-sitters eram meninas púberes inescrutáveis, que viviam perdidas no mundo onírico dos treze anos de idade, ou então matronas com jeito de avós, viúvas ou solteironas, que tinham cotação muito alta e que era necessário contatar com semanas de antecedência. De fato, eu hesitava, mas a névoa entre mim e Jane estava ainda mais espessa.

"Sério", insistiu ela. "Oito horas é muito tarde para você? Dou o jantar a ele e ponho pra dormir. Tome aí meu endereço — é pertinho daqui. Não seja tímido, Stan. Vai ser divertido."

Jane morava no West Side, vinte quarteirões ao norte do lugar onde trabalhava. Naquela noite, ou numa noite não muito depois, descobri perplexo que havia vários táxis rodando pela rua às três da manhã. Eu estava com medo, ao sair na Columbus Avenue, emergindo, sonolento, da cama quente de Jane. Nossas despedidas sussurradas ainda vibravam em meus ouvidos; o último beijo que ela me dera evaporava sob meu nariz. Sentia o corpo totalmente indefeso, como se fosse uma lesma. Eu havia saído por causa do menino, para que ele não me encontrasse ao despertar, e por causa de minha mulher, que talvez tivesse tentado ligar para o hotel, em pânico, devido a alguma emergência doméstica. Carole tinha um lado nervoso e dependente por trás de sua aparência equilibrada e prática. Eu lhe dera uma penca de filhos e depois não parava em casa.

No momento, eu é que vivia uma situação de emergência: as ruas vazias e retas estendiam-se para todos os lados, até sumirem no horizonte; algum marginal — naquele tempo já se falava "marginal"? — poderia estar à minha espera, canivete a postos, em alguma entrada escura, atrás das escadas de algum prédio. A dois quarteirões dali, porém, havia uma farmácia vinte-e-quatro-horas, toda iluminada, e volta e meia uma onda de tráfego animava a avenida. Um ou dois minutos depois, um táxi surgiu, com sua luz salvadora na capota. Eu e o motorista normalmente conversávamos nessas minhas voltas ao hotel; ele estava satisfeito por conseguir um passageiro, e eu estava animado pela sensação de triunfo sexual e de fuga. Aquelas viagens pela cidade quase vazia me faziam sentir-me limpo, renovado: sentia estar voltando aos eixos. Eu saltava diante do hotel, pagava o motorista, passava pelo recepcionista indiferente sentindo-me quente e amarrotado, entrava no elevador, atravessava o corredor sem janelas, entrava no quarto silencioso que me esperava, e era como se eu reassumisse uma personalidade que havia permanecido alheia o tempo todo. A cama estava fresca, os lençóis bem presos ao colchão, e havia uma bala de hortelã sobre o travesseiro.

Às vezes Jane vinha ao hotel. Uma vez deixei o quarto às escuras enquanto aguardava sua chegada, e quando fui abrir a porta ela perguntou: "A suruba é aqui?". Em outra ocasião — ou teria sido a mesma? Quantas vezes foram ao todo? — não conseguimos abrir a porta na hora de ela sair. Era absurdo e assustador; uma invisível autoridade punitiva havia me prendido junto com a prova viva de meu crime. Passava das duas da manhã; Jane já devia ter ido embora da suruba e despachado a baby-sitter havia muito tempo. Uma mulher que morava no apartamento do andar de baixo tomava conta do menino para ela em casos de emergência. Havia uma verdadeira confraria de mulheres solteiras em Nova

York, uma ajudando a outra a jogar o difícil jogo de encontrar um companheiro. Os homens — homens úteis, descompromissados, heterossexuais — eram raros, mais raros aqui que no interior; Jane me ensinou isso, o que foi mau para ela, pois eu raramente me preocupava, nos intervalos de meses que separavam minhas idas à cidade, com a possibilidade de que ela talvez não estivesse à minha espera, tão glamorosa e disponível como sempre.

O mistério do quarto trancado jamais foi resolvido de todo. Eu não fazia idéia dos padrões morais da gerência do hotel naqueles anos imediatamente anteriores à revolução sexual; telefonei para a portaria, gaguejando, cheio de culpa. Durante alguns minutos que pareceram intermináveis, eu e Jane ficamos presos juntos, já completamente vestidos e fisicamente exaustos. Por fim, um zelador negro destrancou a porta com uma chave mestra. Depois, intrigado, ficou mexendo na maçaneta relutante do lado de dentro, conversando conosco como se formássemos o casal mais comum, diurno e sacramentado que jamais houvesse solicitado seus serviços. Formamos uma pequena sociedade naquela hora imprópria; ele e Jane, em particular, imediatamente se entenderam, trocando teorias sobre aquele quebra-cabeça mecânico. Ela disse: "Fiquei achando que talvez fosse como uma roleta do metrô, que a gente tinha que enfiar uma ficha". Foi uma revelação para mim, aquela camaradagem noturna entre nova-iorquinos e a maneira acolhedora como a cidade incluía meu adultério em sua rotina incessante.

Carole e eu nos conhecemos na faculdade — a University of Buffalo, que ainda não era vinculada à State University of New York. Ela estudava matemática; era inteligente, metódica, compacta, curvilínea. Usava óculos de lentes grossas, e tinha lábios finos e sérios. Vi de imediato que seria uma companheira confiável e uma boa mãe para meus filhos. Minha avaliação foi certeira; ela preencheu todas as minhas expectativas maritais. Nós dois éramos tão estudiosos que não tínhamos muito tempo para namorar direito; fomos amigos por dois anos e, já perto da formatura, resolvemos nos casar. Assim, quando eu parava num florista de esquina em Manhattan para comprar um buquê de rosas vermelhas ou de gladíolos violeta, estava desempenhando determinado papel, o de namorado, pela primeira vez. Minha coadjuvante nessas cenas era a veterana atriz italiana atrás do balcão, com um discreto buço, uma suéter esfiapada e um coque grisalho no qual um lápis amarelo se destacava, num ângulo vistoso. As luzes da ribalta realçavam todos os meus sentidos: eu registrava com atenção febril as cores das pétalas abundantes refletidas na vitrine negra, o bafo frio que vinha da geladeira com porta de vidro onde eram guardadas as flores recém-colhidas, o gesto destro e irritado com que minha coadjuvante pegava o lápis no alto da cabeça e preenchia o recibo antes de me despachar. Eu saía à rua com meu cone de papel verde cheio de flores, sentindo-me membro da legião anônima dos namorados da cidade. Após subir a Columbus Avenue mais um pouco, entrava na loja de bebidas para comprar uma garrafa de Wild Turkey — o burbom mais caro que eu podia me aventurar a comprar. Em casa, eu e Carole tomávamos Jim Beam, e assim mesmo só de vez em quando. Mas em Nova York eu era outra pessoa, eu era o amante rico vindo de Cingapura. Flores e bebidas — o que mais eu poderia dar a Jane para revestir minha gratidão? O sexo pago, ainda que mal pago, era melhor — mais claro, mais nu, mais impetuoso — que o sexo marital, que a gente espera que surja furtivamente e de graça. Eu não freqüentava a loja de bebidas com tanta assiduidade — apenas quatro ou cinco vezes por ano — que chegasse a ser cumprimentado pelos irmãos severos que eram os proprietários, mas após um ano comecei a perceber algo no rosto desconfiado deles, a vaga sensação de que deviam me conhecer melhor, de que eu era uma cara familiar. Talvez o ar de namorado chamasse a atenção. Talvez eu fosse um jovem marido, novo na vizinhança, ainda deslumbrado com as delícias da coabitação.

Uma felicidade certamente imaginária recobre estas lembranças. Uma vez, em janeiro, no apartamento de Jane, fui até a janela da frente e fiquei olhando para as copas dos plátanos enfileirados, vendo uma neve úmida cair enviesada e desenhar crescentes brancos sobre os pequenos glóbulos das sementes, ao som plangente das vozes dos Swingle Singers cantando fugas de Bach — um disco que Jane ganhara no Natal, não perguntei de quem —, e senti uma felicidade tamanha que meus olhos ficaram rasos d'água. Meu corpo, envolto num roupão macio que Jane me emprestara, estava repleto de uma satisfação espiritual vaga e fofa. Às minhas costas, na cozinha, ela preparava nosso café-da-manhã. Parabolóides de suco de laranja e um cilindro de geléia espargiam sua luz interior. O cheiro de bolinhos no forno cruzou com a imagem da neve diagonal aderindo aos glóbulos dos plátanos. Aquele momento matinal transbordava mais e mais, e a música de Bach insistia e insistia, nunca se contentando. Jeffrey, o filho de Jane, estava com um amigo ou com o pai, de modo que, pela primeira vez, o apartamento era todo nosso. Eu passara a noite com ela, torcendo para que o telefone do meu quarto de hotel não tocasse. Jane não era muito menor que eu, e seu roupão azul me servia. Teria sido impossível para mim vestir um roupão de Carole; ela era mignon e luxenta. O que eu amava em Jane era seu excesso, sua abundância — os quadris tão largos que, quando andava, eles balançavam como uma gangorra, o cabelo cor de cedro sempre caindo no meu rosto, os braços angulosos cobertos de uma penugem suave, as pernas que chegavam até os cantos da cama. Era uma cama de solteiro; havíamos dormido mal, um roncando na cara do outro, um se esquivando do cotovelo do outro.

O ex-marido dela era artista, não tão bem-sucedido que desse pensão ao filho ou que eu já tivesse ouvido falar nele, nem tão fracassado que se visse obrigado a abrir mão de sua auto-imagem de artista. Eu odiava e invejava aquele mundo de artistas de Jane — gente que morava em lofts e vivia em farras, que se esquivava da monotonia dos empregos formais, que exercia um fascínio exótico. Jeffrey, que tinha nove anos, e depois dez, era um garoto de olhos grandes e inocentes, de uma polidez severa, talvez porque eu quase sempre o visse quando ele estava sendo levado para dormir, na hora em que eu saía com sua mãe. Seu quartinho tinha uma única janela, alta, virada para o sul, na direção das massas retangulares iluminadas que se estendiam ao longe, cada vez mais altas — uma visão de mil-e-uma-noites que me inspirava uma sensação abjeta de gratidão por me ser concedido, a mim, um invasor do interior do estado, o direito de gozar, por pouco que fosse, e clandestinamente, de tal esplendor.

Jeffrey era precoce na escola, e Jane orgulhava-se disso. De vez em quando eu conversava com ele; tinha a impressão de que ele me tratava com uma docilidade astuta, com uma esperança contida. A solidão de sua mãe era o próprio ar que ele respirava, e eu lhe proporcionava uma breve mudança de ares. Era mais louro do que Jane, parecia um inglesinho, de queixo pontudo, pele alva e faces rosadas; apenas os olhos castanhos, de coruja, e as sobrancelhas negras evidenciavam a presença de um sangue mais moreno, o do pai. Jeffrey já lera muito Tolkien e C. S. Lewis; na escola estava tendo um pouco de dificuldade para aprender a somar frações com denominadores diferentes. Dos homens que freqüentavam as margens de sua vida, certamente eu era o único formado em engenharia.

"Você faz uns números tão bonitos!", exclamou, quando comecei a ensiná-lo a calcular denominadores comuns.

"É importante. Se não ficar muito claro qual é o número, não adianta nada. Esse quatro que você faz, fechado em cima, é muito parecido com um nove."

"Mas nos livros os quatros são sempre fechados assim, Stan."

"Muita coisa que funciona nos livros não dá certo na vida real", disse-lhe eu, paternal. Havia algo de encantador em ser chamado de "Stan" por um menino com a idade de meus filhos. Por alguns momentos eu era membro de sua família, mas os vínculos entre nós eram tecidos com cabelos de anjos, insubstanciais, sem o peso do parentesco real. Por algum tempo eu me tornava um ser mágico, para fazer jus à magia daqueles vínculos, precariamente equilibrado no meio do ar, entre as copas dos plátanos e as luzes enfileiradas dos arranha-céus.

Os móveis do apartamento de Jane eram baratos; havia gravuras sem número de série e sem moldura pregadas nas paredes com percevejos, e à guisa de mesinhas ela usava pilhas de livros de arte e catálogos ladeando o sofá. Naquele apartamento eu me sentia ágil como nunca, leve, sorrateiro, roubando felicidade desses cômodos e depois deslizando porta afora, entrando no elevador (como pareciam barulhentas suas portas e engrenagens naquele prédio profundamente adormecido!) e saindo para as ruas vazias que, com rapidez misteriosa, me forneciam um táxi livre, com o terceiro olho aceso.

Aventuras! Aventuras com Jane. Tínhamos que comer. Depois que o zelador finalmente nos libertou do quarto do hotel, estávamos mortos de fome, e encontramos um restaurante automático vinte-e-quatro-horas na East Forty-Second Street. Tive a impressão de estar entrando num quadro de Hopper com uma garota desenhada por George Petty. Toda vez que ia com Jane a um restaurante, eu tinha uma sensação luxuriosa. Jamais telefonávamos para fazer reserva — eu não gostava de enfrentar as vozes afrescalhadas, com sotaque, dos lugares famosos, La Côte Basque e congêneres — mas Nova York era cheia de restaurantes sem fama, semivazios, onde éramos bem recebidos; o maître sorria de orelha a orelha ao ver Jane em sua minissaia e com seu cabelo escorrido cor de cedro. Lembro-me de um restaurante sueco caro no East Side, e de uma churrascaria com decoração texana e janelas grandes que davam para a Third Avenue, e de um lugarzinho especializado em peixes com mesas de madeira ao sul da Washington Square. As peças da Broadway eram demoradas demais para que desperdiçássemos com elas as horas preciosas que tínhamos para passar juntos, mas uma vez ela me levou para ver um filme underground entre a Thirtieth e a Fortieth Street, lugar meio sinistro, e a uma peça em Greenwich Village sobre um grupo de viciados que aguardavam a chegada do "avião". Passei a peça inteira abraçando-a; a mensagem do texto, de desesperança e vício, parecia dirigida a nós, cobrando nossa adesão às tropas dispersas da rebelião daqueles anos anteriores à guerra do Vietnã. Porém ela fez questão de não retribuir minhas carícias, como se para afirmar, enquanto fios de seu cabelo roçavam-me a face, que minha visão romântica das coisas tornava minha posição fácil demais.

O filme de arte não tinha nenhum enredo de que eu me lembre; havia muitas tomadas panorâmicas lentas e granulosas, e umas colagens surrealistas e rápidas, incluindo uma cena rápida e repetida de felação, que fez Jane exclamar baixinho a meu lado: "Ihh...". O ato era falso, realizado com fotos de um consolo-de-viúva e o rosto de uma jovem, e não encenado com naturalidade para a câmara, como viria a ser poucos anos depois. Para a época, era uma ousadia, tal como Jane foi ousada quando, na cama, um pouco constrangida, surpreendeu-me baixando a cabeça de repente e tocando com os lábios a ponta da minha ereção, como uma menina cedendo ao impulso de beijar a cabeça calva de sua boneca favorita. O beijo foi rápido e suave, e aparentemente surpreendeu a ela tanto quanto a mim; permanece na minha memória como um momento isolado, com um brilho de vitrine de florista — a intimidade úmida e protegida, as pétalas macias expectantes. Não insisti com ela para que repetisse o gesto; ele brotara de um transbordamento de sentimentos que minha situação não permitia forçar. Eu podia aceitar, mas não exigir.

O que ela ganhou por estar comigo? Aprendeu a comer com pauzinhos. Tínhamos entrado meio por acaso num restaurante chinês com decoração excessiva e iluminação insuficiente na Lexington Avenue, papel de parede dourado e bancos de um azul arroxeado. Os pauzinhos vieram na embalagem de papel, mas Jane foi pegando os talheres convencionais colocados ao lado do prato. Perguntei-lhe: "Seus outros namorados deixam você fazer isso?".

Ela corou e reagiu, na defensiva: "Meus outros namorados, como você diz, quase nunca me levam a restaurantes chineses".

Eu tentava não manifestar curiosidade a respeito da vida que ela levava nos longos intervalos de minha ausência; seria doloroso para mim saber demais, e doloroso para ela confessar que não havia muito para eu saber. "Só a lugares mais chiques, imagino", acusei-a, também na defensiva. Em Buffalo, uma ida ao chinês era uma solução barata de divertimento para as crianças ou uma maneira fácil de sair com os casais chatos de quem Carole gostava. Num tom mais suave eu disse a Jane: "Comida chinesa não combina com talher. Não tem mistério nenhum". Desembrulhei os pauzinhos dela e segurei sua mão comprida, sardenta, desconjuntada. Ela parecia um pouco assustada. Vi a mim mesmo por um segundo no espelho de sua mente feminina: eu era um homem, um ser assustador, com mãos grandes, capazes de machucar. Fui explicando como usar os pauzinhos: "Você põe um aqui, contra esse dedo, e o mantém no lugar com o polegar, e o segundo você segura assim, como se fosse um lápis. Está vendo como é que abre e fecha? Com esse movimento você pega qualquer coisa, desde um grãozinho de arroz até um pedaço de porco agridoce".

"Consegui!", ela anunciou após algum tempo. "Que maravilha! Ah. Droga."

"O arroz é o mais difícil. Você tem que ir juntando. Os camponeses chineses fazem como se fosse uma pá."

"Com mais de trinta anos", disse ela, "eu pensava que nunca ia aprender a usar esta porcaria. Eu via as outras pessoas comendo com a maior facilidade e morria de inveja. *Muito* obrigada, Stan."

Aceitei o agradecimento com orgulho. Não sei se Jeffrey conseguiu mesmo aprender a calcular denominadores comuns, mas gosto de pensar que pelo resto da vida Jane vai saber comer com pauzinhos graças a mim.

Estou perdendo Jane. Aquela névoa que se formou quando nos conhecemos, cercados de rabiscos de um azul vivo, ameaça engolir todos os detalhes. Os pauzinhos, os táxis nas profundezas da noite, minha empolgação ao representar o papel de um homem que compra flores para a namorada — de que mais me lembro? Certamente conversamos, trocamos milhares de palavras, mas sobre o quê? Trabalhávamos em coisas muito diferentes, e se conversássemos muito sobre nossos respectivos casamentos, esbarraríamos no fato de que o dela havia terminado e o meu não. Uma vez, quando, após uma ausência mais longa que de costume, a penetrei, ela sussurrou em meu ouvido: "Ele voltou para casa", uma afirmativa que quase me emasculou, tão falsa era. Minha casa ficava em Eggertsville, com três filhos, móveis que combinavam, jantares com os amigos aos sábados, tênis para mim e coral da igreja metodista para Carole nas manhãs de domingo. A graça de Jane era justamente o fato de ela *não* ser o meu lar, e sim outro lugar, maravilhosamente diferente.

Nova York não sentia saudade de mim; não me ocorreu que Jane talvez sentisse. No entanto, uma vez, enquanto justificava suas lágrimas — Jeffrey estava com febre, ela achava que não devia deixá-lo com Brenda, a vizinha do andar de baixo, e por isso ficamos conversando, vestidos, na sala com a vista das copas dos plátanos —, Jane deixou escapar o comentário: "É, mas você não vai correndo todo dia até a caixa de correio pra ver se chegou uma carta de Buffalo".

As cartas que ela mandava para meu escritório na fábrica me constrangiam e levavam a secretária do departamento a me olhar com uma cara estranha quando trazia à minha mesa o envelope, endereçado com a letra redonda e esparramada de Jane. As dificuldades financeiras da galeria, os vernissages em que ela via Robert Motherwell ou algum outro gigante, os progressos de Jeffrey na escola — os detalhes de seu mundo, quando eu não estava lá, pareciam-me escassos, irreais. Os detalhes do meu, se eu os contasse a ela, provavelmente a incomodariam, mostrando uma vida menos solitária que a dela. Em Buffalo eu tinha tudo de que precisava para minha vida, exceto Jane, minha garota de Nova York, preservada em minha consciência como uma bala guardada para depois do jantar, como uma bala de hortelã sobre o travesseiro. "Não tenho muito pra dizer", argumentei. "Só que adoro você."

"'Adoração' implica distância, não é?" Jane tinha uma expressão séria reservada para as pessoas que entravam na galeria apenas para fugir do frio. Com um gesto desajeitado, amassou o cigarro, fumado até o filtro vermelho, num cinzeiro de argila propositadamente tosco no alto da pilha de livros de arte. Ela havia pegado o resfriado de Jeffrey e pigarreava o tempo todo.

"Você não vai se interessar em saber", prossegui, "que roubaram a bicicleta de um dos meus filhos e que o cachorro do outro morreu."

"Não vou?"

"Ou que o pneu da caminhonete de Carole furou, ou que fulano tomou um porre no jantar chatíssimo na casa de beltrano."

"A tal mulher que quase fez você largar a Carole... Você ainda tem contato com ela?"

"Althea Wadsworth. Às vezes, em ocasiões especiais. Todo mundo faz a melhor cara do mundo. A vida continua."

"É, continua, sim."

O rumo da conversa não estava me agradando, por isso fui até a janela, perguntando a mim mesmo se esta não seria a última vez que eu veria aquelas árvores. Para o norte eram poucos os arranha-céus; só se viam ruas baixas e janelas domésticas. Não era muito diferente da Seneca Street, em Buffalo.

"Pela tal da Althea você realmente foi longe. Tentou largar a Carole por causa dela."

Não me agradava que Jane soubesse o nome dessas mulheres. Contive o impulso de explicar que eu já tinha visto Althea funcionando como dona-de-casa e mãe, que eu podia imaginá-la ocupando o lugar de Carole. Eu sabia quais eram os móveis que ela traria consigo. Já a mobília de Jane era impalpável — era a própria cidade, o universo de luzes anônimas.

"Tentei, e jurei nunca mais tentar. Foi muito doloroso para todos."

Jeffrey começou a tossir no quarto — uma tosse seca, delicada, tosse de filho único — e Jane foi vê-lo. Ouvi murmúrios enquanto ela lhe esfregava as costas. Jane começou a cantar. Eu nunca a ouvira cantando. Tinha uma voz agradável, estridente mas afinada, com um leve e inesperado sotaque caipira. "Você é meu sol, meu único sol", cantava baixinho para Jeffrey. "Você me faz feliz quando o céu escurece."

Depois de algum tempo, quando o menino dormiu, ela voltou para mim e, sem pressa, com a graça desajeitada e grandalhona de uma corça, despiu-se. Fizemos amor no sofá de espuma de borracha, com pés cromados bambos, e depois comemos seis *bagels* torrados com dois vidros de requeijão. Talvez tenha sido essa a última vez que dormi com ela, não tenho certeza. Nosso caso foi terminando aos poucos. A fábrica de alumínio injetado enfrentava uma onda de competição estrangeira — Coréia do Sul e Taiwan, depois de tudo que fizemos por eles —, e Buffalo foi me envolvendo cada vez mais, ficando mais complicada, tanto no trabalho quanto no plano social, e parei de arranjar pretextos para ir a Manhattan.

Eu e Althea já estávamos casados havia quase quinze anos quando reencontrei Jane em Rochester. Em Rochester, por incrível que pareça, em pleno inverno, numa das entradas do shopping center no centro da cidade, onde ficam o mastro totêmico e o relógio onde há espetáculos de marionetes. O Natal havia passado, e as nevadas da estação tinham se compactado numa camada de gelo manchada e corrugada, dura como ferro. Jane estava acompanhada por uma criança loura que por um momento julguei ser Jeffrey, mas logo me dei conta de que Jeffrey teria vinte e tantos anos. O menino puxava-lhe o braço para um lado, ela sorria torto para o outro, e quase não consegui dizer nada, pois a velha névoa havia se formado de novo entre nós, embora ela houvesse enfeado. Estava gorda. O rosto envelhecido era redondo e vermelho sob o boné de lã, e ela estava usando um daqueles casacos forrados pretos que as matronas de classe média tinham adotado como uniforme de trabalho. Havia pêlos de cachorro e pedaços de feno, ao que parecia, grudados no casaco.

"Jane, meu Deus", eu disse, recuando um pouco do abraço firme, complacente mesmo, que ela me deu, estreitando nossos corpos encasacados. "O que você está fazendo aqui?"

"Eu moro aqui", anunciou ela. "Quer dizer, em Irondequoit. Compramos uma fazenda velha."

Nós? Resolvi não explorar aquele ponto. "Ah... há quanto tempo?"

"Dez anos já. Este aqui é o Tommy."

"Onde está o Jeffrey?"

"Em Taos, tentando pintar, coitadinho. Meu Deus, que alívio ficar longe daqueles artistas. São todos uns merdinhas, egoístas e infantis. O Ken trabalha na Kodak — ele é químico. Nós nos conhecemos do mesmo jeito que conheci você — ele estava tentando vender um produto à galeria."

"Eu não estava tentando vender nada, eu só queria ver uns flanges. Mas você agüenta, Jane, viver longe de Nova York? Quer dizer, da cidade?"

Ela pôs a mão, protegida por uma enorme luva negra, sobre a minha, e mesmo através do couro e do forro de lã senti seu toque gostoso, aveludado, e a sensação me voltou, uma textura de juventude, quando o mundo ainda está cheio de alternativas. Em sua presença, experimentei aquele medo da morte que um homem sente quando se vê diante de uma mulher que outrora se abriu para ele mas que agora não lhe é mais acessível.

"Eu detestava Nova York, estava louca pra sair de lá. Você sabia disso, Stan. Era isso que deixava você tímido."

"Eu..."

Mas a criança desconhecida continuava a puxá-la em direção a algum prazer intensamente imaginado, localizado no interior do shopping, e a mão de Jane foi arrancada da minha num movimento desajeitado. Ela acenou-me com aquela mão, insistindo: "Não diga nada, meu bem. Seja feliz por mim, só isso".

MEU PAI À BEIRA DA DESONRA

Ele chegava até mesmo aos meus sonhos de menino, o medo. O medo de que meu pai, por algum motivo, caísse daquele precário parapeito de respeitabilidade, um parapeito onde todos nos equilibrávamos junto com ele. "Todos nós" — seus dependentes, minha mãe, os pais dela, eu. A casa em que morávamos era grande demais para nós: fora comprada por meu avô em 1922, quando ele julgou já ser próspero o bastante para se aposentar. Menos de dez anos depois, a quebra da bolsa de valores levou todas as suas economias. Ele ficava sentado num canto do casarão, o pequeno "solário" que dava para o gramado da frente, a cerca viva e a rua, com seu murmúrio de tráfego. Minha avó, curvada e debilitada pela artrite, atravessava a cozinha com seu passo manco e ia para o quintal dos fundos, onde cultivava ervilhas e criava galinhas. Minha mãe tinha seu recanto no andar de cima, diante de uma pequena escrivaninha com laterais de palhinha, onde não gostava de ser interrompida, e meu pai nunca estava em casa. Era um homem alto, de pernas compridas, que tinha necessidade de estar sempre em trânsito. No ano em que nasci, ele havia acabado de perder o emprego de caixeiro-viajante — vendia porcelana inglesa fina na região meio-atlântica. Só três anos depois — três anos de ansiedade para ele, mas para mim apenas de vagos cheiros e imagens guardados em minha memória de menino — conseguiu trabalho, como professor secundário. Nunca o conheci como outra coisa que não professor. De terno e gravata, com um maço de cigarros, uma lapiseira e uma caneta-tinteiro no bolso da camisa, ele era para mim um vulto enorme, uma pessoa da maior importância em nossa cidadezinha; foi a impressão que me causava sua altura que ocasionou, talvez, meu medo de que ele acabasse despencando.

Num dos meus sonhos, inspirado em alguma charge publicada no jornal no tempo da Depressão, ele aparecia usando um barril como traje e, muito sem graça, sendo obrigado a descer a escadaria da prefeitura, ameaçado pelas figuras ferozes das autoridades locais. A multidão começava a jogar coisas, e quando eu tentava explicar, a implorar, o som ficava preso na garganta. Hoje em dia, neste tempo de shopping centers enormes e de cidades que não passam de meras linhas divisórias nos mapas das incorporadoras imobiliárias, é difícil imaginar o núcleo de autoridade que existia naquele tempo nas cidades pequenas, ao menos do ponto de vista de uma criança — a autoridade moral e legal que se irradiava das carrancas severas dos poderosos. Não eram necessariamente funcionários do governo; nossa cidade era tão pequena que não devia ter muitos funcionários. E o chefe da polícia era um homenzinho espevitado, tão pequeno que chegava a ser cômico, de quem ninguém tinha medo, nem mesmo as crianças da primeira série, quando ele parava o trânsito para que elas atravessassem a rua em frente à escola. Porém alguns comerciantes, um ou dois clérigos, o agente funerário, cuja mansão com toldos verdes dominava a esquina principal, em frente a uma taberna e uma farmácia, para não falar no farmacêutico e no diretor da escola onde meu pai lecionava, pareciam ter um enorme poder de condenar e banir.

Para ter tal poder, era necessário ter nascido na cidade, ou pelo menos nas vizinhanças, o que não era o caso de meu pai. O sotaque dele, sua maneira de ver as coisas eram ligeiramente diferentes. Estávamos na Pensilvânia, e ele era de Nova Jersey. Minha mãe era nativa, e talvez tivesse se casado com meu pai na esperança de escapar dali. Mas sessenta anos atrás a terra tinha mais gravidade do que agora; ela prendia as pessoas. O destino, ou o fracasso, fez meus pais voltarem para o casarão de meu avô, onde eu, que lá nascera e lá crescia um pouco a cada dia, era o único que se sentia perfeitamente em casa.

Eu me orgulhava de meu pai professor. Se seu terno estava amarrotado e a gravata estava torta, eu era novo demais no mundo para reparar. Ele penteava o cabelo para trás e, como a maioria dos homens de sua geração, partia-o quase no meio. Em nossa cozinha, bebia de um só gole o copo de suco de laranja (a fruta era espremida num sombreiro de vidro estriado, e depois o suco era coado), devorava uma torrada (a torradeira era uma simples caixa de metal, em forma de cabana, com fendas nos lados inclinados, colocada sobre um bico de gás, e torrava um lado do pão de cada vez, em faixas), e então saía correndo, tão depressa que a gravata voava por cima do ombro, atravessando o gramado, passando pelas trepadeiras cheias de armadilhas para besouros, até chegar ao prédio de tijolo amarelo, com a chaminé alta e quadras de esportes amplas, onde ele trabalhava. Embora houvesse na cidade algumas fábricas de meias e chapéus, espalhadas entre os quarteirões de casas geminadas, a escola secundária era a construção mais imponente no meu horizonte. Para mim, ela era o centro do universo. Eu gostava das migalhas de reconhecimento que recebia por conta da notoriedade de meu pai. Seus colegas me saudavam na rua com um sorriso; os outros adultos pareciam me conhecer e me dedicavam uma espécie de tolerância irônica. Meu pai não bebia — seu estômago nervoso era delicado demais —, mas tinha os hábitos sociáveis e irregulares dos bebedores. Precisava de gente, acreditava nos conselhos e na generosidade dos outros, mais do que qualquer um em sua família: quatro reclusos e um extrovertido. Imitando minha mãe, desde cedo desenvolvi a capacidade de me distrair sozinho com papel e as imagens que ele aceita. Quando a escola — a escola primária, do outro lado da cidade, na rua principal — tomou-me em suas turmas, me senti tímido em relação a meus colegas.

Ele me chamava de "América jovem", como se eu fosse mais atirado do que era na realidade. Empurrava-me pelas ruas da cidade com um bastão comprido que havia feito, terminando numa forquilha que se encaixava na traseira de meu carrinho vermelho, de modo que tudo que eu fazia era rodar o volante. Ninguém mais nasceu depois de mim. Meu quarto era um cômodo estreito nos fundos da casa, com uma estante e alguns cromos emoldurados, ilustrações de rimas infantis feitas por Vernon Grant. A janela dava para o quintal dos fundos; ficava ao lado do quarto de meus pais. À noite suas vozes me chegavam aos ouvidos; mesmo quando eu não conseguia entender as palavras, o sibilar da tristeza, de pressões intensas e obscuras, atravessava as paredes. "*Aquele filho-da-puta*", dizia meu pai, referindo-se a um homem cujo nome me escapara. "*Ver minha caveira*", eu ouvia. Quem seria esse inimigo?, pensava eu, enquanto a voz de minha mãe, mais aguda e mais ritmada, tentava curar aquela ferida, fosse ela qual fosse, e desse modo eu adormecia, cercado por meus brinquedos, meus livros ilustrados, minhas pilhas de desenhos coloridos sobre papel pardo áspero fornecido pela escola, e as figuras de Vernon Grant acima da estante — um bando de anjos alegres e narigudos que moravam dentro de sapatos gigantescos e rolavam morro abaixo. O papel, eu sentia, me protegeria. Às vezes havia discussões no quarto de meus pais, soluços sufocados de minha mãe melodiosa e grunhidos percussivos de meu pai; essas brigas eram como tempestades que sacudiam a casa por meia hora e depois se afastavam no céu para o leste, rumo a Filadélfia.

Uma das fontes de problemas, lembro-me, era um homem chamado Otto Werner, sendo que Otto pronunciava o W como se fosse V. Entre os alemães da Pensilvânia ele era excepcionalmente alemão, com um bigodinho que lembrava uma escova de dentes, um brilho malicioso no olhar, um porte ereto e um jeito espasmódico de andar. Também era professor, mas não trabalhava em nossa cidade. Nos fins de semana e no verão, ele e meu pai iam a Filadélfia, a uma hora e meia de distância, para acumular créditos para o mestrado. Quando concluísse o curso, meu pai teria um pequeno, porém crucial, aumento de salário.

O primeiro escândalo associado ao nome de Otto ocorreu no dia em que ele subiu na escadaria da Biblioteca Furness, na Universidade da Pensilvânia, e gritou: "*Heil*, Hitler!".

Os Estados Unidos ainda não tinham entrado na guerra, e havia uma *Bund* germanófila que se reunia abertamente na cidade de Alton, mas mesmo assim era um gesto excêntrico e perigoso. Otto, meu pai reconhecia, era um "espírito livre". Porém ele tinha carro, e nós não. Antes tínhamos — um Model A verde que aparece nas minhas lembranças mais remotas —, mas em algum momento da década de 30 ele desapareceu. Numa cidade tão compacta, podia-se ir a qualquer lugar a pé em menos de quinze minutos, e numa região em que abundavam os bondes e trens um carro não fazia tanta falta. E, quando a guerra começou, mesmo quem tinha carro não podia comprar gasolina.

Houve um escândalo pior que o do "*Heil*, Hitler!", envolvendo uma garota do colegial. Meu pai entregou a ela alguns bilhetes de Otto, e quando veio à tona que eram cartas de amor meu pai tornou-se cúmplice na corrupção de uma menor de idade. Os pais da moça intervieram e membros da junta de educação foram informados. Meu pai podia não apenas ser despedido, segundo fiquei sabendo, como também ser preso por participação no escândalo. Deitado em minha cama à noite, eu ouvia meus pais conversando num murmúrio tenso, fervilhante, que lembrava um barulho de fritura; eu sentia o calor, sentia meu pai se contorcendo em agonia, os outros adultos da casa prendendo a respiração. Teria havido encontros amorosos, e teria meu pai entregado os bilhetes em que eles foram combinados? Aquilo era típico dele; vivia fazendo favores desnecessários para as pessoas. Uma vez saiu de casa no meio de uma nevasca para pedir desculpas a um aluno seu com quem ele fora impaciente e sarcástico. "Detesto o sarcasmo", disse ele. "Todo mundo aqui é sarcástico, mas dói muito para quem é a vítima. Coitado do garoto, eu pensei que ele estava querendo me irritar, mas depois que a cabeça esfriou concluí que foi só um caso de burrice sincera." Ele dava aula de química, uma matéria que proporcionava muitas oportunidades para substâncias derramadas, vidros quebrados, cheiros fortes e pequenas explosões.

O escândalo da garota acabou não dando em nada. Talvez os bilhetes que meu pai lhe entregou fossem inocentes.

Ou então ele conseguiu convencer o diretor e a junta de educação de que ele, ao menos, era inocente. Sem dúvida houve um romance entre os dois, porque um ou dois anos depois a moça, já formada, casou-se com Otto. O casal foi morar no Sudoeste, mas de vez em quando vinha visitar meus pais. Quando minha mãe enviuvou e passou a viver sozinha numa casa de fazenda a quinze quilômetros da cidade, eles iam sempre visitá-la como parte de sua peregrinação anual ao Leste. Embora fosse quinze anos mais moça que o marido, a senhora Werner engordou cedo e seu cabelo embranqueceu, de modo que a diferença de idade foi se tornando cada vez menos escandalosa. Eles compraram uma van Winnebago; estacionavam ao lado do celeiro e Otto ia mancando até a casa, saudando minha mãe com alegria, ainda com aquele brilho nos olhos. Minha mãe, por sua vez, recebia-o com satisfação, aparentemente esquecida de todo o sofrimento que ele havia nos causado. Ao tentar relembrar a confusão em minha casa, o terror causado por Otto, esqueci de dizer a coisa mais interessante a seu respeito: ele tinha só uma perna. A outra era uma prótese bege, e por isso ele andava aos arrancos, como se estivesse rebatendo uma bola com o quadril direito. A lembrança desse fato torna-o uma figura menos perigosa: como é que o mundo foi castigar um perneta por gritar "*Heil*, Hitler!" ou por se apaixonar por uma adolescente que nem estudava na cidade onde ele lecionava?

O país inteiro funcionava com moedas de dez e vinte e cinco centavos. Um hambúrguer custava dez centavos, e eu pagava o mesmo preço para entrar no cinema, até que o imposto criado pela guerra fez o ingresso subir para onze centavos. No último ano da guerra, um mês antes do dia da rendição da Alemanha e do desaparecimento de Hitler — puf! — em seu bunker subterrâneo, completei treze anos, e não sei como a velha senhora Naftziger da bilheteria ficou sabendo do fato. A inteira custava vinte e sete centavos, o que era demais para eu poder ir ao cinema duas vezes por semana.

A economia da casa de meu avô parecia simples: meu

pai recebia seu salário de quinze em quinze dias. O dinheiro, que vinha num envelope de papel pardo, era jogado numa caixinha de receitas vermelha e branca que ficava em cima da geladeira. Quem precisava de dinheiro pegava na caixa; no almoço davam-me seis centavos para comprar um bolinho Tastykake quando voltava da escola. Meu avô fazia as compras na loja de Tyse Segner, perto de nossa casa. Tyse, que morava nos fundos da loja e no andar de cima com sua mulher, era um homem da geração de meu avô — um tanto mal-humorado, pensava eu, levando-se em conta que ele tinha acesso gratuito a todas aquelas balas que vendia. Minha mãe costumava comprar carne fresca e legumes no mercado Acme de Bud Hoffert, a dois quarteirões de nós, depois da fábrica de gelo, na Second Street. Bud usava óculos sem armação e um avental ensangüentado. Minha avó cozinhava mas nunca fazia compras; e meu pai só trazia para casa, como dizia ele, "o leite das crianças". A caixinha de receitas de metal nunca estava tão vazia que me faltasse o Tastykake ao meio-dia. Eu empurrava uma cadeira da cozinha para junto da geladeira, subia nela e catava as duas moedas na caixa, em meio a cédulas dobradas. Quando o fundo da lata começava a se tornar visível, sempre surgiam mais cédulas e moedas, para nos agüentarmos até a chegada do próximo salário; e aos poucos fui me dando conta de que esse dinheiro vinha dos ingressos dos eventos esportivos do colégio.

Meu pai assumira o compromisso extracurricular de cuidar da parte de esportes: nas partidas de futebol americano, ele ficava sentado junto à entrada, entre as cordas que isolavam a área, vendendo ingressos e pegando troco numa caixa verde chata, com compartimentos curvos para que os dedos pudessem pegar as moedas. Nas partidas de basquete, ficava sentado com sua caixa atrás de uma mesinha junto à entrada principal do colégio, em frente à vitrine onde eram guardados os troféus de prata, perto da sala do supervisor do colégio. Ele levava a caixa verde para casa, para guardá-la, com freqüência. Eu ficava fascinado com os ingressos, que vinham em rodas grandes, largas como pratos, porém mais grossas. Havia ingressos de duas cores, azuis para adultos e laranja para estudantes, e cada ingresso tinha um número. Era uma outra espécie de dinheiro. Cada retângulo de papelão fino, preso na roda, possuía, na hora certa, um valor real, que lhe era atribuído por um evento esportivo; dinheiro, tempo, papelão e vontade de ver um jogo eram coisas magicamente entrelaçadas. Meu pai era um mágico, que transformava em notas e moedas as multidões que vinham assistir às partidas de basquete nas noites de terça e sexta, e que, nas tardes de sábado, vinham de todas as ruas da cidade para espalhar-se em torno do campo de futebol americano. (Era fácil passar por baixo das cordas e entrar de penetra, mas muitos adultos preferiam pagar.) Os ingressos, cuja numeração chegava às centenas, só passavam a ter valor no momento em que meu pai se sentava à sua mesinha. Ele sempre acertava as contas quando recebia seu salário, ou pelo menos era isso que dizia à minha mãe. Ela havia começado a ficar preocupada, e seu medo passou para mim.

Nas minhas lembranças das conversas entre eles, da *pressão* dessas conversas, eu estou com o rosto encostado na superfície de madeira da geladeira, forrada de zinco por dentro, um móvel cuja dignidade dominava nossa cozinha, sempre digerindo, majestosa, a sucessão de pesados blocos de gelo trazidos diariamente num caminhão forrado de palha e colocados dentro dela com tenazes por um homem de bochechas vermelhas que usava uma capa de couro nas costas, para proteger-se do gelo. Eu sentia aquele frio na bochecha, através do zinco e da madeira, enquanto os rostos de meus pais rodavam a minha volta e suas vozes me penetravam o cérebro a fundo.

"Estelionato", disse minha mãe, uma palavra que eu só conhecia de ouvir no rádio. "O que é que você vai poder fazer por nós se estiver na cadeia?"

"Eu acerto direitinho, até o último centavo. Reponho tudo, de quinze em quinze dias, quando recebo o pagamento."

"E se um dia o Danny Haas resolver entregar os recibos na sexta-feira em vez de esperar até segunda? Ele vai pedir a você, e você não vai ter como dar."

Danny Haas, eu sabia, ensinava matemática no colegial

e era o diretor do programa de atletismo da escola. Um homem baixinho que fumava charuto e usava ternos de listras largas, era um dos membros virtuosos do núcleo de autoridades da cidade. Ele e meu pai, que era alto, às vezes brincavam com aquela diferença de estatura, mas eu sabia muito bem quem tinha a influência, as relações, o poder de derrubar.

"Ele não vai fazer isso, Lucy", dizia meu pai. Sempre que ele usava o nome de minha mãe, era sinal de que queria pôr fim à conversa. "O Danny é igual a todos esses alemães, um escravo do hábito. E o que está em jogo aqui não é nenhum milhão de dólares, são ninharias." Quais seriam as quantias envolvidas? Naquela época, uma nota de dez dólares parecia uma fortuna para mim; jamais vi uma nota de vinte, nem mesmo quando a caixa de receitas estava mais cheia.

"Ninguém vai achar que é uma ninharia se estiver faltando."

Meu pai se zangou como nunca. "O que é que eu posso fazer, Lucy? Nós vivemos como vira-latas no lixo." Essa expressão certamente fora aprendida em sua vida anterior, no tempo em que morava em outro estado e era um menino como eu. E prosseguiu, desabafando, disparando queixas que raramente eram feitas na minha presença. "Essa casa é grande, custa caro aquecer tudo isso. A gente não pode andar nu. O menino não pára de crescer. Meu terno marrom já está gasto. Mamãe tenta aproveitar a horta, mas eu tenho cinco bocas pra alimentar." Ele chamava minha avó de "mamãe" e, era essa minha impressão, isentava-a da condição de simples fardo. O trabalho que minha mãe realizava em sua mesa de palhinha não gerava nenhuma renda, meu avô orgulhoso comprara uma casa grande demais, e eu — eu nem sequer ia com minha pá oferecer-me para retirar a neve da frente da casa dos vizinhos, por ser muito sujeito a resfriados. Meu pai estava cada vez mais veemente. "Cinco! Pode contar. *Nihil ex nihilo*, como papai dizia." "Papai" era o pai dele, que morrera antes de eu nascer. "Do nada não sai nada", traduziu ele. "Nesta vida nada é de graça."

Minha mãe, sem muita convicção, usou a palavra "economizar", outro termo que eu conhecia de ouvir no rádio, mas até eu sabia que não havia solução; como eu poderia passar sem meu Tastykake quando ninguém mais da minha turma era tão pobre assim? Meu pai teria que continuar roubando da escola, e algum dia, vestindo um barril, seria posto para correr na escadaria da prefeitura.

Durante a guerra as coisas melhoraram um pouco. Os homens escassearam, e no verão meu pai conseguia trabalhos que não pioravam sua hérnia; trabalhou como cronometrista da equipe de manutenção da estrada de ferro. Os trens estavam sendo intensamente usados e era necessário manter os trilhos em ordem. Nos livros de história, a guerra parece curta: menos de quatro anos entre Pearl Harbor e a derrota do Japão. Mas aquilo parecia não acabar nunca, enquanto eu ia pouco a pouco passando de uma série a outra na escola primária. Por fim já não conseguíamos imaginar um mundo sem guerra, sem as manchetes espalhafatosas, e os cupons de ração, e as campanhas de moedas, e Bing Crosby e Dorothy Lamour vendendo bônus de guerra em comícios. Cheguei à sétima série, já no ginásio, que ficava no prédio grande de tijolo amarelo onde meu pai trabalhava.

Eu era muito pequeno para estudar química, mas não havia como não vê-lo passar, alto, a passos largos, pelos corredores. Estar sempre em seu ambiente de trabalho, andar nos mesmos corredores encerados, forrados de armários, não fazia diminuir meu medo de vê-lo cair em desgraça. Os perigos que o cercavam tornaram-se ainda mais reais para mim. Nós, alunos, fazíamos os corredores ressoar com nossas correrias implacáveis. Meu pai não sabia impor disciplina; seu lado alemão não era tão forte assim, e não lhe agradavam muito o silêncio e a ordem. Chegaram a meus ouvidos relatos de que ele desperdiçava aulas inteiras tentando passar aos alunos as lições que a vida lhe ensinara — do nada não sai nada, nada é de graça na vida. Tais verdades eram ilustradas pelas experiências químicas, de modo que talvez suas palavras não fossem tão irrelevantes quanto pensavam os alunos. Aquilo virava um jogo: eles tentavam fazê-lo "engrenar", o que lhes garantia não ter que fazer nada naquela aula. De repente meu pai jogava para o alto um apagador e, com a agilidade de um menino, agarrava-o em pleno ar, dizendo: "Tudo que sobe desce". Dizia então à turma momentaneamente silenciosa: "Agora vocês estão no alto do Morro dos Tolos, mas garanto que um dia vocês vão descer daí". Não ocultava dos alunos seu interesse pelas férteis possibilidades da desordem; afinal de contas, muitas grandes descobertas da química se deram por acidente. Adorava a química. "A água é o solvente universal", ouvi-o dizer muitas vezes, como se fosse uma fórmula consoladora semelhante a "também isso há de passar". E sabe-se lá se não conseguiu dar seu recado em meio a toda a confusão da sala de aula — bilhetinhos passados de mão em mão, comentários sarcásticos do palhaço da turma, lutas corporais no fundo da sala.

Para meu constrangimento, ele era o palhaço do colégio. Os comentários que fazia nas reuniões sempre provocavam gargalhadas entre os alunos; na primavera, na reunião anual do corpo docente, uma vez ele participou numa montagem pavorosa — para mim — do episódio de Píramo e Tisbe de *Sonho de uma noite de verão*. Travestido de Tisbe, com um vestido de camponesa, batom e uma peruca alourada com tranças, meu pai, desajeitado, subia numa pequena escada de mão para chegar até a fresta no Muro. O Muro era interpretado pelo treinador de futebol americano, um sujeito troncudo chamado Tank Geiger, com um capacete de futebol na cabeça e embrulhado num lençol pintado de modo a representar alvenaria.

Eu já havia percebido, na privacidade do lar, que as pernas de meu pai, principalmente no lugar coberto pelas meias, eram praticamente lisas em comparação com as de outros homens. Ao ver agora suas pernas sem pêlos, nuas diante de todos aqueles olhos, enquanto ele subia a escada — os alunos a meu redor urravam a cada passo afetado que ele dava —, pensei que o momento de sua queda havia chegado.

O sr. Geiger formava um círculo com o polegar e o indicador para representar a fenda no muro; do lado oposto do muro, o pequeno sr. Haas subia na outra escada um degrau a mais que meu pai, para que seu rosto ficasse à altura do dele. "Ah, beija-me", recitou, "por esta fresta neste muro vil." O sr. Geiger fez cara de ofendido, e o auditório caiu na gargalhada. Com sua voz em falsete de Tisbe, meu pai respondeu: "Beijo o buraco no muro, mas não teus lábios", e seu rosto foi se aproximando do rosto do sr. Haas lentamente entre os dedos do terceiro professor. Os gritos de hilaridade a minha volta fizeram meus ouvidos arder em fogo. Fechei os olhos. Aquilo era certamente uma desgraça, pensei. Pior do que o mais terrível dos meus pesadelos.

Mas no dia seguinte meu pai caminhava com seu passo largo pelos corredores, cabeça erguida, o cabelo partido no meio como sempre, com seu terno lustroso de sempre, e a vida do colégio continuava. "O fogo", dizia mais um de seus adágios químicos, "não destrói nada. Só reordena as moléculas."

Quando não estava na sala de aula, descobri, ele ficava na sala da caldeira. Havia uma sala dos professores, com uma mesa comprida, onde eles podiam descansar no intervalo entre as aulas, mas como lá não era permitido fumar muitos dos homens preferiam a sala da caldeira, um cômodo amplo, com pé-direito duplo, debaixo da enorme chaminé. Uma passagem subterrânea a conectava ao subsolo do colégio, passando pela oficina de marcenaria, mas eu, um mero aluno da sétima série, só podia entrar ali em busca de meu pai, pela porta que dava para fora. Atravessava-se um pátio de concreto onde havia alguns aros de basquete fixados na parede de tijolo, abria-se uma porta de metal emperrada e chegava-se ao alto de uma escada de aço, onde os passos da gente ressoavam. Bem à frente, do outro lado de um abismo vertiginoso, ficavam as enormes caldeiras de carvão que aqueciam o colégio. Dali se podia ver a caldeira mais próxima engolindo um grande bocado de carvão que vinha do alimentador, enquanto as janelas de mica estremeciam com uma incandescência alaranjada, e feixes de canos envoltos em amianto serpenteavam pelo teto. Uns poucos professores, que pareciam pequenos vistos do alto, estavam sentados em volta de uma mesa de jogo, fumando, na companhia dos zeladores do colégio.

Em mangas de camisa, a risca do cabelo bem visível, meu pai parecia feliz, uma felicidade de rapaz, mergulhado no fundo de concreto daquele espaço amplo e quente. O calor que subia das caldeiras intensificava o rubor de minhas faces enquanto eu descia a escada, violando aquele santuário masculino com meu recado. Já não me recordo do porquê da intrusão, mas lembro de ter sido recebido efusivamente, como se já fosse um daqueles homens que tinham enchido os cinzeiros de vidro até que transbordassem e cujas xícaras de café haviam formado um rendado de círculos no tampo da mesa. Como filho de professor, eu tinha o privilégio de espiar o que se passava por trás do palco formal do ensino. Fiquei um pouco chocado ao ver, na mesa manchada, um baralho gasto preso com um elástico. Os professores eram seres humanos. Esperava-se de mim que no futuro eu me tornasse um deles.

Quando a guerra terminou, mudamo-nos da casa grande demais para uma casa de fazenda, a quinze quilômetros da cidade, que era pequena demais. Era assim que minha mãe pretendia economizar. Minhas velhas certezas de cidade pequena, com as quais eu convivia desde pequeno, de uma hora para outra foram deixadas para trás. Agora não havia mais geladeira, nem torradeira, nem ilustrações de Vernon Grant emolduradas acima de minha cama, nem corridas até o colégio atravessando o quintal. Eu e meu pai vivíamos uma espécie de exílio diário; entrávamos no carro — tivemos que comprar um carro — quando o pára-brisa ainda estava coberto de gelo, e muitas vezes quando voltávamos, já noite fechada, nossos faróis eram os únicos na estrada de terra esburacada que levava à nossa casa. Ele continuava arrecadando o dinheiro dos ingressos das partidas de basquete, e havia assumido mais uma atividade extracurricular: treinar a equipe de natação, que, como o colégio não tinha piscina, reunia-se na ACM de Alton, bem no centro da cidade, uma região feia e ameaçadora. O carro que compramos, um modelo de dez anos antes, sempre nos proporcionava aventuras: um dia um pneu furava, no outro um eixo partia, ou então sofríamos para colocar as correntes de neve nos pneus no meio de uma nevasca. Às vezes não conseguíamos voltar para casa, e o jeito era seguir a pé e ir pegando caronas até chegar a algum abrigo — a casa de um outro professor ou um desses hotéis que meu pai chamava, rindo, de "pulgatórios". Nessa época em que íamos ao colégio de carro todos os dias, formamos uma espécie de dupla — parceiros no perigo, sofrendo juntos à beira do desastre. Era terrível, mas de algum modo autêntico, ficar preso num carro pifado com apenas quatro dólares no bolso, num tempo em que ainda não existiam caixas automáticos. Era — pelo menos depois, no hotel, onde meu pai conseguia convencer o recepcionista a ligar para Danny Haas, o qual se responsabilizava por nós — delicioso, um contato com as realidades da existência, um episódio de sobrevivência.

Eu ficava parado, imerso num silêncio sarcástico e irritado, enquanto ele conversava com recepcionistas de hotel, mecânicos de oficinas, garçonetes de restaurantes baratos, desconhecidos na rua, nenhum dos quais estava acostumado a encontrar um nível tão elevado de confiança. Não fora por acaso que ele terminara virando educador; acreditava que todo mundo tinha alguma coisa a lhe ensinar. Seu ar suplicante me humilhava, mas eu tinha catorze, quinze anos; eu estava à mercê de meu pai, e meu pai estava à mercê do mundo. Eu o via agüentar rechaços e desconfianças. Bolhas de espuma formavam-se nos cantos de sua boca quando ele se esforçava para comunicar-se; eu, testemunha impotente, via tudo através de uma névoa de impaciência e, parece-me agora, de um amor, de uma piedade que se expandia em direção a ele, como se meu rosto estivesse se deformando de modo constrangedor.

Meu pai gostava de qualquer contato humano, por menos satisfatório que fosse, como fui compreendendo aos poucos. "Eu só queria ver o que ele ia fazer", explicava após uma discussão infrutífera com, por exemplo, o policial encarregado da garagem municipal para onde fora rebocado nosso carro, que se recusara a pegar e havia sido abandonado numa área de carga e descarga junto à plataforma da estação ferroviária; o guarda se recusara a apreender a distinção entre as boas intenções de meu pai e a desobediência mecânica do carro. "Eu costumava dar numas cidadezinhas que só vendo", dizia ele ao me contar sobre seus tempos de caixeiro-viajante. "No interior de Nova York, na Virgínia Ocidental, qualquer lugar, era saltar do trem com a mala de amostras e parar em qualquer loja que tivesse louça na vitrine e tentar convencer o dono a passar a vender nosso produto, que normalmente custava um pouco mais do que os que ele já vendia. A gente nunca sabia o que podia acontecer. Às vezes de umas cidadezinhas de fim de mundo vinham uns pedidos surpreendentes — pedidos extraordinários. Isso antes da Depressão, claro. Quer dizer, a bolsa estourou em 29, mas demorou um pouco antes da coisa ficar feia. Foi aí que você nasceu. América jovem. Eu e sua mãe tomamos uma bordoada, a gente nunca tinha pensado em ter filho. Não sei por que não — isso vive acontecendo. Fazer filho é a prioridade número um da natureza humana. Quando estou lá na frente da turma tentando enfiar a tabela periódica naquelas cabeças ocas, eu penso com meus botões: 'Esses coitados queriam mais era estar fazendo filho!'."

Quanto a mim, o impulso de fazer filhos se manifestou primeiro como uma vontade de aprender a fumar. Não se podia ir a lugar nenhum, na sociedade colegial do final dos anos 40, sem fumar. Eu havia comprado um maço — de Old Gold, creio eu, por causa das moedas de ouro — na estação ferroviária de Alton, enquanto meu pai treinava a equipe de natação. Quando dei os primeiros tragos tomei, como diria meu pai, uma bordoada, mas insisti; minha vida de vagabundagem na condição de satélite de meu pai me proporcionava muitas horas vazias sentado nas lanchonetes. Uma manhã de inverno, quando eu estava com quinze anos, perguntei a ele se podia fumar um cigarro no carro a caminho da escola. Ele próprio havia parado de fumar, seguindo o conselho do médico. Mas não me disse não, e mais de trinta anos depois de eu também parar de fumar ainda me lembro daquelas tragadas cáusticas que me deixavam tonto, misturadas com os primeiros bafos quentes e agradáveis do aquecedor do carro, enquanto o radinho barulhento entremeava notícias agrárias e músicas de sucesso. Aquela permissão tácita, concedida por um professor, teria sido considerada, nós dois sabíamos, uma coisa vergonhosa. Mas era o meu jeito de me tornar um ser humano, e parte da condição humana é viver à beira da desonra.

A mudança para o interior nos libertou, percebo agora, da grade provinciana da cidadezinha e do seu núcleo de autoridades. Nós dois éramos os encarregados de fazer as compras, e meu pai dava preferência a uma mercearia de beira-estrada cujo proprietário, dizia-se, era um gângster aposentado de Alton. Tal como meu pai, Arty Callahan era alto, melancólico e um pouco surdo; sua esposa era uma mulher obesa e gaiata, cujo passado, comentava-se, também não era dos mais edificantes. Meu pai adorava os dois, e adorava os minutos a mais que ganhava antes de voltarmos para nossa casa isolada, quando parávamos na mercearia. Tanto o sr. Callahan como sua mulher o acolhiam da maneira correta, julgava eu, sem muito entusiasmo nem muita gravidade; todos os três eram espíritos livres. Enquanto meu pai lhes contava, com gestos e expressões que haviam se tornado um pouco estilizados, as agruras de nosso cotidiano, eu ficava sentado a uma pequena mesa de fórmica junto à estante de revistas folheando a *Esquire* em busca das garotas de Vargas. De vez em quando olhava de relance para o perfil de Arty Callahan, indiferente, que escondia a dentadura horrenda, e ficava imaginando quantos homens ele teria matado. Seu único gesto de gângster foi me pagar dez dólares — quantia exorbitante por uma hora de trabalho — por dar aulas de álgebra a seu filho aos sábados, quando eu já tinha idade para ir até lá dirigindo.

Havíamos trocado nosso carro por outro, um pouco mais novo e confiável, embora também fosse um modelo de antes da guerra. Quando chegou a hora de ir para a faculdade, eu já não temia — já não sonhava — que meu pai fosse atacado pela sociedade. A essa altura ele já estava com cinqüenta anos, uma idade respeitável. Tendo passado cinco anos vivendo o dia-a-dia dele, eu percebera que seu flerte com a desonra era apenas um flerte, e não uma paixão catastrófica. Apenas sua morte poderia derrubá-lo, e mesmo assim não muito, pelo menos para mim.

OS GATOS

Quando minha mãe morreu, herdei trinta hectares da Pensilvânia e quarenta gatos. Trinta e três vírgula quatro hectares, para ser exato; já os gatos não havia como contar com precisão. Eles fervilhavam numa massa de pêlos ronronantes junto à porta dos fundos, por volta das cinco da manhã, quando ouviam minha mãe na cozinha girando a manivela pesada do velho abridor de latas pregado no alizar da porta, ao lado da geladeira suada. Uma vez, no Natal, quando ela já estava com mais de setenta anos, comprei para ela um abridor de latas novo, mas com o tempo também ele foi ficando cego e desconjuntado por excesso de uso; econômico, eu me perguntava se o abridor conseguiria durar mais do que a dona. Já na faixa dos oitenta, minha mãe também estava ficando gasta, como ficava claro cada vez que eu ia visitá-la na fazenda. Andar até a caixa de correio e dar comida aos gatos eram os únicos esforços de que ainda era capaz — ela que antes fazia tanta coisa, que andava a cavalo quando menina e jogava hóquei na faculdade; que, ao se mudar com a família para esta fazenda isolada, trabalhava como um homem, manejando a motosserra, subindo em escadas altas e pilotando, triunfante, o trator.

Ela nascera aqui, no tempo em que os arados eram puxados por mulas. Nem eu nem meu pai compreendemos seu desejo de voltar àquele lugar de trabalho estafante, de ervas daninhas, insetos, calor, lama e bichos. Sob a liderança dela, impusemos alguma ordem ao lugar — reformamos a velha casa de pedra, consertamos o celeiro, plantamos morangos, aspargos e ervilhas, preparamos um gramado que se estendia até a sombra da mata. Mas, depois que saí de lá e meu pai morreu, o mato fértil ameaçava engolir tudo. Até as esquadrias das janelas, como constatou o novo proprietário da casa, estavam podres, cheias de cupins e bichos-de-conta. Visto de dentro do sótão, o telhado de sarrafos parecia um céu estrelado. Minha mãe não apenas permitia que camundongos e esquilos-voadores construíssem ninhos dentro da casa como também os alimentava com sementes de girassol — cujos restos, o novo proprietário descobriu, enchiam os ocos do madeiramento. Nos últimos anos de vida de minha mãe, a casa cheirava a jornais empilhados que nunca eram levados para o celeiro, a latas de comida de gato em sacos de compras, a cachorro molhado. Sua cadela, Josie, que comia demais, estava ficando manca tal como a dona; jamais fazia exercício. Dava pena ver com que felicidade a velha Josie me acompanhava quando eu ia ao celeiro jogar fora os jornais ou até a montanha de latas no meio do mato livrar-me das nojentas latas de comida.

Seria minha imaginação ou minha mãe de fato cantarolava enquanto rodava a manivela, como se tocasse algum instrumento musical primitivo e repetitivo? Ela abria aqueles cilindros de comida de gato e despejava a substância gelatinosa nas latas velhas de bolo que usava como travessas para os gatos, espalhadas na varanda cimentada dos fundos. Gostava de dar comida àqueles animais meio selvagens, e achava graça nisso — o que para mim era um erro. A população de gatos, sempre crescente, era uma catástrofe que parecia pior cada vez que eu visitava minha mãe, apesar da contribuição misericordiosa de várias doenças felinas e de um ou outro tiro dado por vizinhos preocupados. Alguns deles ameaçavam denunciá-la à sociedade protetora de animais e outros, na calada da noite, largavam ali filhotes de gato indesejados.

Sendo filho de minha mãe, eu compreendia perfeitamente o raciocínio que a levara àquela situação. Se não desse comida aos gatos, eles comeriam todos os pássaros. Ela adorava pássaros, e fora por isso que havia começado a alimentar os gatos. Sentada no sofá em casa, com as janelas fechadas, conversando, ela inclinava a cabeça e dizia: "O *towhee* está chateado por algum motivo", ou "O *mockingbird* está contando uma piada", ou então, à noite, entrando num quarto com sua camisola branca, arregalava os olhos como se quisesse assustar uma criança: "Escute o senhor *whippoorwill*".

Em deferência à minha asma, ela jamais deixava os gatos entrar em casa, mas no dia em que minha mãe morreu eles me viram, do outro lado da porta de tela, manipulando o abridor de latas. Falei com eles, tal como ela fazia. "Eu sei, eu sei. Vocês estão mortos de fome. A senhora que dava comida a vocês morreu. Eu sou só o filho dela, o filho único dela. Não moro aqui, moro em Nova Jersey, ensino literatura européia em Rutgers, moro numa casa de quatro quartos, tenho uma mulher elegante chamada Evelyn e dois filhos crescidos, e minha filha já tem até filho. Eu não gosto daqui, jamais gostei. E se vocês conhecem um lugar melhor, vão pra lá, meus caros amigos felinos, por que por aqui *a farra acabou*. Terminou a última caixa de comida de gato, e eu só vou ficar mais dois dias. O que é que vocês vão fazer? Não sei — é mesmo um problema, pra falar com franqueza. Quem mandou vocês entrarem no esquema?"

Quando coloquei no chão de cimento da varanda as latas de bolo, cheias até quase transbordar, com seu cheiro desagradável de carne de cavalo e peixe pulverizado, os gatos aglomeraram-se em volta delas como pétalas de uma flor peluda. No entanto, os mais velhos conseguiram dar um jeito de, no meio daquela confusão, abrir caminho para os filhotes. Os gatinhos malhados tinham rostos de duas cores que lembravam amores-perfeitos. Os que eram pretos e brancos lembravam testes de Rorschach ou mapas de um planeta mais simples que o nosso. Minha mãe costumava dar nomes aos gatos que freqüentavam nossa varanda, e dizia de um animal: "Isabel é uma mãe meio relapsa". Ou então, referindo-se a um macho malhado de aparência cansada: "Hoje o Jeffrey está mancando. Parece que as botas dele estão apertando".

Os gatos que ficavam no celeiro não mereciam nomes.

Quando abri a metade de cima da porta de uma baia, vi olhos brilhando no meio da palha, como se fossem cacos de vidro, e com uma verdadeira avalanche de palha vários gatos se enfiaram embaixo da divisória e foram para a baia ao lado. Porém a panela que deixei ali estaria vazia uma hora depois. Os gatos do celeiro pagavam por sua timidez o preço de uma vida relativamente pobre; sofriam as doenças causadas pela endogamia, e remexendo a palha remanescente do tempo em que ali viviam vacas encontrei um cadáver de gato ressecado — o pêlo duro como couro, a cabeça fixa numa expressão feroz e cega.

No fim, minha mãe já não tinha forças de ir até o celeiro para dar comida àqueles gatos, de modo que só a metade da minha panela foi consumida na primeira noite. Os gatos do celeiro que não haviam morrido tinham virado gatos da varanda. "O que vamos fazer?", perguntei aos animais ao voltar do celeiro no crepúsculo de início de outono. "Não posso abrir mão da minha vida civilizada para ficar dando comida a vocês, seu bando de ingratos."

De fato, quando me mudei para a fazenda, ainda menino, tive a sensação de que estava me afastando da civilização. Não havia telefone, nem eletricidade, nem água encanada: um tremendo retrocesso. Trabalhadores *amish* foram chamados para fazer um telhado de ripas, de cedro bem vermelho, e construir na sala, com muito jeito, algo que nenhum dos moradores anteriores julgara necessário: uma estante para livros. Com o tempo vieram encanadores para instalar uma privada moderna, e a companhia de eletricidade erigiu uma sucessão de postes altos, recobertos de creosoto, atravessando o velho pomar. A televisão entrou na casa, e, em vez de ficarmos ouvindo o boletim meteorológico e os preços do milho e música country da estação de rádio de Alton, passamos a ver o noticiário de Filadélfia, primeiro em preto-e-branco e depois em cores. Mas nunca consegui livrar-me da impressão de que a fazenda era uma armadilha, um retrocesso no tempo do qual eu tinha claramente a obrigação de fugir.

Perguntei a meu vizinho ao sul, Dwight Potteiger: "O que é que eu faço com esses gatos todos?".

Ele cultiva milho e vagem para o mercado, e é o vice-diretor da frota de ônibus escolares do condado. Confidenciou-me: "Eu sempre perguntava à Irma: 'O que é que o David vai fazer, quando a senhora não estiver mais aqui, com esses gatos todos?'. Ela respondia, com a maior tranqüilidade: 'Ah, o Davey dá um jeito. Ele sempre dá um jeito. Há vinte anos que ele me mantém aqui com todo o conforto'".

Ela enviuvara aos sessenta e tantos anos. Minhas contribuições para seu sustento, somadas à pensão de meu pai e às economias do casal, mal davam para cobrir suas necessidades, e pareciam uma ninharia agora que ela estava morta. Os comentários de Dwight irritaram-me também porque, embora minha mãe se chamasse Irma, ela não gostava muito daquele nome e se aborrecia quando alguém o utilizava. Quando lhe perguntei uma vez como ela gostaria de ser chamada, pareceu ofender-se. "*Você*", respondeu, "pode me chamar de 'mamãe'."

"Ela era meio exagerada", comentei.

"Pois se havia uma coisa que ela não exagerava era no tamanho da gataria. Nem imagino a fortuna que ela não gastava com comida pra eles. De um ou dois anos pra cá, ela me telefonava quando chegava das compras e eu vinha carregar as caixas pra ela."

"Obrigado", eu disse. Dwight fora o filho que eu devia ter sido.

"Passava uma semana, e ela já chegava com mais um carregamento." Estaria ele extravasando um velho ressentimento ou apenas tentando trazer minha mãe de volta à vida para mim?

Justificando-me, observei: "De certo modo eles faziam companhia pra ela".

"Eram completamente selvagens", retrucou Dwight. "Quando às vezes eu ia lá na varanda à noitinha, eles debandavam como se nunca na vida tivessem visto um homem com barba." Também eu ficara assustado quando ele começou a deixar crescer a barba — em nossa região, barba era coisa dos *amish* e dos antepassados nos velhos álbuns de fotografia. A barba de Dwight era surpreendentemente ruiva, entremeada de fios brancos e castanhos espetados. Ela lhe emprestava um ar de autoridade travessa, e parecia amplificar sua voz.

"Você sabe, ela começou a dar comida pra eles", expliquei, sem muita convicção, "pra que eles não comessem os pássaros."

Ele riu. "Isso na teoria, eu sei, ela mesma falava. Mas eu dizia a ela: 'Irma, essa sua casa não é nenhum paraíso pros pássaros'. Ela não gostava quando eu dizia isso. Então fazia um sinal pra eu me calar: 'Está ouvindo? É o sabiá-do-campo me agradecendo'." Dwight riu do comentário, ou de sua imitação perfeita.

"Mas..." Mudei de posição, tenso. Por um momento, minha mãe se tornara uma presença concreta outra vez.

Abrindo um sorriso em meio à barba, ele prosseguiu: "O que eu sei é que ela perdeu uns dois ninhos de andorinha quando os gatos descobriram um jeito de subir nas portas da cocheira. Olha que andorinha é um bicho difícil de espantar, mas as da Irma acabaram indo embora de vez".

Mudei de assunto, para afastar aquela conversa tão triste. "O que eu queria saber, Dwight, é o que é que eu faço com eles. Com os gatos. Não posso deixar que eles morram de fome soltos por aí."

Eu estava implorando, Dwight percebeu. Embora eu soubesse que o pensamento lhe veio à mente, ele não perguntou: "Por que não?". Estava sendo condescendente comigo, tal como fora antes com minha mãe.

"Tenho que voltar pra Nova Jersey", expliquei, "depois que eu falar com o advogado na cidade, com o pastor na igreja e com o agente funerário outra vez."

Agora era a vez de Dwight mudar de posição. "Bom, eu podia pegar minha espingarda e dar um pulo lá na hora do almoço, quando eles se reúnem na varanda. Com isso acerto uns, e quem sabe os outros não entendem o recado e caem fora? Se você quiser, peço ao Adam que traga o rifle de caça dele e a gente organiza uma operação pinça. A gente precisa da permissão do proprietário, mas isso você dá, não é?"

"Claro que dou. A gente tem que fazer *alguma* coisa." Adam Schwab era o vizinho ao norte, um homem gorducho que tinha um pomar e um bando de filhos, e agora netos. Nós, os três proprietários, estávamos mais ou menos com a mesma idade, cinqüenta e muitos anos. Os dois eram meninos quando nos mudamos para a fazenda. Até tentei brincar com eles, mas os dois não sabiam fazer nada com uma bola. Aquele jeito telúrico deles, lerdo e sombrio, me assustava — fazia-me pensar na morte.

"Eu ficaria *muito* grato", enfatizei, e eu mesmo achei minha voz fraca, condescendente, voz de gente da cidade.

Disse Dwight: "A gente não quer que você fique se preocupando com isso, lá no meio daquele pessoal inteligente de Rutgers". Eu não podia aceitar o favor de meu vizinho sem me submeter àquelas alfinetadas. Minha mãe, depois que meu pai parou de negociar por ela, revelou-se muito boa nesse tipo de transação: um pouco de gozação para cada ato de boa vontade. Ela alugava uma parte de sua terra para os vizinhos, e eles a ajudavam nas nevascas e quando ela tinha problemas mecânicos. Se minha mãe não conseguisse ficar na fazenda, o mais provável era que a terra caísse nas mãos dos agentes imobiliários da cidade, o que acarretaria mudanças drásticas na região, fossas sépticas, pistas de alta velocidade, alterações no lençol freático. Para mim também era bom que ela permanecesse na fazenda, afastada de minha vida. Porém eu já estava começando a me preocupar com a sobrevivência dela no inverno seguinte. Mas ela me poupou o trabalho de tomar uma decisão morrendo de repente diante da pia da cozinha, enquanto preparava uma costeleta de porco, ao som do noticiário do canal 4 que vinha da sala de visitas.

No dia seguinte, ao lhes dar comida, eu disse aos gatos: "Comam bem, meus queridos — seus dias estão contados". Eu passara a noite achando que a qualquer momento ouviria tiros de espingarda durante o sono, mas a manhã raiou silenciosa e orvalhada. A varanda de cimento estava enfeitada de pegadas úmidas de gatos. Um continente de nuvem cinzenta avançava no céu, por trás dos postes e das poucas árvores que sobreviviam no pomar. Quando nos mudamos para cá, havia uma bomba nesta varanda, e toda a nossa água era levada para casa em panelas e baldes. De início, fora um desafio à minha força manipular a alavanca de metal, nas primeiras bombeadas secas, antes que a água começasse a subir. Quando finalmente instalamos encanamentos e uma bomba elétrica, aquele gesto já se tornara tão automático quanto abrir uma torneira. Tal como girar a manivela do abridor de latas, o ato de bombear água tinha seu próprio ritmo repetitivo, sua canção mecânica.

Minha mãe havia colocado alguns vasos com gerânios nos cantos da varanda e pendurado sinos-dos-ventos num gancho instalado no teto. Ela os vira num dos incontáveis catálogos que recebia, e os encomendara; achava graça naquilo. Era um verdadeiro dom na vida, ocorreu-me, achar graça em quase tudo. Aqueles sinos, tal como os barulhos de garras arranhando as paredes por dentro, não me haviam impedido de dormir, ao contrário do que eu temera. A programação daquele dia tornava claro meu futuro próximo: eu voltaria a New Brunswick ao cair da tarde e, dois dias depois, traria minha família para cá para o enterro de minha mãe, junto com um caminhão de mudanças para levar os móveis dela que resolvêssemos não leiloar. Já na estrada, com Josie no carro, fui até a fazenda dos Schwab e pedi que Adam ficasse de olho na casa. Ele a mulher moravam numa casinha nova perto da estrada; os pais dele ainda moram na casa de arenito, idêntica à de minha mãe, junto ao celeiro, que ele transformou numa loja especializada em frutas exóticas. Ele concordou sorrindo, o que dava a entender que não seria necessário. O mundo estava mudando, mas ali ainda não se roubavam casas de pessoas recém-falecidas.

"Muito obrigado", eu disse, "por ajudar o Dwight a matar aqueles gatos, coitados."

Ele franziu a testa. "Não estou sabendo de nada, mas acho que não deve ser difícil", disse ele, como se estivesse garantindo a minha mãe que ia conseguir dar a partida no trator dela.

Quando, dois dias depois, ao entardecer, minha família

chegou numa caminhonete e eu vim num caminhão de mudanças alugado bem lerdo, metade dele pintada de laranja, o número de gatos reunidos na varanda dos fundos não parecia menor do que antes, embora os animais estivessem visivelmente mais desesperados. Urravam levantando a cabeça, exibindo as presas recurvas, as línguas arqueadas e ásperas, as membranas róseas das gargantas. Uns poucos filhotes cambaleavam de fraqueza, e no entanto assim mesmo participavam do miado comum de protesto, de súplica. Atravessei aquela multidão abrindo caminho aos pontapés, mas quando consegui entrar em casa dei a meu filho, Max, uma nota de vinte dólares e lhe pedi que fosse de carro até a mercearia em Fern Hollow comprar uma quantidade de comida de gato que nos desse algum tempo. Ele fez uma cara assustada e disse que sempre se perdia quando ia a Fern Hollow. Minha mulher ouviu a conversa e se aproximou, protetora. "O Max só foi nessa loja umas três vezes na vida", disse Evelyn. "Quando a gente vinha visitar sua mãe, ele sempre ia ao supermercado em Morgantown. Por que é que ele não pode ir *lá*?"

"É três quilômetros mais longe e fecha às cinco e meia. Além disso, minha mãe preferia comprar nas lojas pequenas para ajudá-las."

Minha mulher suspirou e revirou os olhos. "Sua mãe morreu, meu amor. A gente pode fazer as compras onde quiser."

"Já *fechou*, eu acabei de dizer. A gente não pode ficar aqui com esses gatos berrando a noite inteira."

"Quem sabe eles não param depois que a gente apagar a luz", disse ela. "Eles vão ter que encarar a realidade, não é?"

"*Eu* vou, droga", eu disse, achando que todos iam protestar se eu, o chefe daquela expedição, os deixasse sozinhos na velha casa de pedra, cheia de ratos, de cômodos abafados e mal iluminados. Estávamos ainda na cozinha, onde o velho relógio de corda de minha mãe, em cima do console, já não batia as horas. Aquele carrilhão melancólico velara muitas noites de insônia em minha infância.

Hiram, o marido de minha filha, disse: "Deixa que eu vou, Dave, é só você me dizer onde que fica".

Ele estava sendo prestativo, mas é um sujeito untuoso e

prematuramente calvo, com uma complacência aprendida em Princeton que me dá ganas de chutá-lo. Deixei que minha irritação com os outros transparecesse na resposta: "É muito complicado explicar. Tem uns seis cruzamentos e em nenhum deles tem placa".

"*Ele* é que é o homem do campo", disse minha mulher a Hiram com um sorriso cúmplice. "Ele que vá." E dirigiu-se a mim: "Você adora pegar essas estradas velhas e tortas. É um jeito de você entrar em comunhão com sua mãe". Minha mãe não tinha aprovado a idéia de eu me casar muito cedo, e sua desaprovação acabara vindo à tona, como mais cedo ou mais tarde sempre acontece nas famílias. "Aproveite e compre leite e suco de laranja pro nosso café-da-manhã, e talvez pão de forma. Cereal não precisa — acho que dá pra comer o da sua mãe, apesar de estar meio velho."

Nancy, minha filha, disse: "Eu vou com você, papai".

"Não é hora de dar comida pro Peter?", perguntou Evelyn.

Peter era meu neto, dois anos de idade.

Hiram disse: "Eu visto o pijama nele, Nance. Vá fazer companhia a seu pai".

"Eu quero que o Peter venha", disse ela. "Quero que ele veja como é uma venda tradicional do interior."

"Não é *tão* tradicional assim", retruquei na defensiva. Todos tratavam aquela área rural como se fosse um parque temático. Assim, eu me voltara contra minha única aliada, minha filha. O lamento dos gatos estava me dando nos nervos. Eles arranhavam a tela da porta, famintos.

"Passear de carro, não", disse Peter.

"Não vai *ninguém*", decretei. "Comida de gato, suco de laranja, leite, sonho."

"A gente é contra sonho", Hiram atalhou mais que depressa.

"Está bem, nada de sonho", repliquei.

"Compra só pra você", disse Evelyn, como se os sonhos me proporcionassem um conforto maternal delicioso, ainda que ilícito.

"*Pretzel*", propus como alternativa. "Alguém aqui é contra *pretzel*?"

* * *

Como sempre, foi um alívio sair da casa e pegar o carro e me soltar na liberdade daquelas estradas cobertas de folhas. Casas novas, construídas com misturas confusas de madeira, arenito e vinil na fachada, acrescentavam as luzes de suas janelas e seus gramados aparados às esparsas habitações de que eu me lembrava. Minha mãe contava que ia no cabriolé do pai dela até a estação de Fern Hollow, onde ele pegava o trem para ir a Alton, e depois trazia o cabriolé de volta para a fazenda sozinha, embora só tivesse nove ou dez anos. Naturalmente, o cavalo conhecia o caminho. Na escuridão, pensando numa menininha com lenço na cabeça guiando um cabriolé, atravessando cinco quilômetros de floresta e plantações de fumo, perdi uma das saídas. Em vez de voltar, peguei o que eu julgava ser um atalho, mas a estrada era sem saída, terminando numa cascalheira abandonada. Comecei a suar, sentindo a claustrofobia da juventude. Tive a impressão de levar um tempo interminável para voltar atrás e encontrar Fern Hollow. Mas a Keystone de Stoudt ainda estava aberta, com as duas bombas de gasolina e a varanda lateral com ração para cavalos e sacos de fertilizante. Atrás do balcão, Roy Stoudt saudou-me com um aceno, reconhecendo-me apesar de meu disfarce, aquela camisa e aquele blazer urbanos. Quando eu lhe disse o que queria, ele comentou: "Eu estava mesmo pensando como é que aqueles gatos iam se virar".

"Eles estão mal. Os vizinhos prometeram dar uns tiros neles, mas até agora nada. Preciso de uma caixa de comida, pra agüentar uns dias." Pensei nos filhotes trôpegos de fome e disse: "Melhor duas".

"Sua mãe preferia a de carne e a de peixe."

"Ótimo. Qualquer coisa."

"Ela dizia que eles viravam a cara pra porco; eram gatos do Velho Testamento. Ela era gozada. A gente nunca sabia quando ela estava gozando a cara da gente."

"É, tinha vez que nem eu sabia." Em Rutgers, ele teria dito "às vezes". Não era difícil entrar no ritmo da fala local.

A Keystone de Stoudt era uma loja comprida e escura, as tábuas do assoalho desgastadas pelo uso, com pregos cujas cabeças brilhavam, polidas pelas gerações que haviam pisado nelas ao caminhar em direção à caixa registradora. Lá ainda se vendiam tubinhos de papel pega-mosca e fumo para mascar. Demorei para decidir, em meio àquela abundância de carboidratos empacotados, qual marca de *pretzels* levar. Escolhi uma que dizia: *NOVO! Baixos teores de gordura e sódio.*

Enquanto fazia a conta, Roy prosseguiu: "Ela sempre me dizia: 'Meu filho acha que é maluquice minha dar comida a essa gataria toda, mas é o meu único luxo. Eu não tenho Mercedes, não tenho estola de visom'".

"Eu nunca disse 'maluquice'. No máximo, que era uma má idéia."

"Ela até que pegou uns numa armadilha e levou pra sociedade protetora", comentou ele. "Mas a natureza era mais rápida que ela." Havia um toque de ironia no seu jeito simpático; percebi que mamãe e seus gatos eram um prato cheio na região. "Eu estou lhe dando o desconto por quantidade que eu sempre dava pra ela."

"Não precisava." Tive vontade de morder a língua. Sabia qual seria a resposta, como aquela velha distinção, a que se dá tanta importância na terceira série, entre "precisar" e "querer".

"Precisar, não precisava não, David, mas eu *quero* dar. Ela era uma boa freguesa", disse Roy. "A gente vai sentir muita falta da sua mãe aqui por essas bandas. Ela era da velha escola."

A seção de comida para gatos da Keystone certamente sentiria sua falta. Eu disse o que devia ter dito desde o início. "Muito obrigado pelo desconto, Roy."

Lá fora, à luz dos postes cheios de mariposas, trechos abandonados de ferrovia brilhavam no estacionamento — ali não valera a pena arrancar os trilhos de ferro do asfalto. Eles cruzavam a pequena estrada, terminando nos dois lados em túneis de escuridão. A floresta ainda não havia se reapossado daquela terra por completo; os trilhos tinham ido embora, mas as pedras lascadas e os dormentes creosotados haviam ficado, impedindo o crescimento do capim. Fora por aquela fenda escura que meu avô viajara para Alton, passando por cima de riachos cheios de seixos, por pontes de ferro, soltando faíscas.

De volta à casa que eu herdara, sombras de gatos deslizavam pelas bordas da varanda, e lá dentro cabeças humanas estavam reunidas diante da televisão. Enquanto girava a manivela do abridor de latas, tentei lembrar-me da música que minha mãe cantarolava. Tinha um ritmo antiquado, como "Let me call you sweetheart", mas não era essa. Da sala de visitas, Nancy, ainda magoada por eu não ter insistido para que ela viesse comigo, disse que os *pretzels* não tinham gosto de nada. "Tiraram o sal e a gordura", expliquei. "É bom pra saúde." Quando menino, no verão, meu pai chegava do trabalho trazendo não apenas um saco de *pretzels* como também uma caixa de sorvete tricolor. "Eu devia ter trazido sorvete pra vocês." Quando menino, eu ficava mexendo no sorvete com os *pretzels*: a combinação dos sabores era boa para os dois.

"Meu Deus", disse minha mulher, sentada na bergère inchada onde minha mãe costumava instalar-se, para assistir a uma sucessão de programas idiotas. "Você está mesmo voltando ao passado."

Na manhã do enterro, comecei a arrumar a mesa abarrotada de minha mãe e, dentro de um envelope onde a única palavra escrita era DAVID, encontrei um bilhetinho escrito em papel de carta azul. Ela dizia, com sua letra pequena e inclinada para a esquerda:

> Por ocasião da minha morte, quero ser enterrada na cerimônia mais simples possível, no caixão mais barato que houver. Em vez de flores, peço que mandem contribuições para
>
> Sociedade Protetora dos Animais da Comarca de Boone
> R.F.D. 2, C.P. 88
> Emmetstown, Pensilvânia

Eu tinha feito tudo errado. Tendo acabado de receber a herança, comprei o segundo caixão mais caro que havia no porão da funerária, cerejeira com alças de latão reluzentes, e combinei com o pastor luterano que realizasse o culto luterano normal, com um bufê depois. O anúncio da morte publicado no jornal de Alton não dizia nada a respeito da sociedade de proteção. E o bilhete de minha mãe também nada dizia sobre o que fazer com os gatos.

Depois do culto, Dwight aproximou-se silenciosamente de mim no gramado do cemitério e disse: "Esses dias não pude vir com a minha espingarda — a gente está aprontando os ônibus pro início das aulas, é serviço de manutenção que não acaba mais. E o Adam está cuidando dos pêssegos que estão começando a dar. Mas a gente vai fazer o combinado, não tem erro".

A imagem do caixão de cerejeira com alças de latão afundando na cova recém-aberta ainda estava muito viva em minha mente. Eu disse: "Dwight, acho que estou pedindo demais. Fale com o Adam e diga a ele que não precisa, não, vou tentar pensar em outra solução. O problema não é de vocês".

"Não, ora, que é isso, de jeito nenhum", disse ele em tom de consolação. Ele parecia estranho no terno azul-marinho de ir à igreja em dia de semana, sob o sol do meio-dia. Adam trouxera a família inteira, inclusive três netos; tirara todos eles do pomar e os fizera vestir as melhores roupas. Havia outros poucos vizinhos, e Martha Stoudt, de Fern Hollow — ela era a dona do serviço de bufê. Roy ficara cuidando da loja. Três ex-colegas minhas do colegial compareceram, o que me emocionou, e também um sócio de meu pai, contador como ele, que eu julgava já ter morrido muitos anos antes. Embora fosse mais velho que meus pais, estava rijo e queimado de sol. Passava metade do ano na Flórida, e não lhe faltavam parceiras de dança lá; este fato ele me confidenciou com uma piscadela. Seu único sinal de velhice extrema eram as lágrimas, que se recusavam a secar, embora estivéssemos ao ar livre, com o sol de início de outono e o vento que varria o morro do cemitério. Toda a dor que nós estávamos atarantados demais para sentir parecia escorrer por aquele riacho incessante.

Eu, Martha Stoudt e a mulher do pastor tínhamos calculado com excesso de otimismo o número de pessoas que compareceriam ao enterro; havia montanhas de salada de batata e repolho cru e pão fatiado e frios nos aguardando no salão de festas da igreja. A comida nos prendia, como se fôssemos moscas; murmurávamos e circulávamos, embora os fazendeiros estivessem ansiosos para voltar logo à fazenda, e minhas ex-colegas também tivessem que retomar o trabalho. Por acaso, todas as três estavam empregadas na previdência social — mães das multidões de órfãos do país patrocinados pelo Estado. "Vai dar tudo certo", tranqüilizava-me June Zimmerman. Ela era a mais bonita das três quarenta anos antes, quando pesava metade de seu peso atual. "Eles estão aprendendo inglês", prosseguiu, quase cantando. "Eles *sabem* que é necessário, pra arranjar um trabalho melhor. É só coisa de uma ou duas gerações, igualzinho como foi com o nosso povo." Com seus seios prodigiosos, June havia muito não usava as meias soquete e a saia plissada que eu continuava a ver em minha mente. Talvez para ela eu fosse mais um órfão.

Quanto a minha mãe, é estranho, depois que uma vida acaba, como há pouco a dizer sobre ela. Eu sentia sua presença no salão registrando, delicada porém sarcástica, para usar em ocasião apropriada depois, o fato de que nós todos não estávamos nos saindo muito bem. Ela sempre achava as pessoas incompetentes em comparação com os bichos. Irritava-me pensar que o pastor, tão empolgado em sua tentativa de evocar através da retórica o que tornara nossa querida Irma uma pessoa tão especial, esquecera-se de fazer sinal para que o organista tocasse "Uma poderosa fortaleza". Quantos luteranos são enterrados sem que se toque, pela última vez, "Uma poderosa fortaleza"? Para mim era um escândalo, ainda que um escândalo menor. Cabisbaixos, eu e meus parentes vivos juntamos toda a comida que sobrara e voltamos para a casa solitária, com suas esquadrias podres e sua imensa população de predadores convidados. Os gatos, embora ainda não fosse a hora do rancho deles, estavam amontoados na varanda dos fundos, esperançosos; alguns dos animais do celeiro haviam se aventurado até a porta da casa e agora fugiam ao ouvir nosso carro chegar, riscos cinzentos no gramado.

A casa estava abafada e silenciosa. Evelyn começou a abrir as janelas emperradas, contrariando a teoria de minha mãe segundo a qual se as janelas ficassem fechadas o calor não entrava. Ela, tal como Nancy e os seus, estava doida para voltar para casa; havíamos encarregado um vizinho de cuidar da velha e gorda Josie e de nosso esguio cocker spaniel. Eu e Max íamos ficar mais um ou dois dias — o que fosse necessário para pôr tudo no caminhão e deixar a casa limpa o suficiente para que o homem da imobiliária pudesse mostrá-la. Olhávamos para todos os lados — para a geladeira cheia de frios e salada de batata, o sótão que guardava meio século de móveis quebrados, pratos embrulhados em jornais velhos amarelecidos, álbuns de ancestrais cujos nomes agora ninguém mais sabia, revistas *Life* de importância histórica — e éramos dominados pelo desânimo. Nancy foi pôr Peter para dormir no andar de cima. Evelyn estava com dor de cabeça, Max e Hiram ligaram a televisão e eu fugi, pegando o carro e indo até Emmetstown. O bilhete de minha mãe me dera uma pista.

Seis quilômetros de estradas vicinais, atravessando várias vezes o mesmo riacho por pontes trepidantes, e dei por mim nos arredores de Emmetstown, onde uma placa feita com estêncil apontava o caminho da sociedade protetora dos animais. Eu já estivera aqui algumas vezes com minha mãe, para trazer gatos presos em armadilhas. A sociedade lhe emprestara duas Havaharts galvanizadas mais de dez anos antes. Ela usava patê de fígado como isca. Em várias visitas de fim de semana eu a ajudara a carregar suas presas rebeldes. Os gatos machos e as mães paridas eram os mais difíceis de carregar; faziam a gaiola comprida sacudir-se, andando de um lado para o outro, em pânico, atirando-se contra as portas e tentando arrebentar a tela de arame com unhas e dentes. Colocávamos a gaiola no balcão da sociedade; uma adolescente atarracada e pálida a levava para dentro e voltava dez minutos depois, um pouco mais pálida, trazendo-a vazia.

Desde a última vez que eu estivera lá, tinham feito algumas melhorias. Dos fundos do prédio com chão de concreto, ainda vinham cheiros e gritos de animais, mas a sala da frente agora parecia mais um escritório, com certificados emoldurados e gravuras de animais. O balcão alto e nu fora retirado, e no centro do chão havia uma escrivaninha de nogueira em cima de um carpete rústico.

Sentada à escrivaninha, uma mulher desenxabida, de ombros largos e cabelo oxigenado armado, parecia cheia de si, ostentando seu estilo um tanto ultrapassado. Ergueu o rosto pálido para olhar-me quando entrei. Antes que eu tivesse tempo de me identificar, ela foi dizendo: "Fiquei muito triste quando soube de sua mãe, David. Ela era uma senhora muito simpática. Tão bem-educada, mesmo quando se podia ver que ela estava triste".

Adotei o mesmo tom de intimidade que ela e perguntei: "Quando foi que você viu minha mãe triste?".

"Ah, por causa dos gatos. De ter que trazer os bichos aqui pra ser, você sabe, sacrificados, porque pra ela eles eram um pouco animais de estimação. Tinha vez que ela se despedia deles pelos nomes. Dizia que os mais mansos é que confiavam nela e entravam na armadilha — os selvagens não caíam nunca."

"Eles se reproduziam que era um horror."

"É, eles se reproduzem, sim, se você dá comida pra eles." Acrescentou, enquanto eu meditava sobre aquela verdade malthusiana: "É a natureza animal". Percebendo que eu continuava perplexo, acrescentou: "É duro".

"É", concordei, "é duro. Você tem idéia do que eu deveria fazer?"

"A respeito dos gatos?"

"Isso mesmo." E o que mais haveria de ser? Meus outros problemas — relacionar-me com Evelyn, fazer com que alunos incapazes de fixar a atenção por mais tempo do que a duração de um comercial se interessassem pelo cânone literário europeu — eram coisas fora do âmbito da sociedade protetora.

Ela pensou e disse: "Bom, você ainda está com as armadilhas?".

"Não olhei, mas imagino que elas ainda devem estar no celeiro."

"Estou perguntando porque sua mãe não vinha aqui há uns dois anos, no mínimo."

"Ela não tinha mais força pra isso. Uma armadilha com um gato dentro não é coisa fácil de manejar."

"Ah, eu que o diga." Falava num tom cada vez mais suave, como se estivesse se dirigindo a um aleijado. Embora as unhas fossem cortadas rente e não estivessem pintadas, o rosto exibia aquela maquiagem um pouco excessiva que caracteriza as pequenas funcionárias — chefes de correio do interior, secretárias de advogados de cidades pequenas. De repente compreendi que aquela executiva senhora de si era a garota atarracada de anos antes, a verduga adolescente. Ela imaginara que eu a havia reconhecido na hora, tal como ela me reconhecera. Um jovem serviçal de jeans e rabo-de-cavalo abriu a porta para o compartimento de onde provinham os olores, recebeu um aceno de confirmação e fechou a porta.

Prossegui, sem convicção: "Acho que ela não tinha mais forças, e o máximo que conseguia fazer era servir comida pros gatos todo dia. Tem uma verdadeira *montanha* de latas no meio do mato!".

Pensativa, ela coçou a pele abaixo da orelhinha delicada, e aspirei de leve seu perfume. "Sabe, David", disse ela, "uma população assim acaba se autolimitando. Com o excesso de endogamia e a superpopulação, esses gatos são muito suscetíveis a doenças. Tem até uma espécie de AIDS felina agora."

"Que bom. Mas ainda tem um monte de gato vivo miando atrás da casa. Minha família veio pro enterro e todo mundo está com medo de sair de casa. Não posso ir embora e deixar a coisa como está, eles vão se espalhar pela vizinhança toda! Um dos vizinhos prometeu ir lá dar uns tiros neles, mas isso é um transtorno pra ele, acho difícil que cumpra a promessa."

Ela mudou o ângulo da cabeça enquanto me ouvia, e sua paciência profissional por um momento pareceu esgotada. "O que eu estava começando a lhe dizer era que, se você ainda tem as armadilhas no celeiro, você podia armá-las e trazer um ou dois gatos por dia. Os que você não conseguir pegar são os que ficaram tão ferozes que vão viver no mato."

"Mas eu *não posso* ficar aqui!"

Minha ênfase a fez piscar. De algum modo ela imaginara que eu substituiria minha mãe na fazenda, aqueles trinta e três hectares cobertos de camará-bravo, mutucas e barro, como se toda a minha vida até então não tivesse passado de uma longa espera do momento de eu tomar posse.

"Eu moro em Nova Jersey!", insisti. "Tenho que voltar pra minha casa, pro meu trabalho."

"Vai vender a fazenda da sua mãe?"

"Tenho que vender! Não posso tomar conta dela! A estrutura já está caindo aos pedaços."

Ela apertou os lábios um pouco enquanto me ouvia. "A casa aqui é considerada boa, mas se você não pode, paciência. Sua mãe não ia querer que você fizesse o impossível." No entanto, o sentimento de lealdade para com minha mãe levou-a a acrescentar após uma pausa: "Se bem que ela sempre dizia que você é que ia assumir a fazenda. Ela dizia pra mim: 'Amy, eu sei que os vizinhos acham que eu sou maluca, mas estou só segurando a propriedade pro Davey'. Quantos dias você pode ficar então?".

"Dois no máximo, desta vez."

Como boa profissional, ela disfarçou o choque que aquela minha pressa insensível lhe causou. "Pois bem. Traga as armadilhas emprestadas, que a gente dá baixa no cartão da sua mãe. Senão vou precisar cobrar de você."

"Obrigado. Ótimo. Eu faço isso amanhã mesmo." Eu esperava que ela não imaginasse que eu traria as armadilhas cheias. Porque eu não tinha nem mesmo patê de fígado.

"Sabe, David", disse ela, "tem um homem que arma armadilha pra nós. Ele não mora longe daqui, e trabalha lá na sua região, numa dessas pontas de estoque novas em Morgantown. Ele podia deixar as armadilhas armadas na sua casa e pegar na volta."

"Uma idéia maravilhosa. *Maravilhosa.* Quanto ele cobra?" Como um pioneiro que sempre carrega sua arma, eu levava comigo meu talão de cheques para qualquer eventualidade.

"Ah, você não vai ter que pagar nada. É um trabalho pro controle da população animal da região. Pra ele é uma espécie de passatempo."

"Maravilhoso", repeti. "É quase bom demais pra ser verdade. Vou fazer uma doação pra sociedade protetora. Minha mãe certamente gostaria que eu fizesse isso." Não contei que havia deixado de receber doações em vez de flores para o enterro. Calculei uma quantia adequada. Cem dólares parecia pouco para um serviço tão vultoso. Imaginei ondas de gatos em feixes cinzentos dentro das armadilhas preparadas na manhã orvalhada e recolhidas ao pôr-do-sol. Até mesmo duzentos parecia insuficiente. Fiz um cheque de duzentos e cinqüenta, o que dava cerca de seis dólares por gato. A quantia a surpreendeu, percebi pelo arquear de suas sobrancelhas pinçadas e riscadas a lápis. "Este é o meu telefone de Nova Jersey, se você precisar", eu disse. "Você podia me dar seu cartão, para eu ligar se precisar saber como estão indo as coisas?" Eu não queria que ela e sua oferta escapassem.

"Claro, David." Estava mais fria; finalmente tinha se dado conta de que era uma estranha para mim — uma pessoa a ser usada. O cartão dizia: "Amy Stauffer, Diretora, Sociedade Protetora dos Animais da Comarca de Boone", e o endereço era o que estava no bilhete que minha mãe me deixara. A pista que solucionara tudo. Voltei para a fazenda entusiasmado, cantando os pneus na sinuosa estrada de Emmetstown. Outrora, quando pensava em minhas namoradas do colegial eu passava a dirigir com mais ousadia; agora estava apaixonado por Amy Stauffer.

Nos dois dias que se seguiram, fiquei surpreso com a competência de Max na arrumação. Enquanto no meio das coisas que havia herdado eu me sentia paralisado pela suposta importância de tudo, todos aqueles artefatos que recendiam a meu passado e minha linhagem, ele tomava decisões. Guarde isso, leve aquilo. Era ele quem levantava os objetos pesados, e não quebrava nada; eu o olhava com uma admiração nova. Quem sabe Max não acabaria dando certo. Era apenas uma criança da sua geração, sem tanta pressa de sair de casa como a que eu havia tido na idade dele. Quando nós dois saímos juntos no caminhão de mudança, deixamos os restos da carne do enterro no mato, como um último banquete para os gatos. "O.k., bichanos", eu disse enquanto eles miavam olhando para a minha cara. "Agora vocês se virem."

Nos meses seguintes, com o reinício das aulas em Rutgers, evitei voltar. Tinha medo de me envolver. Tudo era resolvido pelo telefone. Era quase assustador ver a sociedade fazendo funcionar com perfeição sua máquina de transferência de propriedades. Meu advogado, mais um ex-colega de colegial, mandou avaliar a fazenda e me enviou os formulários para preencher e devolver. O corretor imobiliário mantinha-me informado sobre possibilidades e propostas. Quando lhe perguntei se, na última vez que mostrara a casa, ele tinha visto algum gato na varanda dos fundos, fingiu vasculhar a memória antes de responder: "Não vi, não!". Todo aquele mar de miados e pêlos e voracidade havia desaparecido como num sonho. Os poucos tesouros de minha mãe — a porcelana com o quadro de rosas, o armário de canto de pinho, a mesa de costura de bordo, duas toalhas de mesa rendadas, umas jóias de prata e turquesa feitas por índios navajos, adquiridas na única viagem que meus pais fizeram ao Oeste, seis cadeiras de sala de jantar — encontraram seus respectivos nichos em nossa casa e na de nossa filha; umas poucas peças foram prometidas a Max para o dia em que ele fosse morar sozinho, se esse dia chegasse. Peter quis os sinos-dos-ventos. Josie herdou seu prato de plástico amarelo. Na Pensilvânia, a equipe do leiloeiro foi à casa, recolheu até a última peça de mobília e o último guardado, sem esquecer os números da *Life* do fim da guerra na Europa e no Pacífico, e no final de outubro mandou-me um cheque respeitável correspondente à quantia auferida no leilão. No início de novembro o corretor imobiliário havia encontrado um casal aposentado da Filadélfia cuja proposta entre as mais baixas era a que eu considerava digna de atenção, e que prometia continuar alugando os campos a Adam e Dwight. O casal jurava não ter nenhuma intenção de urbanizar as terras, mas recusava-se a assinar um compromisso a menos que eu fizesse um grande abatimento no preço. Topei. A fazenda que corresse seus riscos, como nós corremos os nossos. Marcamos a data da assinatura do contrato para uma semana depois do Dia de Ação de Graças.

Vender a fazenda me fazia sentir-me culpado. Minha mãe considerava-a um pedacinho do paraíso perdido e queria que eu morasse lá para meu próprio bem. Ela insistia, de modo absurdo, que eu podia continuar lecionando em Rutgers, desde que desse um jeito de concentrar todas as minhas aulas no meio da semana. "E a minha mulher?", eu perguntava.

"Diga à Evelyn", respondia ela, "que eu nunca me sentia bem como mulher quando saía daqui. Essa terra tem uma mágica, eu acredito, sim. Bastava eu passar dois dias longe daqui para ficar com uma cólica horrível."

"E meus filhos, mamãe. Eles foram criados nos subúrbios de Nova York."

Isso foi antes de Nancy se casar e de Max abandonar os estudos em Dartmouth. "Não é tarde demais pra mudar isso", respondia ela. "Quando eram pequenos, eles adoravam isto aqui."

Eu suspirava e nós mudávamos de assunto, sabendo que o problema era eu. Para mim, a fazenda era erva daninha e planta venenosa, picadas que tinham de ser abertas e que no verão seguinte se tornavam invisíveis, encanamentos de quarenta anos antes, um bando de gatos nos fundos que provocavam asma.

Passei semanas sem telefonar para Amy Stauffer, e quando liguei ela parecia incerta. "Sei que ele esteve lá e deu uma olhada na situação", disse ela.

"Mas ele pegou algum gato?"

"Ele está com as armadilhas agora mesmo no outro caminhão dele, ele me falou. Mas disse que não viu nenhum gato."

"Nenhum? Que horas eram?"

"Acho que mais ou menos a hora em que eles costumam jantar", disse ela com um sorriso audível na voz. Eu a via com nitidez, empinada em sua cadeira de escritório em Emmetstown, com as gravuras de patos selvagens na parede e a porta que dava para as gaiolas com chão de concreto — um gênio que eu havia libertado da garrafa mas que não conseguia controlar direito por causa de algum problema de comunicação interestadual.

"Eu podia pegar o carro e ir até aí", argumentei, "mas não vejo nada que eu possa fazer."

"É, David", disse ela com tristeza, como se falasse com um ex-namorado. "Eu também não."

No entanto, a questão dos gatos me incomodava. Eu acordava à noite, com o fantasma de minha mãe acenando para mim no quarto, onde Evelyn havia largado seu roupão branco nas costas de uma cadeira, e tinha vontade de gritar de vergonha e de impotência. Aqueles gatinhos de olhos escorrendo, trôpegos de fome. Por que eles vieram a este mundo? Minha mãe, com mais coragem do que eu, os afogava empurrando um balde para dentro de outro balde com água até a metade, enquanto os bichinhos gritavam. Voltou-me à lembrança a imagem de minha mãe cantarolando, marcando tempo de valsa com o barulho ritmado da manivela, e junto com essa imagem veio todo o aroma agridoce da cozinha, tal como fora moldado por minha mãe no decorrer de toda a sua vida, todas aquelas manhãs levantando-se sozinha, fazendo o café e servindo cereal, e depois, cerimoniosamente, dando comida aos gatos enquanto o carrilhão batia seu gongo fanhoso. Econômica, ela juntava todos os restos de sabonete e fazia um sabão arlequinal, que ficava na pia do banheiro como uma repreensão a seu único filho, tão pão-duro.

Um dia, em que eu ainda não havia acordado por inteiro, Amy teve pena de mim e me telefonou. "Olha, ele até que tem trabalhado", disse-me. "Tem me trazido uns dois ou três todas as tardes, faz duas semanas quase. Mas ele diz que os outros estão ficando cada vez mais ariscos, de modo que a tendência é pegar cada vez menos."

"Mesmo assim, já é bastante coisa. Muito obrigado *mesmo.* Nesse ritmo, não devem faltar muitos para acabar."

"É verdade", disse ela, "e os mais novinhos com certeza vão morrer de causas naturais, ainda mais agora que está começando a esfriar."

Não consegui agradecer também por isso.

No início da temporada de caça, Dwight me telefonou e disse que ele e Adam haviam colocado placas de "proibido caçar" no meu terreno. Tudo bem? Ele sabia, claro, que uma das excentricidades de minha mãe era não colocar placas em suas terras, o que muito irritava os vizinhos. "Eles querem toda a caça só pra eles", ela me explicara. "Não querem é que negros de Filadélfia venham pra cá e encontrem terra onde se pode caçar. Uma vez, no tempo em que minhas pernas ainda funcionavam, eu andei até a fazenda do Dwight e arranquei as placas dele. Proibido caçar, menos pra ele — fiquei uma *fera.*"

"Tudo bem", eu disse. "Por mim, não tem problema."

"Que bom, Dave", disse a voz longínqua de Dwight. "Se um dia desses eu esbarrar naqueles gatos, prometo que eles não vão viver pra contar a história. Os gatos sofrem na temporada de caça. Pros caçadores, gato é concorrente."

Meus últimos dias como proprietário da fazenda foram bem estranhos. Era como se eu tivesse um membro-fantasma; eu o sentia mexer-se, mas não o via. Os papéis seriam assinados no dia 1º de dezembro, e resolvi que eu devia ir até lá na véspera, para dar uma olhada na casa e no celeiro, à procura de algum último vestígio de nossos tempos lá, e depois ir dormir num hotel em Alton. Imaginando que talvez ainda fosse necessário me meter no mato ou carregar alguma coisa pesada, pendurei meu terno no carro e vesti um casaco verde-oliva com forro de lã, comprado num depósito de material do Exército, que meu pai costumava usar nos fins de semana e que minha mãe, que o herdou, vestia no inverno; até que não ficava muito grande nela. Eu não tivera coragem de deixá-lo ser levado pelo pessoal do leiloeiro. Vesti o casaco e pus dentro do carro uma tesoura de podar e um par de luvas de trabalho.

Quando consegui me livrar de minha mulher e de meus alunos e contornar a região metropolitana de Filadélfia, já estava quase escurecendo. Parei o carro diante de uma casa tão imóvel quanto uma pintura. De verde não havia mais nada além dos pinheiros e de dois pés de azevinho, lustrosos, o macho e a fêmea. O gramado do pomar era uma extensão uniforme de marrom com listras de sombra. Na floresta as árvores elevavam-se, prateadas, e os vãos de escuridão entre os troncos tornavam-se cada vez mais espessos. Aquela região chamava-se Firetown, "Cidade do Fogo", e quando menino eu achava que era porque os últimos raios do sol douravam o alto das árvores da floresta, fazendo-as parecer em chamas.

Quando bati a porta do carro, veio da parede do celeiro um eco do qual eu já não me lembrava. Logo quando nos mudamos para lá, eu ia até o quintal, gritava e ficava ouvindo o eco, maravilhado, como se fosse a voz de um irmão que nunca tive.

O abandono da fazenda era visível em vários pequenos detalhes. Eu contratara um menino para manter o gramado cortado, mas ele não havia aparado as beiras, que ficaram emaranhadas, e o trecho que estava coberto de nozes caídas da nogueira ele nem se dera ao trabalho de cortar. Eu tinha nas mãos a tesoura, embora achasse pouco provável que fosse acabar fazendo alguma coisa — talvez verificar se algum dos galhos da cerejeira frágil estava caindo ou cortar uns ramos de framboeseira que estavam se intrometendo num dos canteiros que minha mãe havia plantado quando ainda éramos novos ali. Um trabalho à-toa, só para apaziguar minha consciência e pensar a ferida que fica no lugar em que um pedaço da vida da gente é arrancado.

Enquanto eu andava pela grama comprida com meu casaco herdado, algumas sombras foram se esgueirando no pomar para seguir em direção à casa, ávidas. Muitas outras surgiram dos lados da floresta. Aqueles gatos haviam sobrevivido. Pensavam que eu era minha mãe e que os bons tempos tinham voltado.

A EVOLUÇÃO DE OLIVER

Seus pais não tinham nenhuma intenção de maltratá-lo, e sim de amá-lo, e de fato o amavam. Mas Oliver havia surgido um pouco tarde naquela pequena prole, numa época em que o desafio de criar filhos estava começando a perder a graça, e ele era propenso a acidentes. Quando feto, era grande demais e ficou espremido no ventre materno; por isso nasceu com os pés virados para dentro, e aprendeu a engatinhar com os pés engessados até os tornozelos. Quando por fim foi retirado o gesso, ele chorou de terror, pois achava que aquelas botas pesadas sempre a se arrastar pelo chão faziam parte de seu corpo.

Um dia, ainda bem pequeno, foi encontrado no armário dos pais com a caixa de naftalina, e algumas das bolas estavam úmidas de saliva; depois que tudo passou, ficaram pensando se teria sido mesmo necessário levar o pobrezinho correndo para o hospital para submetê-lo a uma lavagem estomacal. O menino ficou com o rosto esverdeado depois. No verão seguinte, quando já aprendera a andar, seus pais, imprudentes, saíram nadando juntos, na tentativa de restaurar uma harmonia romântica após uma noitada que fora até tarde e terminara com os dois brigando, bêbados; assim, foi só quando viram o salva-vidas correndo pela praia que se deram conta de que Oliver havia tentado ir atrás deles e fora encontrado flutuando de bruços. Se o salva-vidas não estivesse tão atento, o menino poderia ter permanecido naquela posição por dois minutos fatais. Dessa vez seu rosto ficou azul, e ele passou horas tossindo.

De todos, ele era quem menos reclamava. Não culpou os pais quando nem eles nem as autoridades escolares perceberam que seu olho direito era "preguiçoso", a tempo de fazer uma terapia; o resultado foi que, quando ele fechava o outro olho, tudo ficava completamente embaçado. Cada vez que via o menino segurando um livro num ângulo estranho para iluminá-lo melhor, seu pai tinha vontade de chorar de impotência.

E por azar ele estava na pior idade possível, a mais vulnerável, quando os pais se separaram e divorciaram. Os irmãos mais velhos, no colégio interno ou na faculdade, já davam início à idade adulta, livres da família. A irmã menor era pequena o bastante para empolgar-se com as novidades — os almoços com o pai em restaurantes, os homens simpáticos que apareciam para sair com sua mãe. Mas Oliver, aos treze anos, tinha a impressão de que todo o peso da família caíra sobre seus ombros, e assumiu a sensação de abandono da mãe. Mais uma vez, seu pai sentia-se impotente. Era ele, e não o menino, quem tinha culpa, na verdade, quando começaram a chegar notas ruins do colégio, e depois da faculdade, e também quando Oliver quebrou o braço caindo na escada da residência estudantil, ou saltando, segundo outra versão do mesmo episódio confuso, da janela do quarto do alojamento das meninas. Mais de um automóvel da família teve um fim inglório com ele ao volante, ainda que as conseqüências não passassem de contusões nos joelhos e dentes incisivos amolecidos. Os dentes depois se firmaram outra vez, graças a Deus, pois seu sorriso inocente, que se alastrava aos poucos por todo o rosto à medida que ele se dava conta do lado cômico de sua última desventura, era uma de suas melhores qualidades. Os dentes eram pequenos, arredondados, bem espaçados — dentes de bebê.

Então Oliver casou-se, o que parecia mais um infortúnio, junto com as noitadas, os empregos perdidos, as oportunidades desperdiçadas no início de sua vida adulta. A moça, Alicia, era tão propensa a acidentes quanto ele; tinha problemas com drogas e gestações indesejadas. Suas perturbações emocionais machucavam a ela própria e aos outros. Comparado com a mulher, Oliver era equilibrado e seguro, e tornou-se um modelo para ela. Foi essa a chave. O que esperamos dos outros, eles dão um jeito de nos dar. Oliver conseguiu firmar-se num emprego, e Alicia conseguiu levar a termo duas gestações. Agora dá gosto vê-lo com os dois filhos, uma menina clara e um menino moreno. Oliver encorpou, e levanta as duas crianças ao mesmo tempo. São pássaros num ninho. Ele é uma árvore, um rochedo protetor. O protetor dos fracos.

COR NATURAL

Frank a viu a mais de um quarteirão de distância, na cidade em que fora morar, onde Maggie não tinha nada que aparecer, e onde ele não esperava vê-la. Algo no modo como ela inclinava a cabeça, como se deslumbrada com os pingentes de gelo nos beirais das lojas do centro, o fez reconhecê-la. Ou talvez fosse o ângulo baixo em que o sol de inverno atingiu seu cabelo ruivo, fazendo-o brilhar como um sinal. Sua mulher costumava dizer que aquela cor não podia ser natural, e ele era obrigado a calar o argumento de que, se Maggie pintava o cabelo, então pintava também os pêlos púbicos. Era verdade: Maggie considerava seu cabelo uma glória. Quando o soltava, aquele volume tornava-se uma terceira presença na cama, envolvendo tudo, e quando estava preso, tal como hoje, a cabeça parecia grande e o pescoço muito fino, vulnerável, inclinado naquele ângulo.

Maggie estava com um homem — um homem mais alto que ela, embora ela fosse alta. O homem caminhava a seu lado com um passo duro de urso, protetor, meio de lado, para não perder uma só das palavras que ela dizia, gesticulando com as mãos nuas ao sol de fevereiro. Frank lembrava-se de seu rosto branco de susto e úmido de lágrimas. Cada palavra que ele arrancava com relutância de si mesmo era mais um golpe que aumentava a lividez do rosto de Maggie, aprofundando sua derrota. "Não dá pra segurar", fora o que ele dissera; as duas famílias estavam em polvorosa, e a cidadezinha em que moravam estava escandalizada.

"Você está dizendo", retrucou ela, o rosto enrugado, o lábio superior tenso pelo esforço de falar com clareza naquele momento, "que você quer voltar?"

"Querer, não quero, não, mas acho que é o que devo fazer."

"Então vá, Frank. Vá, meu amor. De certo modo, isso facilita as coisas pra mim também."

Ele achara aquela frase uma bela e patética bravata feminina, uma tentativa de enfrentar rejeição com rejeição, mas na verdade ela se divorciou, enquanto ele conservou sua família intacta e mudou-se para outra cidade. Aquilo fora mais de vinte anos antes. Os filhos que ele resolvera não deixar já tinham crescido e saído de casa. A mulher que ele não havia largado mantivera, como forma de autopreservação, um distanciamento que, à medida que os dois avançavam na meia-idade, tornou-se distância pura e simples, mantida com um humor seco e uma dignidade inexpugnável. Ele optara por uma esposa, e era isso que ela era — uma esposa, nada mais, nada menos.

Quanto a Maggie, ela se recuperara; tinha um companheiro, e vista de longe parecia elegante, com um casaco de inverno com capuz verde-ervilha e calças pretas que tornavam suas pernas extraordinariamente longas. Chocado com o brilho daquele cabelo, Frank buscou refúgio na porta mais próxima, a da drogaria, para não ter que passar por um confronto, apresentações e conversa fiada. Para ele, aquilo de certo modo era uma agressão, Maggie andando pela sua cidade com a maior desfaçatez.

Enquanto perambulava pela drogaria como se procurasse um remédio mágico ou um cartão de aniversário perfeito, Frank foi pouco a pouco se enfurecendo com Maggie por ela ter levado adiante a vida sem ele. Um ciúme sexual nem um pouco razoável fervia dentro dele, enquanto caminhava com passos duros entre as aspirinas e os cremes para pele, os remédios para dormir e os antiácidos. Correu a vista pelos preservativos, exibidos, nesta nossa época progressista e preocupada com a AIDS, como se fossem balas coloridas, cada um trazendo em sua caixa as silhuetas de um homem e uma mulher com as cabeças próximas, a cochichar. Ocorreu-lhe, enquanto seu sangue batia furiosamente, que sexo quase nada tem a ver com bondade. Ele fora duro com Maggie, cruel mesmo, no auge da paixão. Fora a primeira vez para ele, mas não para ela. Maggie lhe dissera, no banco da frente do carro dele, com aquele olhar fixo, sério, concentrado: "Aquela vez que eu e o Sam nos separamos, virei uma verdadeira puta. Eu transava com *qualquer um*".

O tom solene e categórico daquela confissão o teria feito sorrir se não o impressionasse a grandiosidade daquela promiscuidade, que ele tentava imaginar. Era como se ela se avolumasse a seu lado, no banco da frente de sua caminhonete Ford, estacionada num beco sem saída entre duas cidades. Aquele encontro, no início da primavera, marcado às pressas por telefone, era como uma entrevista, ela com traje de inverno, vinda das compras em Boston, ele com seu terno de trabalho. Frank não pediu detalhes. Ela começou a fornecê-los, um professor de esqui em Vermont, um professor de mergulho no Caribe — jovens pescadores de mulheres, belos e descomprometidos. Não disse se alguma vez dormira com algum dos vizinhos comuns deles, porém Frank desconfiava de alguns, e desse modo seu coração endureceu antes mesmo que o romance entre eles começasse. Agora tinha obrigação de dormir com ela. Era uma espécie de corrida, na qual ele estava perigosamente na rabeira. Os homens que Maggie tivera ainda estavam contidos nela, uma espécie de investimento rendendo juros, enquanto ele a admirava de longe, castamente. Uma das coisas que Frank dava a ela era uma certa valorização conferida por sua inocência. Como Maggie tinha muita experiência, eles nunca estavam em pé de igualdade. Ela corria riscos ao procurá-lo, os mesmos que ele corria, de ser descoberta e causar transtorno à família; mas Frank achava que o casamento dela já estava tão mal que não havia por que se preocupar com ele, enquanto o seu tornava-se ainda mais valioso por conta daquela traição: vulneráveis, sua mulher e seus filhos eram agora preciosos. Quando voltava para eles, suado e ofegante de seus pecados, quase chorava ao constatar sua doce inocência. No entanto, não conseguia parar. Dava trela a Maggie, viciado nela, indiferente ao destino deles dois, até que chegou a hora de dissociar seu destino do dela. A própria Maggie lhe dissera uma vez: "Você é *duro* comigo, Frank".

Ele pensou que Maggie talvez se referisse apenas a seu modo vigoroso de fazer sexo. Estavam os dois molhados de suor na cama ensolarada dela, que dava vista para uma pista de equitação, e Maggie, debaixo dele, estava duplamente encharcada. Haviam começado a encontrar-se em abril; foram descobertos e interrompidos antes que começasse a friagem de outono. Frank lembrava-se dela com vestidos de verão de cores vivas, alegre, em festas de uma leveza estival, toda sua animação secretamente dirigida a ele. Maggie era carinhosa com Ann, a esposa dele, e ele tratava com camaradagem Sam, o marido dela; mas mesmo nisso havia desigualdade. Maggie parecia de fato gostar de Ann, e quando estava com Frank chegava a perguntar-lhe como ele podia pensar em abandonar sua linda esposa. Por outro lado, a cada encontro reforçava-se sua impressão de que Sam — aquele homem grandalhão, de cara vermelha, que abaixava a cabeça pesada num gesto desajeitado e cego que parecia conter uma ameaça — não merecia a mulher que tinha; de que permanecer casada com ele era um sinal de fraqueza de Maggie, a aceitação passiva de uma conspurcação cotidiana.

"Você tem coisa melhor pra me oferecer?", Maggie uma vez o desafiara, apertando os lábios com força, decidida a dar o salto final. Os olhos dela, naquele momento de ousadia, ficaram grandes e redondos, como olhos de criança.

Ele sentiu-se abalado, tenso, e respondeu sem convicção: "Você sabe que eu adoraria ser seu marido. Se você já não fosse casada".

"A bela prisioneira", replicou ela, desviando o olhar, como se de repente tivesse ficado entediada. "Acho que a gente devia parar de se encontrar."

"Ah, meu Deus, isso não. Eu morro."

"Pois essa história é que está me matando. Você não está se comportando como uma pessoa madura. Depois que um senhor se diverte com uma moça, ele vai embora."

Ele odiava quando ela lhe dava lições de comportamento sexual. Queria aprender, mas não gostava que lhe ensinassem. "É assim que o Sam agiria?"

"O Sam não é tão mau quanto você pensa", disse ela, afastando, com um gesto súbito e desajeitado, tentando escondê-las, as lágrimas que lhe haviam brotado nos olhos, provocadas por alguma imagem despertada pelas palavras tensas daquela situação indefinida.

"Bom de cama", arriscou Frank, odiando os dois. Cama: aquela exata cama, de onde se viam estábulos limpos e pastos cercados.

Ela ignorou o comentário ciumento. Disse, pensativa: "Ele tem uma visão de mim que não é de todo errada. Lá à maneira grosseira dele, ele tem modos".

"E eu não tenho?"

"Frank", exclamou ela com uma irritação que não conteve as lágrimas nos olhos. "Por que é que sempre tudo precisa ter a ver com você?"

"Porque", ele poderia ter respondido, "você me ensinou a me amar." Mas havia muitas coisas que poderia ter dito a Maggie antes que a comunicação entre eles fosse interrompida de repente, Sam irrompendo com uma fúria de touro e ameaças de advogado, Ann recuando com um belo orgulho ferido. Quando deu por si, Frank, não tendo conseguido se tornar marido de Maggie, havia se tornado seu inimigo.

No gélido inverno e na fria primavera que antecederam a mudança de Frank e sua família para outra cidade, a dez quilômetros de distância da antiga, houve uma longa temporada social em que todos continuaram a viver nos mesmos ambientes. Sam alugou um apartamento de solteiro numa terceira cidade, a cinco quilômetros — não tão distante que ficasse fora do alcance dos gestos solidários da extensa rede de conhecidos de todos eles. Frank e Ann fincaram pé numa reafirmação acrimoniosa dos vínculos matrimoniais, intercalada por períodos de cansaço bem-humorado. E Maggie viu-se ilhada no casarão com os dois filhos, uma menina de oito anos e um menino de seis. Os amigos comuns dos dois casais, obrigados a escolher entre aqueles elementos explosivos, optaram pelo casal intacto e abandonaram o separado. Sam, embora com a cara mais vermelha do que nunca e os olhos tão estreitos que davam a impressão de que levara um soco, deu a entender que estava disposto a coexistir com Frank nos mesmos ambientes, e até mesmo trocar umas poucas cortesias forçadas. Mas Ann fugiu da única ocasião — a reunião para cantar canções natalinas na mansão da sociedade histórica — a que Maggie ousou comparecer. Ela chegou atrasada, com uma deslumbrante blusa de mangas compridas, verde, coberta de lantejoulas, e uma saia comprida de veludo escarlate. Frank sorriu da audácia daquela indumentária; Ann soltou um gemido, saiu da sala, atravessou o corredor, enfeitado com velhos daguerreótipos, em direção à porta da frente, famosa por suas exemplares cornijas setecentistas e belas bandeiras com vitrais. Empurrando a esposa para a rua fria com os casacos que carregava, Frank disse: "Crueldade sua".

"Menos cruel que tentar roubar o meu marido."

"Não foi isso que ela tentou fazer."

"Então ela tentou o quê? Foder como exercício espiritual?"

"Por favor, Ann. Tem gente olhando pelas janelas." Mas na verdade os corais de "Good King Wenceslas" saíam pela janela e se espalhavam pela calçada coberta de neve na mais completa indiferença. A cidade já vira brigas piores que aquela, inclusive o cisma da Igreja, que rachara entre unitaristas e congregacionalistas na década de 1820. "Ponha o seu casaco", disse ele, áspero, e conduziu-a pelo braço até o carro, a mesma caminhonete no interior da qual Maggie lhe afirmara, com toda a solenidade, que tinha virado uma verdadeira puta, mas cujo interior agora estava dominado pelos odores infantis de restos de barras de chocolate e milk-shakes derramados. Na verdade, a curto prazo o casamento tinha até saído ganhando daquela história toda: Ann ficara impressionada de saber que ele conquistara a espetacular Maggie, e Frank ficou comovido de ver como sua mulher, tão contida, se incendiara de paixão ciumenta. Era como se Maggie, abandonada e caída no ostracismo, fosse um butim que os dois tivessem arrastado juntos para casa. "Se você não consegue se segurar em público", disse Frank, "então ela não pode ir a lugar nenhum onde você possa estar."

"Nós estamos *tentando* mudar de cidade, a gente vive *cercada* de corretores imobiliários", disse Ann, com uma veemência cômica. "Eu *me recuso* a tirar as crianças da escola antes do final das aulas em maio. Elas já estão arrasadas com a idéia da mudança." À medida que o aquecedor do carro esquentava, abafando em seus gases o cheiro de milk-shake azedo, e os quarteirões da velha cidade iam passando por eles, ela reconheceu: "Desculpe. Perdi a esportiva. Mas quando vi a criatura em pessoa, depois de passar semanas falando sobre ela, eu me dei conta de que você costumava vê-la... que você conhecia cada... e ela estava muito bem, até, com aquela roupa grotesca". Ann prosseguiu: "Pálida e tensa, mas perdeu uns quilinhos. Quisera eu poder dizer o mesmo".

Ele estendeu o braço e apertou-lhe a coxa gorda através do espesso casaco de inverno. "Estilos diferentes", disse, numa espécie de bazófia oblíqua. Os dois estavam unidos, parecia-lhe, na admiração a Maggie — dois suplicantes curvados diante de uma força natural. Embora uma cumplicidade desse tipo estivesse fadada a entrar em declínio, por algum tempo sentiam-se próximos como conspiradores.

Nesse ínterim, Maggie foi riscada das listas de convites de todas as festas. Vivia seu cotidiano num isolamento majestoso, freqüentada apenas por umas poucas fofoqueiras e homens estranhos que farejavam uma oportunidade. Frank sentia-se dividido entre consentir naquela exclusão — o poder que ela exercia sobre ele, a grandiosidade que a caracterizava a seus olhos não davam margem à piedade — e o desejo impossível de voltar, de dizer-lhe as palavras que teriam o efeito de pôr fim a toda aquela situação e reuni-los outra vez na cama. Maggie, mais experimentada do que ele, sabia que tais palavras não existiam. Alguns meses depois do incidente na mansão da sociedade histórica, as autoridades patrocinaram uma busca a ovos de Páscoa no rossio da cidade, um terreno inclinado perto do cemitério. No meio da confusão, enquanto os pais corriam atrás das crianças alucinadas pelo meio do capim enlameado, ele deu um jeito de se aproximar de Maggie, com seus trajes primaveris de sempre. Ela olhou-o de modo estranho e lhe disse, como se estivesse guardando as palavras até aquele momento: "Sua mulher destruiu minha vida social. E a de meus filhos. Sam está furioso".

Aquela queixa tão mesquinha e específica pareceu-lhe absurdamente indigna deles e de seu amor. Surpreso, Frank retrucou: "A Ann não fica tramando nada. Ela só deixa as coisas acontecerem". Como se, após tanto tempo de silêncio, tivessem se encontrado para discutir o caráter da mulher dele. Maggie deu-lhe as costas. Arrasado com aquela rejeição, ficou a admirar-lhe a largura dos ombros e a fartura do cabelo, preso num coque-banana lustroso.

Para o turista, todas as cidadezinhas da Nova Inglaterra parecem quase iguais — igrejas com torres brancas, rossios verdejantes, comércio de centro decadente —, porém as diferenças econômicas e espirituais entre elas são profundas, e os moradores têm consciência delas. Frank e Ann, após seis meses de embates com agências imobiliárias, mudaram-se para uma cidade onde as divisões entre os terrenos eram assinaladas por muros, sebes e placas de Propriedade Privada. Os amigos que foram fazendo aos poucos eram, de modo geral, mais velhos que eles, alguns já viúvos ou aposentados. As vidas, os pavilhões com calefação, os gramados mantidos por empresas especializadas, tudo estava pronto. Já a cidade em que moravam antes estava eternamente em obras, com ruas tortas traçadas pelos passos dos puritanos e linhas divisórias assinaladas por pedregulhos desaparecidos e árvores lendárias das quais não restava mais nada. Os jovens proprietários tentavam cuidar eles próprios da manutenção de suas casas, encostando escadas de mão no teto das varandas e deixando duas paredes por pintar até o verão seguinte. Os quintais eram intensamente utilizados por bandos de crianças; havia um eterno ir e vir de partidas de tênis nas tardes de sábado e jogos de futebol americano que terminavam em rodadas de cerveja antes que todo mundo fosse embora tomar banho e fazer a barba a fim de sair para jantar. Vivia-se o máximo de tempo possível na casa dos outros; era doloroso ficar sozinho; havia uma suspeita incômoda e irreprimível de que a felicidade estava sempre em outro lugar. Quando, após levar em casa a baby-sitter, voltava para seu lar, o carro de Frank passava por casas às escuras dentro das quais maridos que ele conhecia estavam deitados na cama ao lado de esposas que ele desejava.

Do meio dessa tessitura de amizades promíscuas, dessas escaramuças domésticas confusas, Maggie havia surgido, encostando o corpo no dele quando, os dois lado a lado junto ao balcão do bar movimentado, instalado no jardim, numa festa ao ar livre, ou então exclamando, com voz infantil e descontrolada, quase no tom de quem vai desmaiar: "Ah, fiquem mais um pouco!", quando ele e Ann por fim se levantavam para ir embora após um jantar que ela e Sam haviam organizado. E quando, num dos bailes beneficentes que se sucediam no calendário, chegava sua vez de dançar com Maggie, eles ficavam tão juntos quanto a sanção do álcool permitia, e no final ela apertava a mão dele com força, um aperto sério e perfeitamente sóbrio. Foi necessário valer-se de sinais muito nítidos para penetrar a névoa de timidez e inércia conjugal que o cercava, mas Maggie possuía experiência suficiente para saber que, se conseguisse acendê-lo, ele pegaria fogo.

Agora, quando olhava para trás, Frank pensava que ela o iniciara de modo muito suave e paciente. Os encontros eram na maioria das vezes na casa dela, porque Sam trabalhava em Boston e Ann, não. Frank relembrava, ao sair da seção de camisas-de-vênus e penetrar no território de cápsulas de anti-histamínicos, que a entrada da casa de Maggie — nas cercanias da cidade, perto de uma fazenda de criação de cavalos com uma pista de equitação — ficava escondida atrás de uma paliçada alta e torta e de uma massa de lilases que haviam crescido demais. Sam falava em trocar a cerca e podar os lilases, mas não o fez naquele verão. Quando chegava lá, Frank precisava diminuir a velocidade para fazer uma curva fechada; era um momento perigoso, em que seu carro poderia ser reconhecido na estrada — vários filhos de amigos seus estavam aprendendo a montar —, e ele prendia a respiração quando, semi-oculto pelos lilases enormes e esparramados, cruzava o cascalho ruidoso e entrava na garagem. Maggie já havia aberto o portão da garagem, o que exigia alguma força — naquele tempo ainda não havia portões com controle remoto. Ficava à espera de Frank atrás da porta da cozinha, de maiô, ou com um traje ainda mais sumário. Os olhos de Frank ainda estavam se ajustando à escuridão relativa. Ela pulava para seus braços como se fosse um cãozinho comprido, liso e trêmulo. Frank olhava fixamente para os frascos de Sudafed e Contac, todo seu corpo inchado de indignação estúpida por ter perdido tudo aquilo.

Por fim, após fazer umas poucas compras aleatórias como paga pelo refúgio concedido, ousou sair da drogaria. Olhou rua abaixo e viu, com alívio, que não havia nenhum brilho vermelho junto aos pingentes de gelo nas fachadas. O coração batendo como se estivesse sendo perseguido por um inimigo, pegou o carro e seguiu para casa. Era uma caixa hermeticamente fechada, bem construída, igual a todas as outras do quarteirão, com um terreno de oito mil metros quadrados. Os arbustos que disfarçavam as fundações, recém-plantados quando se mudaram, agora pareciam grandes demais, invadindo a escadinha da entrada e as janelas da frente. Na cozinha, Ann, com seu casaco castanho de lã, estava tirando compras de sacolas e guardando-as na geladeira; quando se virou para ele havia em seu rosto uma expressão esquiva, cheia de segundas intenções. "Vi uma velha amiga sua lá na Stop & Shop." O supermercado imenso e feericamente iluminado ficava num shopping center construído numa área onde antes havia fazendas, lentamente sendo urbanizada, entre a cidade antiga e aquela onde moravam agora.

"Quem?", perguntou ele, embora a curiosa animação no rosto de Ann já lhe desse a resposta.

"Maggie Linsford. Ou seja lá qual for o nome dela agora." Maggie havia reassumido o nome de solteira depois que se divorciara de Sam, e Ann jamais se dava ao trabalho de decorá-lo.

"Chase", disse Frank. "A menos que tenha se casado outra vez."

"Ela não ia fazer uma coisa dessas com você. O que você tem aí dentro desse saco?"

"Lâmina de barbear. Sudafed. E comprei também aquele gel perfumado pra banho, francês, que você gosta. O que tem '*Dorlotez-vous*' no rótulo."

"Muito simpático de sua parte, e muita bobagem também. Eu tenho o maior estoque desse gel. Você não quer que eu fale sobre a Maggie?"

"Claro."

"Ela estava com um homem, até me apresentou, com aquele jeito grandiloqüente dela, como 'meu amigo'. Ele lembra o Sam — grandalhão, cara vermelha, jeito mandão."

"Bom."

"Frank, não faz essa cara de tragédia. Você está pensando em coisas de vinte e cinco anos atrás."

"Não, eu estava pensando no 'jeito mandão'. Ele era assim mesmo. Ela foi simpática?"

"Ah, simpaticíssima. Sempre gostei dela, até você se meter entre nós. E ela de mim também, não é?"

Ele tinha lá suas dúvidas. No auge do romance, os cônjuges deles pareciam muito pequenos e patéticos, como ratinhos vistos por um gavião, pequenos demais para serem objeto de discussão. "Claro", diz ele. "Ela tinha a maior admiração por você. Não entendia o que eu via nela."

"Não seja sarcástico. Você é um estraga-prazeres, Frank. Eu lhe trago esse presentinho e você faz uma cara de dor de barriga."

"Sobre o que vocês conversaram de modo tão simpático?"

"Ah, sobre o inverno. Comida. O horror desses shoppings. Parece que vão construir mais um onde ficava o estábulo ao lado da casa onde ela morava com o Sam. Ela reclamou que não conseguiu achar farinha sem glúten nem biscoito sem gordura em todo o supermercado — vai ver está tentando fazer o amigo dela emagrecer, ele é cheinho —, e aí eu disse a ela que acabou de abrir uma loja nova de produtos naturais, a dona é uma moça encantadora, muito idealista, está todo mundo querendo prestigiar a loja. Ela disse que ia lá na mesma hora. Se você estava fazendo hora na drogaria, não sei como não a viu."

Frank deu-se conta de que tinha de confessar; não havia como escapar da intuição feminina. "Eu vi. Vi o brilho daquele cabelo vermelho na frente do correio, e me escondi na drogaria pra não ter que falar com ela."

"Frank, meu querido, outra bobagem sua. Garanto que ela ia ser muito simpática com você."

"Não gostei da cara do brutamontes que estava com ela."

"Se ela estivesse sozinha você ia falar com ela?"

"Acho difícil."

Ann guardou o último volume na geladeira e fechou a porta, com tanta força que um ímã em forma de abacaxi caiu no chão. Ela não se abaixou para pegá-lo. "Essa sua reação medrosa não é muito boa para *nós.*"

A infidelidade, pensou Frank, num primeiro momento amplia o campo erótico do casal, porém termina por deixá-lo mais frágil e desgastado. Tal como uma droga que expande a consciência, tem o efeito de destruir células. Disse a Ann: "Não senti nada. Senti repulsa".

"O 'brilho daquele cabelo vermelho'... sim, senhor. Ela está pintando o cabelo de uma cor absurda."

"Você sempre disse que ela pintava."

"E ela sempre pintou. Agora certamente está."

"Acho que não. A Maggie não pinta."

"Ora, seu bobo, o cabelo dela estaria grisalho como o meu ou o seu se ela não pintasse. Ela estava vulgar, vulgar, com jeito de puta, uma coisa que antes eu nunca poderia ter dito. Você fez bem em não querer olhar de perto."

"Cale essa boca. Conheço o cabelo da Maggie melhor que você." Ann ficou petrificada, sem saber com certeza, com base na expressão de Frank, se ele iria avançar e atacá-la ou não; mas não havia perigo, ele nem sequer a via. A mulher que estava vendo, nua, andando em sua direção por um carpete riscado de sol, era aquela que, enquanto a amasse, ele teria de odiar.

FLOREIOS DE AMOR EM PLENA GUERRA FRIA

Kruchov estava no poder, ou pensava estar, no mês que passei, munido de um banjo, como embaixador cultural e mediador entre as superpotências, ajudando a evitar um holocausto nuclear. Era setembro, outubro de 1964. Na época, tínhamos um programa de intercâmbio cultural com os soviéticos. Segundo a teoria do nosso Departamento de Estado, praticamente qualquer americano, exibido às oprimidas massas soviéticas, seria, só com seu jeito espontâneo de andar e falar, uma propaganda do mundo livre tão poderosa que células de subversão pipocariam onde ele pisasse, como dentes-de-leão num gramado na primavera. Minha missão, portanto, não era tão inocente quanto parecia ser. Assim mesmo, eu estava disposto a aceitá-la.

Meu lar feliz fica no oeste da Virgínia, o que não é a mesma coisa que a Virgínia Ocidental, embora seja quase lá, já do outro lado das montanhas Blue Ridge. Washington, D.C., para mim tem cara de cidade grande, e quando começaram a chegar as cartas em envelopes oficiais jamais me ocorreu resistir a algo tão grandioso e belo como era o governo dos Estados Unidos antes da guerra do Vietnã. Quanto à Rússia, hoje é apenas mais um país capitalista encrencado, mas na época era como o outro lado da Lua. O avião da Aeroflot, vindo de Paris, cheirava a batata cozida, eu me lembro, e as aeromoças eram gorduchas como malas excessivamente cheias. Quando pousamos, à meia-noite, estava tão escuro em terra que era como se o avião estivesse descendo sobre o oceano.

O aeroporto era iluminado com luzes que pareciam aquelas luminárias de cabeceira dos hotéis, que não servem para a gente ler na cama. Um dos jovens soldados estava folheando um número já bem amassado da *Playboy* que um vendedor de peles encabulado à minha frente havia tentado trazer para o país, e minha primeira impressão a respeito da vida sob o regime comunista foi o brilho daquela suave pele nua da pobre coelhinha exposta às luzes mortiças do aeroporto. A revista foi confiscada, mas eu me recuso a acreditar que o caixeiro-viajante tenha sido enviado ao *gulag*. Havia algo de asiático em seus malares — não tínhamos de modo algum corrompido um russo de puro sangue eslavo. O pessoal do Departamento de Estado me pegou na saída da alfândega e me pôs dentro de uma limusine com chofer que cheirava não exatamente a batata cozida, porém a fumo, outro produto natural. Era o mesmo cheiro que eu sentia antigamente no celeiro de meu avô, mesmo depois que a folha curada já havia sido empacotada e vendida. Eu — Eddie Chester, tocador de banjo de fama internacional — senti que ia gostar do país.

Na estrada do aeroporto de Moscou, naquele tempo, tinha um cartaz imenso de Lênin, de cavanhaque, com um sorriso maldoso, apontando para alguma coisa no alto com o dedo, como João Batista indicando um Jesus invisível. "Eu adoro isso", disse o funcionário do Departamento de Estado a meu lado. "Mandando trezentos milhões de pessoas tomar naquele lugar." O nome dele era Bud Nevins, adido cultural. Tive muito contato com o Bud, e com a linda mulher dele, Libby, no decorrer das semanas seguintes.

Para mim, Washington já tinha sido uma aventura. Fui duas vezes receber instruções de uma comissão formada por peritos americanos e refugiados soviéticos. Um sujeito mais velho, corpulento, encantador, que tinha sido funcionário de médio escalão da KGB, passou uma tarde inteira comigo sentado a uma mesa comprida de couro me dizendo a quais restaurantes eu devia ir e o que devia comer neles. Esturjão defumado, *pirojki*, torta de champignon. Ele salivava, se bem que com aquele barrigão ele certamente não estava passando fome no mundo capitalista. Mas comida boa, mesmo, é comida caseira: isso é uma coisa que eu entendo perfeitamente. Aquele pessoal de Washington era muito festeiro. Depois daquelas reuniões sempre havia uma recepção, e numa dessas uma das meninas que serviram café na reunião, uma moreninha, foi-se chegando a mim como se estivesse oferecendo os seios numa bandeja. Eram seios respeitáveis, atrevidos, enfiados numa blusa que por pouco não era uma camiseta.

"Ah, o senhor pra mim é um deus", disse ela. Isso é sempre bom de ouvir, só que ela estragou tudo quando acrescentou: "Quer dizer, depois do Earl Scruggs, é claro. E daquele alto e bonitão, o Allen Shelton, que tocava banjo com os Virginia Boys; ai, como ele era *lindo*! O senhor já ouviu essas novas gravações que os McReynolds fizeram lá em Jacksonville, com esse rapaz, o Bobby Thompson? *Ele* é o futuro! Ele tem um estilo todo novo — a gente ouve a melodia direitinho! 'Hard hearted.' 'Dixie hoedown.' Ah, meu Deus!".

"Minha filha, você sabe, o meu estilo não é bem *bluegrass*", observei delicadamente. "O Earl, pois é, ele está começando a errar umas notas, mas, claro, ele é mesmo um gigante, sem dúvida, e o Don Reno também. Agora, quem eu mais admiro de todos, se você quer saber, é o Pete Seeger. Ele e os Weavers, foram eles que recriaram o banjo de cinco cordas depois da guerra, quando os conjuntos de dança tinham praticamente transformado o banjo num cavaquinho."

"Pois eu acho ele chato e metido e pretensioso, se você quer saber a minha opinião", disse ela, com aquele excesso de ênfase afobada a que eu já estava começando a me acostumar, enquanto seus olhos negros buliçosos zanzavam pela minha cara como se fossem moscas nervosas. "E além disso ele é um traidor da pátria."

"É", reconheci, "tão cedo ele não vai aparecer no *Grand Ole Opry*, mas a garotada universitária adora o som dele, e ele toca simples, sincero, sem aquele espalhafato que às vezes me incomoda no Earl. Minha filha, você devia sentar um dia desses e ouvir com calma os discos que o Pete gravou com o Woody Guthrie e os Almanacs antes da guerra."

"Mas eu já ouvi", disse ela, enfática. "Ouvi, sim. *Talking union*. *Sod buster ballads*. Maravilhoso, bem coisa de esquerdista. Os comunistas lá da Califórnia devem ter adorado. Senhor Chester, o senhor já ouviu alguma vez na vida um programa chamado *Jamboree*, lá de Wheeling?"

"Se já ouvi? Foi nele que me apresentei no rádio pela primeira vez, na WWVA. Eu com o Jim Buchanan tocando violino, no tempo em que ele ainda não era famoso. 'Are you lost in sin?' e 'Don't say good-bye if you love me', com mais um trechinho de 'Somebody loves you, darling' pra finalizar. Como é mesmo seu nome, se você não se incomoda?"

"O senhor vai rir. É um nome bobo."

"Pois aposto que não é. Você tem mais é que gostar do nome que Deus lhe deu."

"Não foi Deus não, foi a desgraçada da minha mãe", disse ela, e, respirando fundo, inchando as bochechas como se estivesse tocando trombone, saiu-se com: "Imogene". Então expirou, numa afobação espumosa, e me perguntou: "Imogene Frye. É ou não é bobo que nem eu falei?".

"Não", respondi. Era a primeira vez que eu mentia para ela. Ela me pareceu um pouco descentrada desde o começo, mas entendia de banjo, e ali, naquela cidade de prédios de um quarteirão inteiro e ternos pretos, isso era para mim o que seria um prato de *borshtch* com pepinos salgados para aquele ex-coronel da KGB, expulso para sempre como traidor da terra que ele amava.

"Eu *adorei*", dizia a tal Imogene, "aquele seu solinho em 'Heavy traffic ahead'. E aquela frase que o senhor repete uma oitava acima em 'Walking in Jerusalem just like John'."

"Não é uma oitava, é uma quinta", expliquei, acomodando-me e pegando dois copos de burbom na bandeja de prata que um negro simpático estava servindo pela sala. Vi que aquilo ia render uma conversa. Naquela época, o banjo estava começando a entrar na moda, ainda mais com o tema de *A família Buscapé*, e eu não queria me envolver com uma tiete superficial. Perguntei-lhe: "Você já escutou a WDBJ, lá de Roanoke? E me diz exatamente por que você acha que o tal de Bobby Thompson é o futuro".

Ela percebeu que eu estava magoado, com aqueles olhos quentes e vivos que pareciam só pupila, e apressou-se a afirmar, com seu jeito afobado e espasmódico de falar, que para ela eu era o presente, o passado e o futuro. Nem eu nem ela, acho, tínhamos o hábito de beber, mas as bandejas não paravam de aparecer, trazidas por negros de luvas brancas, e quando a recepção chegou ao fim toda a cena parecia pintada em seda, a balançar-se lentamente. Os especialistas na Cortina de Ferro já haviam ido embora para suas casas em Bethesda e Silver Springs, e me pareceu a coisa mais natural no mundo livre a pequena Imogene, para quem eu também devia estar balançando um pouco, me convidar para acompanhá-la até seu apartamento num daqueles bairros onde, segundo dizem, é perigoso um branco mostrar a cara na rua de madrugada.

Preto e branco, é do que mais me lembro. O cabelo dela era negro e macio, e a pele era branca e macia, e a voz foi ficando mais lenta e mais infantil com os efeitos da bebida e das carícias. Eu estava no chão, descascando a meia-calça dela, quando ela encostou a mão na minha cabeça para equilibrar-se. Depois nos sentamos na cama e ela pôs as mãos sob aqueles seios consideráveis, apontando-os para mim como se fossem armas. "Eu quero que eles fiquem maiores ainda", disse ela, falando tão baixinho que tive de me esforçar para ouvi-la, "para *você*." Comecei a beijar-lhe os seios, o que a fez sorrir, à luz enviesada que vinha da rua, como se fosse um personagem de desenho animado, com o rosto redondo, um sorriso de gato para passarinho. Quando levei as carícias mais para baixo, ela pareceu assustar-se, e por isso endureceu um pouco antes de relaxar as pernas e deixá-las se abrir. Os homens que ela conhecera antes não faziam isso naquele tempo, antes de o Vietnã levar embora a nossa inocência, mas desde meus tempos de namoro no banco de trás do carro gosto de apertar o rosto contra a alma profunda de minhas namoradas, de provar as águas nas quais todos nós temos que nadar para sair à luz. Eu me esforçava para manter a concentração viril em meio aos efeitos daquele álcool governamental, e da preocupação com as horas, e dos lampejos da consciência, e dos fatores perturbadores daquele ambiente triste de moça solteira. Preto e branco — o quartinho dela era tão despido de cor quanto uma imagem de televisão antiga, a cômoda com escovas e as fotos, em molduras de prata, da família que a gerara, uma poltrona com um livro alugado, embrulhado em celofane, ainda equilibrado num braço, onde ela o largara antes de sair de casa naquela manhã para ir ao trabalho, o rádio FM/AM/ondas curtas grande o bastante para captar as estações até da Antártica, a cama estreita com cabeceira de metal que não nos serviu de apoio depois que havíamos feito o melhor de que éramos capazes e precisávamos trocar lembranças e estabelecer limites.

"Meu Deus", exclamei. Isso também foi uma espécie de mentira, pois quando ocorreu a atração principal eu já havia perdido a maior parte da energia no que viera antes, horas atrás, na festa. Eu me sentira perdido dentro dela.

Ela tocou-me no ombro e disse meu nome completo com hesitação, como se temesse me desagradar. "Eddie Chester." E ela tinha razão; havia em sua voz um tom de proprietária que me incomodou. "Você é mesmo um deus."

"Você devia me ver sóbrio."

"Quando?" A voz dela deu um salto, rápida e ansiosa, tal como antes. Os brancos em torno das pupilas alargadas brilhavam como faíscas numa tela de televisão. O travesseiro encostado na cabeceira eclipsava metade de seu rosto e do cabelo desgrenhado, que parecia enorme.

Eu dissera aquilo só por dizer. "Talvez nunca, Imogene", respondi. "Vou me apresentar por uma semana lá no Oeste, e depois começa minha viagem para ajudar a garantir a democracia neste seu planeta."

"Mas vejo você quando você voltar", ela insistiu. "Você vai ter que passar de novo em Washington, pra outra reunião. Eddie, Eddie, Eddie", disse, como se soubesse que a repetição me incomodava. "Não posso deixar você ir embora."

As essências mágicas de Imogene haviam secado em meu rosto, e eu ansiava por um pano úmido e um táxi que me levasse embora. "Eu tenho mulher, você sabe. E quatro filhos."

"Você ama sua mulher?"

"Olha, meu bem, não vou dizer que não, se bem que depois de quinze anos a coisa perde um pouco a graça."

"Ela você também beija entre as pernas?"

Essa pergunta me pareceu atrevida demais. "Não lembro", respondi, e levantando-me da cama fui para o banheiro, onde o interruptor de luz fez com que a cor tomasse conta de tudo outra vez, todos aqueles tons de rosa e azul e amarelo nas prateleiras de remédios; pelo visto, ela precisava tomar muitas pílulas para conseguir funcionar.

"Eddie, não vá embora, não", ela implorava. "Passe a noite aqui. Aí fora é perigoso. É tão perigoso que se você chamar um táxi ele nem vem."

"Minha filha, um carro alugado vem me pegar amanhã às sete e meia no Willard Hotel pra me levar pra Virgínia, e eu tenho que estar lá. Posso não ser o futuro do banjo, mas sinto um certo orgulho profissional por nunca ter faltado a um compromisso." Vestindo a cueca, lembrei-me que o táxi havia contornado a estação ferroviária e depois o Capitólio, todo iluminado, e pareceu-me que eu não estava tão longe do prédio que não pudesse me guiar pela cúpula ou pelos holofotes em volta do Monumento a Washington.

"Eddie, você *não pode* ir embora, eu não deixo", insistiu Imogene, já se levantando, apenas uma pernoca branca e grossa presa nos lençóis. Os seios não pareciam tão atrevidos quando ela não os segurava por baixo. Este é o defeito de peito muito grande: exige sutiã.

Cantei alguns versos de "Don't say good-bye if you love me", até que não consegui me lembrar mais da letra, embora pudesse praticamente ver o rosto de Jim Buchanan bem na minha frente, apertado contra o violino, diante do microfone da WWVA. E então disse a Imogene, como se ainda estivesse citando uma letra: "Amorzinho, não vou ficar com você, não, mas que foi bom demais, isso foi". Era minha terceira mentira, se bem que uma mentirinha bem-intencionada, que continha um pouco de verdade. "E você, guarde o seu amor eterno para um homem que ainda não tenha compromisso."

"Vão matar você!", ela gritou, e ficou agarrada a mim por algum tempo, porém consegui acalmá-la com palavras mansas e convencê-la a voltar para a cama, enquanto sentia um princípio de dor de cabeça, e por fim me vi na escada do prédio. A rua, uma dessas ruas que têm número em vez de nome, estava completamente parada, como um cenário de teatro, mas eu, pisando firme com minhas botas de caubói, segui em direção ao que achei que fosse o oeste — quem foi criado à sombra das montanhas Blue Ridge sempre sabe se orientar —, e não deu outra, daí a pouco já estava vendo um pedacinho da cúpula do Capitólio ao longe, branco como um ovo num oveiro. Dois senhores de cor, esfarrapados, vieram cambaleando em minha direção de uma porta fechada com tábuas pregadas, mas dei um dólar para eles e disse que Deus os abençoasse, bem alto, e segui em frente. Se a gente não tem coragem de andar sem medo nem na nossa terra, como é que vai querer vender liberdade para os russos?

Bud Nevins me levou, eu e meus banjos — um belo Gibson Mastertone antigo, com acabamento de madrepérola, e um S. S. Stewart sobressalente com um bordão que sempre tinha um som meio chocho — até Moscou e nos instalou no quarto de hóspedes da casa que ele ocupava, com Libby e os três filhos, numa espécie de armazém de cimento onde os russos guardavam o pessoal diplomático do mundo livre. A sra. Nevins era uma ruiva alourada de cabelo grande que já estava começando a adquirir aquela expressão tensa, preocupada que se instala em toda mulher de professor de faculdade e funcionário do governo, de tanto se envolver com a carreira do marido. São os problemas da ordem hierárquica. O verão soviético anterior não havia conseguido reavivar as sardas dela, e um inverno branco e rigoroso nos aguardava. Estávamos no final de setembro, época em que na minha terra está todo mundo catando maçã, sem camisa. Na cama em que me puseram, o edredom tinha um cheiro antigo de sabão em flocos, como no tempo em que eu ajudava minha mãe a carregar o cesto pesado cheio de roupa molhada para pendurar na corda. Nunca estive tão próximo de minha mãe quanto nas vezes em que a gente pendurava a roupa na corda.

Enquanto me punha para dormir, Nevis disse que já tinha chegado uma coisa para mim no malote diplomático. Havia um envelope em meu travesseiro, endereçado para mim aos cuidados do número do correio militar da embaixada com uma letra enfezada, escrito com esferográfica preta. Era uma carta comprida de Imogene, relatando sua tristeza depois que fui embora, querendo saber se eu ainda estava vivo, porque não havia lido nada no jornal sobre a minha morte no bairro dela, e ela tinha ouvido no rádio um anúncio da minha apresentação em St. Louis. Ela relembrou alguns detalhes sexuais que não achei que fosse o tipo de coisa que se deve pôr no papel, e me jurou amor imorredouro. A segunda página eu li meio por alto. A letra dela não era fácil de ler, cada letra parecia se desdobrar em duas, e eu estava exausto de viajar tantos milhares de quilômetros até chegar ao lado escuro da Lua.

Bom, já vi muita platéia simpática em minha carreira profissional, mas confesso que nunca vi tanta gente adorável e simpática como naquele mês na Rússia. Aquelas pessoas, pelo menos as que não estavam no *gulag*, tinham uma energia incrível — passavam a noite toda acordadas e no dia seguinte todo mundo estava cheio de gás. A garotada não tinha aquelas olheiras que as crianças americanas começaram a adquirir nessa época, como se precisassem ser arrastadas para fora de casa à força para não ficar grudadas na televisão; a juventude russa parecia olhar a vida de frente, com tudo que há nela de solar e de ameaçador. Me dava pena pensar, mas aqueles jovens ainda eram puros. Os alunos sorriam quando eu tocava para eles, numa sucessão de salas de aula frias. Muitas delas pareciam salões de baile convertidos em salas de aula, ou nem mesmo convertidos — só fizeram tirar de lá os dançarinos e músicos czaristas e trazer as carteiras comunistas. Nas paredes descascadas havia cornijas e grinaldas de gesso cobertas de poeira, e os tons pastel ainda eram apropriados a um salão de dança, com cortinas de pelúcia apodrecendo junto a janelas de onde se avistava um parquinho úmido em que velhinhas com lenços amarrados na cabeça, tão corocas e enrugadas que na nossa sociedade já estariam no lixo, varriam os caminhos com vassouras que não passavam de maços de gravetos amarrados em paus. O pessoal ali usava o que tinha. As pessoas possuíam tão poucos bens materiais que o jeito era desfrutar o simples fato de estar vivo.

Eu havia preparado uma falazinha, deixando um tempo para a tradução simultânea. Começava dizendo que o banjo era um instrumento africano, chamado *banza* nas colônias da África Ocidental Francesa e *banjer* no Sul dos Estados Unidos, onde nos lugares mais atrasados ainda se ouvia o nome antigo. Os escravos tocavam banjo, e depois o instrumento começou a aparecer nos *minstrel shows*, os espetáculos de variedades em que músicos brancos como Dan Emmett e Joel Walker Sweeney ainda utilizavam o estilo negro tradicional, golpeando as cordas para baixo com o polegar e a unha do indicador (eu fazia uma demonstração). Então (a demonstração prosseguia) eu falava do surgimento do estilo dedilhado, em que entra o dedo médio e as cordas passam a ser puxadas para cima, e além das três unhas também se usa uma palheta de metal; e terminava com o estilo *bluegrass* e com o *folk* tradicional, recriados por meu herói Seeger. Depois de falar sobre essas coisas todas por mais ou menos meia hora, mostrando exemplos do que se imaginava ser o som do banjo dos *minstrel shows* e uns *ragtimes* da década de 1890, tal como foram gravados por Vess L. Ossman e Fred Van Eps nos cilindros de Edison, terminando com um pouco de Leadbelly, eles me perguntavam por que era que os americanos oprimiam os negros do país.

Com o tempo fui aprendendo a responder a essa pergunta, à medida que iam se sucedendo minhas apresentações naquelas salas cheias de ecos. Parei de dizer que a escravidão era uma coisa universal até não muito tempo atrás e que na Rússia também havia servos antigamente, e que centenas de milhares de brancos do Norte haviam morrido para que os escravos fossem libertados, e que cem anos depois a legislação dos direitos civis tinha sido aprovada e os linchamentos tinham se tornado raros. Eu percebia, enquanto ouvia minhas palavras serem traduzidas, que não estava convencendo ninguém, que aquilo era muito parecido com o que eles ouviam na escola, era muito abstrato. Passei a dizer simplesmente que sim, era um problema, um problema vergonhoso, mas que eu acreditava sinceramente que os Estados Unidos estavam tentando resolvê-lo e que a música era uma das melhores maneiras de conseguir isso. Quando pensava no que eu próprio estava dizendo, às vezes me ocorria que o Departamento de Estado sabia muito bem o que fazia, levando um patriota otimista por natureza como eu à Rússia. Desde que mataram o Kennedy gente do meu tipo se tornou mais difícil de encontrar. Eles certamente deviam ter um dossiê grosso a meu respeito guardado em algum lugar: essa idéia me deixava meio preocupado.

O melhor de tudo era quando eu tocava como se estivesse tocando para um público de interior nos Estados Unidos, e aqueles jovens rostos russos se iluminavam como se eu estivesse contando piadas. Todos já tinham ouvido jazz, e até mesmo um pouco de twist e umas primeiras gravações de rock que entravam em fitas de contrabando, mas quase ninguém tinha ouvido uma coisa tão leve, frágil, alegre, tão *irreprimível* quanto música de banjo a todo o vapor, quando os dedos é que pensam pela gente e a gente só faz ouvir o som que está fazendo, espantado. Às vezes me punham para tocar junto com um tocador de balalaica, e uma vez um sujeito do Azerbaijão, acho que ele tinha um pouco de sangue cigano, tentou tocar o meu instrumento e eu, o dele. Passamos uns dias nos apresentando juntos, numa turnê pelo Cáucaso, cidadezinhas montanhesas onde velhos barbudos se reuniam do lado de fora das janelas do auditório como se estivessem bebendo luar. Quando anunciaram com antecedência um espetáculo formal, as multidões ficaram tão grandes que os controladores soviéticos reduziram a turnê.

Tive vários intérpretes viajando comigo, mas normalmente quem vinha era Nadia, uma senhora magra, de lábios finos, quarentona que tinha aprendido inglês durante a guerra, no Exército. Ela havia perdido dois irmãos e um noivo, levados por *Herr* Hitler, e estava casada com o sistema comunista, unida a ele com vínculos de ferro e dor. Parecia um soldado magricela e alto que tinha acabado de tirar o uniforme — lábios sem batom, narigão comprido e branco como se de cera, cabelo cortado curto ficando grisalho não em fios isolados, mas em mechas. Com um rosto sem expressão, ela me ouvia dar meu recado, fazia um sinal com a cabeça quando eu já tinha falado tudo que ela conseguia decorar, e em seguida soltava uma torrente de palavras que, com todos aqueles sons líquidos e enrolados, para mim era pura música. Quanto mais nós dois viajávamos juntos, mais ela já sabia o que eu ia dizer, e mais tempo me deixava falar antes de começar a traduzir, e mais eu percebia palavras individuais, pequenas expressões através das quais era como se eu conseguisse enxergar dentro dela como a gente olha dentro das janelas de uma cidade por onde passa de trem. Viajávamos de trem sempre na mesma cabine, e eu olhava do alto do meu beliche e via as mãos dela tirar os sapatos e as meias cor de mostarda. Depois os pés descalços e as mãos apareciam por um momento e sumiam. Eu prestava atenção, mas nunca conseguia ouvir sua respiração relaxar; ela me confessou, já quase no final da minha temporada, que nunca conseguia dormir em trens. O movimento e os barulhos a acordavam a toda hora.

Um fator inibidor era a presença de Bud Nevins na cabine conosco — havia dois beliches de cada lado — e, quando ele não vinha, um outro representante da embaixada, e muitas vezes uma quarta pessoa, um subordinado de Bud ou um outro representante soviético que falasse armênio, ou cazaque, ou lá a língua que fosse falada no lugar para onde a gente estava indo. Às vezes tinha tanta gente me acompanhando que não cabia todo mundo numa cabine só; e imagino que na maioria das vezes quem dormia melhor era eu, já que um estava sempre vigiando o outro. Nadia era a camarada mais enquadrada que se pode imaginar, mas pelo visto também ela tinha que ser vigiada. À medida que fui aprendendo a linguagem corporal dela, comecei a perceber quando a gente estava sob pressão política.

Depois de algum tempo, comecei a simpatizar com os comunistas. Quando chegávamos a um daqueles lugares remotos do interior, Nadia e seus colegas me botavam dentro de um Zil e todos nós reclamávamos com bom humor de estarmos sendo seguidos por um vigia da embaixada num Chevrolet importado. Quando fomos para o sul, Bud veio junto, com a ruiva alourada dele. Libby, além daquele ar preocupado, tinha também uns lábios rechonchudos, bonitos, e uma boca com dentes demais. Embora já tivessem três filhos, estavam casados havia menos de dez anos. Seu amor e sua lealdade de esposa a tinham levado a acompanhar o marido e dividir com ele os prazeres que a União Soviética, em toda a sua imensidão sinistra, tivesse a oferecer.

Em algum lugar nos cafundós da Geórgia — a Geórgia de lá, que é ainda mais montanhosa que a nossa —, visitamos um mosteiro, um mostruário de tolerância religiosa. Os poucos monges que restavam nos mostraram os cômodos austeros de pedra. O lugar tinha aquele cheiro deprimente e abafado de santidade, cera de vela e crisma e lustra-móveis que eu tinha sentido pela última vez trinta anos antes, no depósito de uma escola dominical no porão de uma igreja batista. Em meio a vários monges com barbas que chegavam à barriga, havia um jovem, e eu fiquei pensando no que o teria levado a entrar naquela irmandade espectral. Maluco ou funcionário do governo, pensei. Tinha cabelo longo e sedoso, como uma princesa aprisionada numa torre, e olhos vermelhos e ariscos de espião. Pertencia a uma espécie do animal humano e eu a outra, e quando nos entreolhávamos, nós dois contínhamos um arrepio.

Lá fora, uma pequena multidão de pastores e carneiros, os dois grupos não muito limpos, havia se formado em volta dos automóveis, e quando Nadia explicou a eles quem éramos e qual nossa missão de paz, os pastores nos convidaram a jantar com eles, a comer um daqueles carneiros. Eu me contentaria com uma sopa de repolho e *blini* no hotel em Tblisi, mas os Nevins ficaram meio chateados, como se aquela oportunidade de contato amistoso com uma etnia autêntica nunca mais fosse se repetir, o que aliás provavelmente era verdade. O dever deles era me obrigar a cumprir o meu dever, e o meu dever era claramente fazer média com os pastores, marcando um tento para o mundo livre. Olhei para Nadia, e ela, com um daqueles seus acenos desacompanhados de qualquer sorriso, fez que sim, embora aquilo não fizesse parte do programa. Ou quem sabe fazia, sim. Àquela altura eu já a considerava uma aliada em minha missão de subverter a ditadura do proletariado, no que sem dúvida eu estava me enganando.

Percorremos uma longa subida, acho que mais de um quilômetro, e nos sentamos em torno de uma espécie de fogueira, onde um caldeirão enorme e sinistro cozinhava os pedaços ossudos de uma criatura que ainda havia pouco estava tão viva quanto nós. Os pastores gostaram do cabelo solto de Libby e de ver seus joelhos sardentos saírem de vez em quando de sua quase minissaia, quando nos instalamos, de cócoras, em nosso círculo de poleiros na rocha. Apareceu um odre de couro de cabra cheio de vinho tinto; como já disse antes, não sou nenhum entendido em matéria de bebida, mas o tal vinho era tão forte que as moscas morriam quando caíam em nossos copos, e quando tomei um trago maior foi-se embora a pele do meu céu da boca. Depois que o odre deu algumas voltas pelos convidados, Libby começou a deliciar-se com as atenções dos pastores, a sorrir e dar risadinhas e reacomodar seus longos braços e pernas, e testar pequenas frases em seu russo precário. Aqueles pastores — trabalhadores agrícolas e supervisores pecuários, devia ser a terminologia que eles agora empregavam — tinham toda uma série de problemas odontológicos mal resolvidos, como percebíamos cada vez que as barbas se abriam quando riam, mas havia muito amor em torno daquele caldeirão fumegante, muita vontade de paz internacional. Até mesmo Bud tirou o paletó e desabotoou a camisa no alto, e Nadia começou a recostar-se mais à vontade nas pedras e a traduzir de modo mais livre, contribuindo com suas próprias idéias, ao que me pareceu. O carneiro, quando foi servido em tigelas de metal, eu bem que achei que poderia ter sido cozido mais um pouco, e estava misturado com o que parecia ser capim, com raiz e tudo, e umas alcaparras verdes, cada uma delas com um estalinho dentro, mas acabou que só quem passou mal foram os Nevins. No dia seguinte eles tiveram de ficar no hotel, com as persianas baixadas, enquanto eu e os comunistas fomos fazer um espetáculo para os moradores de um asilo de ex-combatentes das guerras populares, onde havia uma magnífica vista do monte Elbruz. No carro, todos morremos de rir dos Nevins e da sensibilidade estomacal capitalista deles, o que foi a coisa mais cruel que vi acontecer em todo aquele meu mês na União Soviética.

Usbequistão, Taijiquistão, Casaquistão: a gente ficava pensando por que Deus tinha criado tanta terra vazia no mundo, com uma cúpula dourada aqui e um lago azul ali para dar algum alento à alma sedenta. Mas era dali que sairia a revolução seguinte, como acabamos vendo — debaixo daqueles turbantes islâmicos. Quando a madrepérola do meu banjo cintilava para o lado deles, eles faziam figa para espantar o mau-olhado. Eles não tinham dúvida de que aquela geringonça era coisa do diabo.

Sempre que eu passava por Moscou, com toda a seriedade me entregavam maços de cartas cobertas com a letra espremida de Imogene, páginas e mais páginas e mais páginas. Eu não acreditava que ela era capaz de gastar tanto papel assim, e achava aquilo também um desperdício de dinheiro público, já que ela usava a mala diplomática. Ela tinha me ouvido cantar um trecho de oito compassos da minha gravação de "Somebody loves you, darling" lançada pela Decca na estação de rádio de Charlottesville, e entrou numa de que aquilo era uma maneira cifrada de eu dizer que estava largando minha mulher para ficar com ela. "Estou totalmente aberta e totalmente SUA, meu QUERIDÍSSIMO Eddie", escrevia ela, se é que ainda consigo me lembrar de uma frase no meio de tanta bobagem. "Vou esperar por você TODO o tempo que for necessário, mesmo que o JUÍZO FINAL chegue enquanto isso", se ainda me lembro de outra. E ia por aí afora, contando com todos os detalhes o que ela fazia a cada dia, incluindo coisas sobre o funcionamento do organismo dela que eu preferia não saber, se bem que gostei da informação de que ela havia menstruado normalmente, e sobre a infelicidade dela (por eu não estar a seu lado) e a esperança dela (de que eu logo voltaria), e mais a teoria segundo a qual tudo que eu dizia no rádio era para ela, em todas as freqüências imagináveis, inclusive as ondas curtas em que ela sintonizava estações das Antilhas e dos Açores. Se ela ouvia os Osborne Brothers cantando "My lonely heart" ou "You'll never be the same", sabia que eu era amigo deles e que tinha pedido que mandassem aquela mensagem para ela, muito embora aquela gravação fosse do início dos anos 50. Eu só conseguia dar uma lida numa página aqui, outra ali — a letra ia ficando cada vez menor e mais enrolada e acabava explodindo numa declaração de amor em letras maiúsculas sublinhadas três vezes. Só de ver os envelopes grossos, aquele monte todo, eu ficava envergonhado diante de Bud Nevins e de todo o pessoal da embaixada, ali naquele posto avançado no meio do comunismo ateu. Como é que eu podia ser embaixador cultural tendo que arcar com aquele fardo ridículo de paixonite pretensiosa?

Imogene estava planejando onde iríamos morar, que roupa ela ia usar para ir assistir aos meus shows no lugar de honra, o que faria comigo no quarto e na cozinha para manter meu amor naquele auge. Pensando que íamos passar a vida inteira juntos, ela me dava informações sobre a família dela, a mãe de quem ela falara mal mas que também não era de todo má, e os irmãos e irmãs dela, que pelo visto eram o maior bando de fracassados e penetras da península de DelMarVa. Aqueles delírios dela, eu temia, iam acabar atraindo a vigilância da KGB, que com uma espécie de raios X conseguia enxergar o que vinha de dentro da mala diplomática. Eu ia cair no conceito de Nadia, aquela mártir férrea da resignação. Aqueles alunos de ginásio tão inocentes iam perceber minha contaminação. A austeridade singela da vida soviética, com aquele vestígio de medo que vinha dos tempos de Stalin, fazia com que as ilusões amorosas daquela americana infantil se tornassem repulsivas para mim. À medida que meu mês ia chegando ao fim, e o mundo capitalista estendia seus tentáculos para me tomar de volta, as maluquices de Imogene se misturavam com os telegramas da minha agência e as cartas insossas mas amorosas de minha mulher, que sempre continham bilhetes e desenhos obedientemente feitos por meus filhos: isso aumentava ainda mais minha repulsa. Eu queria mandar um telegrama para Imogene — PARE COM ISSO ou então VOCE NÃO EH MEU AMOR COISA NENHUMA —, só que a danada era muito esperta e nunca me mandava endereço de remetente, e quando eu tentava pensar no apartamento dela só me lembrava daquela sensação de preto-e-branco, e de ela me oferecendo um peito de cada vez, e daquele rádio enorme, e da rua vazia com o Capitólio ao fundo como se fosse um confeito de chocolate branco. O jeito era aturar aquilo, aquela dura humilhação.

Tinham deixado Leningrado para o final, pois era lá que os comunistas, guardando ainda lembranças do cerco à cidade, eram os mais duros, e talvez eu encontrasse mais hostilidade da parte da platéia. Mas assim que meu Gibson começou a falar, as cordas vibrando todas juntas como as rodas sincronizadas, pequenas e grandes, de uma locomotiva, sorrisos de compreensão mútua começaram a se abrir. Não sou um homem corajoso, mas tenho fé no meu instrumento e nos bons instintos básicos das pessoas. São Petersburgo, como agora a cidade voltou a ser chamada, é muito bonita, uma Veneza totalmente inesperada, cheia de prédios grandes e curvos com cores italianas. Naqueles velhos e soturnos salões de baile, os estudantes se preocupavam com a possibilidade de que Goldwater fosse eleito, e eu lhes disse que o povo americano jamais elegeria à presidência uma pessoa que queria guerra. Eu era sempre apresentado como um músico folk americano "progressista", mas era obrigado a dizer que não tinha nada de muito progressista: minha família votava no Partido Democrata por causa de uma guerra que acontecera havia mais de cem anos, e não ia ser eu quem ia trocar de partido.

Então, justamente quando eu ia pegar o avião para voltar, Kruchov foi derrubado, e todos os soviéticos à minha volta ficaram tensos, preocupados com o que ia acontecer em seguida. Todo aquele império enorme, imagine só, nas mãos de um punhado de sujeitos mal-encarados entornando vodca numa sala fechada. Nadia — minha voz, minha guia, minha protetora, que havia um mês estava mais próxima de mim do que uma esposa, porque eu não poderia ter me virado sem ela — mostrou que eu havia conquistado seu respeito me confidenciando, em algum lugar na Perspectiva Nevski ou num corredor onde não devia haver nenhum microfone escondido: "Eddie, não foi uma coisa civilizada. Não é assim que um país civilizado deve agir. A gente devia ter dito a ele: 'Muito obrigado por ter acabado com o terror'. E depois: 'O senhor está dispensado — excesso de aventureirismo, fracasso na produção agrícola, etcétera e tal, sim, e adeus, mas *bolshoi* obrigado'".

Havia momentos, no final de um de longo dia passado em público, em Tachkent, por exemplo, em que o inglês dela se deteriorava, era só o cansaço de ter que puxar em dobro pela massa cinzenta, e as pálpebras dela, e a ponta do narigão branco, ficavam rosadas. A gente se despedia no saguão do hotel, com aquele cheiro de mofo que lembrava um sótão, com abajures de bronze em forma de urso, e ao apertar a mão ela me estendia não a palma e o volume do polegar, e sim quatro dedos frios, alinhados como as divisas de um sargento. E foi assim que começamos a nos despedir no aeroporto, até que demos um salto sobre o abismo entre nossas duas grandes nações e eu lhe dei um beijo numa face e depois na outra e por fim um abraço bem à moda eslava. Os olhos dela ficaram úmidos, mas podia ser que ela estivesse começando a pegar um resfriado.

Bud me disse no aeroporto, num tom tão displicente que eu devia ter percebido o sinal de perigo: "Nós tiramos o seu número do correio militar dois dias atrás, para que a sua correspondência não venha parar aqui depois que você voltar. Todas as cartas vão ser entregues na sua casa".

"Boa idéia", respondi, sem pensar nas implicações. Imagino que Bud já previa confusão, mas ele era diplomata, um profissional em matéria de dizer apenas o necessário.

Na volta, na última etapa da viagem, vindo de Paris, tive

uma experiência que nunca mais se repetiria em todas as viagens que já fiz. O avião descreveu um arco grande sobre Gander e a Nova Escócia, e a dez quilômetros de altura dava para ver Nova York a centenas de quilômetros de nós, uma manchinha de luz na fria janela oval de plástico do avião. A mancha crescia e crescia, como se fosse um peixe que eu havia fisgado e estava puxando. Minha bochecha ficou gelada de tanto que a apertei contra o plástico para não perder de vista aquele pontinho na superfície invisível da terra, como uma nebulosa, um cotão, só que luminoso, aquele borrão que era o centro do nosso sonho americano. Só ele e eu, ali no céu escuro, em comunhão. Foi uma visão.

Depois de ter passado pela alfândega no aeroporto que até recentemente se chamava Idlewild, telefonei para casa. Já passava das dez da noite, e eu sentia uma felicidade imensa de me ver outra vez na terra dos homens livres. Minha mulher atendeu com uma voz que continha alguma coisa além de boas-vindas, como uma salamandra assustadora embaixo de uma pedra chata. "Chegaram umas cartas pra você hoje e ontem", disse ela. "Todas mandadas por uma mesma pessoa, parece."

Como aquele aeroporto era claro, pensava eu, em comparação com o de Moscou. Cada canto, cada rampa estavam sob uma iluminação feroz, como uma foto tirada pela polícia, e todo o lugar era cheio de anúncios e lanchonetes, vibrando de eletricidade. "Você abriu?", perguntei, sentindo uma mão pesada de repente tanger meu coração.

"Só uma", disse ela. "E bastou. Ah, Eddie."

"Não foi nada", comecei, o que não era de todo verdade, porque, se por um lado eu não gostava de ver que Imogene ia virar um assunto constante em minha família, por outro não tem como a gente ficar com muita raiva de uma pessoa que vê a gente como um deus. Não havia como não sentir um pouco de carinho quando eu me lembrava dela primeiro levantando um seio e depois o outro, cada mamilo parecendo um cano de arma apontado direto para a minha boca naquele quarto preto-e-branco. A gente vai até o lado escuro da Lua e volta, e a coisa mais maravilhosa e estranha que se vê é a maneira como os homens e as mulheres se juntam.

UMA OBRA

Henry Bech, escritor norte-americano já um tanto velhusco, constatava que mulheres com quem ele havia dormido décadas antes estavam freqüentando suas palestras. Ele sentia a presença delas na platéia mesmo no escuro. Clarissa Tompkins, por exemplo, entrou atrasada, de fininho, numa leitura em Nova Jersey, num velho cinema de subúrbio transformado em centro cultural, quando a sala já estava escurecida e ele havia começado a ler um de seus poemas em prosa incluídos na miscelânea *Quando os santos* (1958), evocação de uma loja de quinquilharias usadas no East Village. Ao levantar a cabeça para proclamar o trecho "uma pátina de obscuros usos antigos que fortalecia a aplicação contemporânea de uma poeira bem presente", saboreando as oclusivas das três últimas palavras, viu a silhueta de Clarissa contra o brilho fraco da placa antiquada que indicava o banheiro feminino. Ela escapuliu da ilha de luz âmbar e adentrou a escuridão das últimas fileiras, porém era inconfundível aquele penteado alto, cor de bala puxa-puxa nas suas lembranças, que tinha o efeito de tornar ainda maior sua cabeça já respeitável, uma cabeça precariamente equilibrada sobre o corpo pequeno e sem busto. Após fazer amor no esplêndido apartamento dos Tompkins na Fifth Avenue, com vista para o reservatório, faziam um piquenique nus no tapete oriental felpudo no centro da sala de visitas, e um outro tufo de pêlos cor de puxa-puxa aparecia, inocente, quando ela cruzava as pernas e devorava sua metade de um sanduíche de peru que a cozinheira tinha deixado pronto antes de ir embora naquela tarde. Em meio à opulência de seu apartamento, Clarissa era econômica. Um sanduíche era cortado em dois, um saquinho de chá fazia duas xícaras. O rosto dela, sob aquele penteado bufante, parecia pequenino, e quando ficava oculto por trás da metade do sanduíche quase desaparecia — o narizinho reto, os olhos verdes míopes que quase sempre estavam apertados para enxergar melhor, mas que agora, depois do orgasmo, vagavam a esmo. A cada mordida, o lábio superior volumoso deixava uma mancha vermelha no meio do pão branco. Ela usava um batom indelével, que borrava tudo; Bech normalmente precisava de uma lavagem em regra, não com um pano molhado, e sim com toalhas de papel encharcadas de vodca, para ousar enfrentar o elevador, o porteiro, a avenida.

O que a trouxera até Nova Jersey, a esta faculdade perdida no meio do deserto dos subúrbios ao norte de Newark? Como ficara sabendo daquela leitura? Bech perdeu-se no meio do parágrafo, pensativo, e um silêncio estendeu-se acima dos rostos atentos na penumbra, até que ele encontrou o lugar na página e prosseguiu: "Desconfiado, o visitante debruça-se sobre um descaroçador de maçãs, uma peça de madeira laboriosamente trabalhada que lembra um instrumento de tortura saído de Borges ou Kafka, que de algum modo, ao final de uma série de transações astutas e, esperemos, lucrativas, deslocou-se de um frio sótão em Vermont para aquele estabelecimento comercial abafado e caótico, oculto nos intestinos de Manhattan". Não gostou da frase; nunca percebera antes quanto era palavrosa.

O sr. Tompkins fora um dos patrocinadores — aliás, o principal patrocinador — de uma publicação de vanguarda com o austero nome *Displeasure*, da qual Bech fora colaborador fiel. Clarissa vira nele talvez um bom selvagem — um boêmio de cabelos crespos e corpo volumoso, que vivia além de todo e qualquer escrúpulo burguês. Os anos 50 foram anos dourados para os bons selvagens, mais ou menos inspirados em Henry Miller, até que, com a chegada da década de 60, eles se tornaram tão numerosos que passaram a ser uma multidão com reivindicações políticas. Mas Bech tinha um ponto fraco, se não pela riqueza considerada como um rolo compressor marxista, uma massa bruta de cifras na coluna dos ativos, então pelos artefatos deleitáveis que a riqueza comprava — os tapetes espessos de Tompkins, suas gravuras orientais douradas, sua cozinha reluzente, cheia de apetrechos suíços e bancadas de mármore verde, sua cama imensa com lençóis de algodão macios. O casal não tinha filhos; esses objetos eram seus filhos indefesos. Cada encontro amoroso no duplex de luxo — a cozinheira e a empregada eram dispensadas pela patroa, por delicadeza, mas sabe-se lá que suspeitas vis elas guardavam — proporcionava a Bech engulhos morais. Tompkins patrocina as artes; o artista, em troca, come sua mulher. Isso é justiça?

Clarissa, verdade seja dita, sentia que a situação era de algum modo delicada para seu amante. Ela impunha-lhe suas exigências físicas como quem se dirige a um doente, com a voz suave, porém firme, de quem visita uma pessoa internada num hospital, tentando infundir-lhe vigor; instigava-o, como se ele fosse um adolescente, a tomar certas veredas de gratificação que fazia com que suas marcas de batom passassem de um corpo ao outro, como as marcas deixadas numa quadra de squash pela bola a ricochetear. O caminho que a levava ao orgasmo era às vezes tortuoso. Adepta da ioga, gostava de ser dobrada para trás sobre um escabelo forrado de seda de modo que a cabeça se encostasse no chão a trinta centímetros abaixo dos quadris, os olhos verdes tentando encontrar o rosto dele, o desenho intricado do tapete aparecendo por entre seus cabelos eriçados. Aos poucos foi fazendo Bech entender que não lhe desagradavam certas variações hindus em torno das posições tradicionais, e com incentivos não verbais conseguiu extrair da casca de timidez sua força masculina. A reserva e a hesitação de Bech, ao que parecia, ajudavam-na a vencer suas próprias inibições.

Assim mesmo, ela não conseguiu conservá-lo. Sentindo que violava o luxuoso apartamento de Arnold Tompkins, suas sedas delicadas, seus cetins irrepreensíveis, Bech foi levado a escrever para Clarissa uma carta de adeus, argumentando, o que não era mentira, que desejava deixá-la protegida em meio àqueles tesouros cuja beleza e cujo valor, embora desprezíveis para ela, não o eram para ele. Em suma, Bech não queria, caso ocorresse algum escândalo, tornar-se responsável pelo sustento de uma mulher rica, por mais que ela tivesse se mostrado desejosa de aviltamento.

Enquanto lia, por detrás do atril bambo e mal iluminado, aqueles poemas em prosa escritos mais de quarenta anos antes, e que de repente lhe pareciam não apenas muito datados como também de um maneirismo fatal, e em seguida dava início a uma passagem excessivamente reproduzida nas antologias, o quebra-quebra na parada de caminhões em seu romance de estrada, *Sem bagagem* (1955), Bech corria os olhos pela platéia entre uma frase e outra, à procura de um brilho fugidio daquele penteado alto. Clarissa havia mudado de lugar, saindo da escuridão de seu poleiro na última fileira perto da placa brilhante cor de âmbar que, Bech percebeu, apertando a vista, era uma espécie de lanterna mágica, uma caixa de metal recortada, um daqueles detalhes elegantes comuns nos velhos palácios cinematográficos, de modo a formar contra a lâmpada interior a silhueta de uma mulher do século XVIII, com um penteado à Pompadour, diante de seu toucador, acima das letras caprichosas que formavam a palavra ***Mesdames***.

E quando as luzes se acenderam, para a sessão de tortura (com descaroçador de maçãs e tudo) do debate com a platéia, Clarissa havia desaparecido, perdida para sempre naquele mar sorridente de leitoras e tietes literárias de meia-idade — não, idosas. Que maldade a dela, aparecer de modo tão mágico para depois desaparecer! Teria sido uma represália por ele haver desaparecido de sua vida, à qual ela lhe dera acesso com tanta prodigalidade? Não haviam se encontrado nunca mais, pois pouco depois Tompkins parou de patrocinar *Displeasure*; a revista ainda cambaleou por algum tempo e logo desabou.

Na ACM do West Side — lugar muito mais agradável do que a do East Side, na Ninety-second Street, que recebia muito mais publicidade — Bech procurava um rosto amigo em meio à platéia, para dirigir a ele sua leitura. Estava tentando, e de modo algum pela primeira vez na carreira, dar vida àquela cena de seu romance *Pense grande* (1979) em que Olive, tendo finalmente descoberto que é lésbica, relata seus amores antigos nos braços da amante rejeitada de Tad Greenbaum, Telma, à luz alaranjada do crepúsculo que entra no quarto horizontalmente, como música, vinda além do parque das Palisades. Essa passagem, com o ir e vir de duas vozes femininas embriagadas de amor, era difícil de animar, e requeria o estímulo de um sorriso vindo de alguma ouvinte de boa vontade. Naquela noite, o sorriso, tão radiante — até mesmo voluptuoso, naquele rosto largo e branco — não foi procurado; pelo contrário, foi o sorriso que procurou e encontrou Bech. Enquanto lia, ele sentia-se incomodado pela idéia de que já vira antes aquele rosto que o incentivava. O sorriso, realçado por um batom tão escuro que parecia negro na penumbra do auditório, tinha um quê de enviesado, um toque doce e condescendente que implicava conhecimento anterior, um conhecimento de Bech que ignorava aquela sua tentativa teatral de dar vida às confidências sonolentas de duas imaginárias filhas de Bilitis. A única coisa real no texto que ele estava lendo era o quarto, uma transcrição exata do apartamento na Riverside Drive em que ele morara durante anos, antes de seu desastrado casamento com Bea Latchett, a irmã relativamente afável de Norma Latchett.

Espere aí, pensava ele enquanto sua voz dava prosseguimento à leitura. Havia um cantinho, um nicho na era de sua vida dominada pelas irmãs Latchett em que se encaixava aquele sorriso negro incorpóreo. Lábios cor de vinho, olhos de íris roxas e cílios longos, cabelo negro e liso caindo sobre ombros largos e luzidios, uma ponta de seta negra e nítida bem centrada entre as saliências proeminentes e carnudas da pélvis. Uma mulher vista em intervalos bem espaçados, uma mulher um pouco cheia e dogmática demais para ele, mas cuja assombrosa palidez de cera, que chegava a iluminar ambientes escuros, fazia-o recuar, agora tal como outrora, enquanto ele repassava em sua mente vários círculos literários nova-iorquinos nos desleixados anos 60. *Gretchen.* Gretchen

Folz, a pretensa poeta. Seu ridículo cubículo na Bleecker Street, a cama estreita encostada numa parede verde-salsa, o acesso a ela dificultado por pilhas prestes a desabar de brochuras da New Directions e da Grove Press. Sobre a cama, uma colcha de artesanato *amish* com um padrão de retalhos triangulares que o fazia pensar em estrelas-de-davi, e uma cabeceira de ferro cujas colunas verticais deixavam marcas em suas costas quando Gretchen sentava-se sobre ele e roçava em seus lábios os mamilos pálidos.

A emoção da memória recuperada deu a sua voz uma inflexão grave e forte, nada apropriada à passagem amorosa em que Olive resume sua situação a Thelma: "Sabe, tudo isso foi como a floresta da Branca de Neve na senda que me levava a *você*". Tantos anos antes, relembrou, ele hesitara entre "senda" e "caminho", e rejeitara "caminho" por ser uma palavra demasiadamente associada a Proust, mas agora parecia-lhe o termo mais natural, embora não evocasse tão bem a idéia de embates sexuais em meio a árvores com rostos masculinos lascivos, como se num desenho de Walt Disney.

Os poemas de Gretchen iam morrendo aos poucos na página, pontuados por grandes elipses que, Bech supunha, reproduziam fielmente o modo como o cérebro dela funcionava, com todas as suas conexões internas erráticas. Também seus orgasmos eram trabalhosos. De início, incomodavam-na as tentativas de Bech, um tanto canhestras, de resolver seu problema. "Pra mim, o melhor mesmo é o velho com licença-obrigado-tchau", disse-lhe ela.

"Isso é fugir do problema", retrucou Bech. "Além de me colocar no papel de porco chauvinista."

"Mas o quê...? Quer dizer, como...?"

Ficava lindo, ficava deliciosamente iluminado seu rosto largo, avidamente intelectual, naquele constrangimento infantil, com sua relutância pré-feminista a pensar detalhadamente na própria genitália. Bech despertou seu interesse, e juntos escalaram os pilares de Pound e Burroughs, Céline e Genet, Anaïs Nin e Djuna Barnes, que caíam como se fossem uma fileira de dominós, espalhando-se pelo quartinho.

Por que seus contatos com Gretchen tinham sido tão esparsos e infreqüentes, embora ela fosse tão ávida e, aos poucos, se animasse com suas carícias? Talvez porque o fato de ela escrever o ofendesse: de modo geral, seu impulso erótico não se dirigia a mulheres com pendores literários, que poderiam tentar competir com ele ou atingir o âmago distante e inefável de sua razão de ser. Além disso, Gretchen era grandalhona, e não mignon e flexível como ele gostava; desconfiava da abundância de suas carnes fartas, da lentidão cremosa de sua progressão, em meio aos cheiros cada vez mais ativos de suor e estro, rumo ao clímax sexual. Se ela tivesse perdido alguns quilos, se houvesse um pouco menos de carne a movimentar, talvez tivesse encontrado a senda — o caminho — com maior facilidade. Bech era obrigado a atuar mais como médico do que como amante, e aquela abordagem terapêutica diluía sua própria excitação. Além disso, aquelas visitas aos cômodos apertados e ambições literárias fúteis de Bleecker Street lhe pareciam — a ele, que já gozava de uma vaga fama, pois todos os seus quatro livros publicados até 1963 tinham sido mencionados na lista natalina de Livros Notáveis do caderno literário do *New York Times* — um tanto degradantes. E Gretchen era judia, o que na época não era do que ele precisava. Sentia-se judeu o bastante para duas pessoas. Já Bech possuía algo de que ela precisava muito, paciência sexual, e aquela necessidade escancarada de Gretchen talvez assustasse seu lado ocioso e exigente. Mesmo que ele passasse semanas sem procurá-la, Gretchen nunca ficava indignada por muito tempo quando ele a atraía de novo para sua órbita.

Também naquela noite, quando terminou sua leitura obstinada e distraída e tentava sem muito ânimo rebater algumas das perguntas descaroçadas que a platéia lhe lançava, Gretchen recebeu-o sem o menor ressentimento por ele ter, após aquele namoro esporádico, desaparecido de sua vida sem pedir desculpas; pelo contrário, ofereceu-lhe uma versão amadurecida de seu antigo entusiasmo ansioso, de sua esperança infantil de realizar-se nas mãos dele. Saudou-o com um beijo que reafirmava a posse sobre ele com uma autoridade inédita; sua insegurança de boêmia desaparecera. "Henry, queria que você conhecesse meu marido", disse ela.

O marido era um sujeito substancial de cara vermelha, sessentão, circunspecto mas não antipático, com um terno listrado que estava mais acostumado a freqüentar reuniões de trabalho do que leituras de prosa. "Muito legal", disse ele, bonachão, entendendo por que havia sido trazido. Para ser exibido.

"Henry, você faz cada uma", disse Gretchen. "A última coisa que você ia querer ser era uma lésbica. Você ia ter que abrir mão dos colhões."

"Não sei. Ainda estou evoluindo", disse ele, lamentando que o beijo que ela dera no canto de sua boca tivesse sido tão breve, tão seco. Gretchen parecia realizada. Seu corpo volumoso, de quadris largos, não era nenhum problema ao lado do corpanzil do marido, e ela havia cortado o cabelo bem curto, com um corte irregular, pintando-o de um vermelhão metálico que lhe dava uma aparência futurista um tanto sedutora.

"E os seus poemas?", indagou ele. Nunca sabia o que dizer àquelas mulheres que vinham ouvi-lo.

"Publiquei, numa edição de autor", respondeu ela. Os cantos escuros da boca afundaram nas bochechas cremosas, na única manifestação de vingança que sua natureza compassiva lhe permitia. "Uma edição *lindíssima.* O Bob *adorou.*"

"O Bob", disse Bech, prolongando a vogal como se para saboreá-la, "sem dúvida é um crítico exigente. Ele acha legal os nossos escritos. Legais."

Não se espera que muita coisa aconteça em Indianápolis depois que se vêem a cúpula do Capitólio e o Monumento ao Soldado e ao Marinheiro. A justaposição das duas atrações turísticas lembrava Bech da proximidade ainda maior, em Londres, do Royal Albert Hall — redondo, espaçoso, rosado — e da estrutura fálica do Albert Memorial do outro lado de Kensington Road. Talvez o mundo possa ser desconstruído e reduzido a essas duas formas básicas, uma sempre procurando pela outra, por toda parte. Pouco antes de sua leitura na Biblioteca Pública do condado de Marion, quando, num momento de solidão e ócio, ele aguardava junto aos degraus que levavam ao palco, uma mulher serelepe, baixinha e simpática, com um terninho de tweed magenta, aproximou-se dele com ar deslumbrado.

Ele já vira aquele ar deslumbrado antes, estampado no rosto de mulheres que levaram a sério demais algum de seus romances, identificando-se com a heroína apenas esboçada. Porém aquela mulher não parecia uma tiete. "Henry Bech", disse ela, com o sotaque destemido e direto dos habitantes do imenso interior norte-americano. "Eu sou Alice Oglethorpe. Talvez você não se lembre, mas uma vez nós viajamos de Nova York a Los Angeles no mesmo trem."

O aperto de mão dela era tal como sua voz, firme, nem frio nem quente, porém Bech detectou um leve tremor. Em seguida, quando a identidade da mulher lhe veio à mente, seu coração começou a saltar dentro do peito, e ele, um profissional da palavra, sentiu que sua boca abria e nada saía dela. Os olhos azuis da mulher, com um inacreditável fundo prateado, permaneciam fixos nos dele enquanto seu cérebro trabalhava. Jamais a teria reconhecido. Parecia jovem demais para ser a sua Alice. Embora todo o seu sangue saltasse em direção a ela, Bech sentia-se envergonhado por ter se tornado um velho desde a última vez que a encontrara. "Meu Deus", ele conseguiu exclamar por fim. "Você. Claro que me lembro. Na Twentieth Century Limited."

"Só até Chicago", ela o corrigiu. "Dali em diante, foi no Santa Fe Super Chief."

A mão esquerda de Bech, segurando o livro cujos trechos ele ia ler naquela noite, tentou desajeitadamente acariciar a mão, aquele pedaço precioso dela, que ele segurava com a direita. "Como você está?", perguntou. "*Onde* você está? O que aconteceu depois?"

A perturbação de Bech lisonjeou-a, e também a acalmou. Ela retirou a mão, ainda trêmula. Seu olhar continuou fixo nos olhos dele, porém a boca, de início tensa, relaxou num sorriso. Fora reconhecida. "Estou aqui", respondeu ela. "Quer dizer, em Bloomington. Estou bem. Continuo casada. Dei a volta por cima."

Curiosamente, ela quase não envelhecera, apenas ficara um pouco mais larga. O cabelo ainda era do mesmo tom de castanho-claro, uma cor vaga demais para ter nome — "louro-sujo" era o termo que sua mãe usava —, e o terninho de lã, apesar do tom ousado de magenta, chegava às raias do desmazelo. Seu disfarce de mulher comum e respeitável era perfeito.

O marido dela, ele lembrava, era uma espécie de consultor financeiro, um entendido em dinheiro de médio escalão. Ela estava indo a Los Angeles para encontrar-se com ele após um seminário que durara toda a semana, patrocinado pela indústria de defesa do sul da Califórnia, na época em plena juventude. Claro, ela poderia ter ido para lá com o Tad e ficado no hotel, mas para fazer o quê o dia inteiro — uma daquelas excursões de ônibus para ver as casas das estrelas de Hollywood? Os olhos prateados e o tom seco daquela mulher diziam a Bech que ela se considerava, em algum nível, tão estrela quanto qualquer artista de cinema. Era ao menos uma presença próxima, conversando só com ele. Sempre tivera vontade de atravessar todo o país, disse-lhe ela, e detestava andar de avião, se bem que, se fosse preciso, seria capaz de fazê-lo depois de dois drinques fortes. Bech estava indo até a costa do Pacífico para explorar as possibilidades cinematográficas, que sua intuição lhe dizia serem nulas, de seu primeiro romance, um tanto sensacionalista, *Sem bagagem*. Também ele preferia ir de trem a confiar seu corpo aos vôos turbulentos dos aviões a hélice do final dos anos 50, antes do surgimento dos grandes jatos. Os elegantes trens continentais estavam caindo em desuso, e ao optar por esse meio de transporte Bech e Alice revelavam um lado romântico em comum. Tudo isso veio à tona na primeira conversa, ao se encontrarem sentados um ao lado do outro, os dois sozinhos, num vagão-restaurante lotado.

O estremecer dos talheres na toalha de mesa vibrante. A solidez tranqüilizadora, coisa de histórias de fadas, das xícaras e cafeteiras de fundo pesado, com o logotipo da New York Central. Os garçons negros, com uma deferência teatral, num mundo em que os negros serviçais também estavam desaparecendo. Desde o momento em que Alice foi levada à mesa trêmula dele, Bech percebeu que ela ia dormir com ele. Havia nos olhos dela aquela luz fraca, e um brilho um pouco excessivo em seu terninho de gabardine azul-esverdeado, uma eletricidade ansiosa em seus gestos e, depois que ela tomou um pouco de vinho, em sua fala. As mulheres que falavam muito, segundo o folclore sexual do Brooklyn de seu tempo de menino, o qual sua experiência limitada tendia a confirmar, costumavam "dar" tanto quanto falavam. Bech e aquela desconhecida estavam sozinhos no trem rápido, seguindo rumo ao norte, margeando o rio Hudson, azul ao sol de outono, tão sozinhos como se estivessem numa ilha deserta.

A bibliotecária-chefe de Indianápolis, que o levara até o auditório, veio chamá-lo; era hora de subir ao palco e fazer jus ao cachê. Alice Oglethorpe disse, num tom caloroso mas formal, que fora um prazer vê-lo depois de tantos anos.

"Você está linda — linda!", foi tudo que ele conseguiu dizer. Ela virou-se para o outro lado, ele virou-se para o outro lado. Que estupidez a sua! Ficara tão sem palavras quanto um menino. Aquela carícia desajeitada que ele tentara fazer com o livro na mão. Sua incapacidade de formular qualquer pergunta relevante. Seu corpo parecia um gongo que acabava de ser golpeado, inchado pelas múltiplas reverberações. E pensar que ela estava tão perto, que ela tinha vindo para encontrá-lo! Enquanto fazia sua leitura, tonto, as perguntas que devia ter feito jorravam de sua mente. Onde exatamente ela morava? Ela era feliz? Fugiria com ele agora, agora que suas obrigações de mãe já tinham sido cumpridas? Naquela ocasião ela tinha filhos pequenos, ele se lembrava, filhos que estavam com os pais de seu marido no Bronx. Mas ela não era da cidade de Nova York; sua viagem havia começado no interior do estado, um fato que tivera o efeito de realçar ainda mais sua condição de dádiva do além. Além da razão. Além de qualquer expectativa. À luz do atril, as próprias mãos lhe pareciam estranhas e engelhadas, mas assim mesmo um tanto bonitas. Massas articuladas, com pêlos nas costas dos dedos. Outrora ele fora belo.

Ela não dormiu com Bech na primeira noite. Levantouse após o café e lhe deu boa-noite com firmeza. Naquele tempo, os vagões-leitos tradicionais, com beliches com cortinas verdes, já eram antiquados; na Twentieth Century Limited os vagões-leitos eram divididos em cabines, cada uma delas medindo dois metros por um. Bech mal conseguiu dormir, sabendo que ela estava a poucos passos de distância, em outra cabine. Talvez, tal como ele, estivesse se debatendo entre os lençóis apertados demais e virando o travesseiro para o outro lado, mais fresco, na vã esperança de encontrar assim o doce esquecimento, misturado às incansáveis sacudidelas do trem. Por volta do nascer do dia houve uma barulheira prolongada, associada a muita luz, certamente a parada em Buffalo.

Encontraram-se no café-da-manhã no vagão-restaurante que sacolejava e tilintava enquanto o trem atravessava o Ohio. "Dormiu bem?", perguntou ele.

"Muito mal."

"Acho que é porque nós estávamos solitários."

"Eu nunca durmo bem em trens, obrigada", disse ela. Sua palidez de insone, à luz implacável do sol matinal refletida pelo restolhal de milho, realçava uma certa aspereza, uma constelação de pequenas marcas abaixo dos malares, deixadas talvez por uma tempestade adolescente de acne. A luz áspera e enviesada a traiu, e logo em seguida foi interrompida pelo súbito aparecimento de postes, cumeeiras de tijolo, armazéns ferroviários. A maquiagem não havia conseguido disfarçar de todo aquele defeito tocante. Ele havia se esquecido, havia se esquecido de procurá-lo naqueles poucos momentos surpreendentes em que ela reapareceu à sua frente. Uma vez Alice lhe perguntara se ele um dia a esqueceria.

Bech virou a página ligeiramente abrasiva, à luz do atril. Havia escolhido — sabe lá Deus por quê, talvez por achar que Indianápolis fosse uma cidade religiosa — aquela passagem de *Irmão porco* (1957) em que os monges trapistas, personagens construídos com base no que Bech lera a respeito de Thomas Merton, tramam em silêncio, valendo-se de sinais com a mão e rabiscos em pedaços de papel, introduzir no mosteiro um repórter judeu de um jornal popular de Nova York — representante do que hoje chamaríamos de imprensa marrom — para desmascarar a tirania e a pederastia do abade. Como teria ele, Henry Bech, se envolvido naquele constrangedor entrelaçamento de temas inverossímeis e decadentes quando a mulher que lhe proporcionara as melhores trepadas de sua vida estava ali, na penumbra, em meio às cabeças escandalizadas daqueles eleitores de Dan Quayle e evangélicos da Butler University?

Bech e Alice haviam tomado café juntos, e depois, no carro-salão, ficaram folheando livros, sonolentos. Outros passageiros aproximaram-se deles e terminaram induzindo-os a participar de uma rodada de bridge, jogo cujas regras Bech mal conhecia, e ele ficou a olhar apatetado para suas cartas, junto à janela ensolarada, tentando decifrar os lances de Alice, o tempo todo sentindo a presença dela a seu lado num mundo onírico de anseios insones e espera silenciosa da noite. Quando, no final da tarde, pararam em Chicago por meia hora, para uma troca de vagões e locomotivas, Bech saiu correndo da estação cavernosa para comprar — pois ainda estavam na era anterior à libertação proporcionada pela pílula — um pacote de camisas-de-vênus numa farmácia no Jackson Boulevard. Seu coração batia como se fosse arrebentar as costelas. O balconista, um sujeito ardiloso de bigode louro, tentou convencê-lo a levar uma lata com cinqüenta em vez de um pacote com três — "O senhor vai usar", prometeu ele, com base apenas no rosto vermelho e ofegante de Bech — e, quando o freguês recusou a oferta, foi contando o troco com uma lentidão cheia de despeito. E se o trem partisse sem ele?

Agora, em Indianápolis, forçava-se a ler penosamente aquelas páginas que décadas antes sentira-se obrigado a escrever, a fim de criar para seu jornalista escabroso e irreligioso uma origem familiar e uma história profissional, satirizando os círculos literários nova-iorquinos do pós-guerra. Onde já se vira uma escolha de leitura mais infeliz, torturantemente prolongada? Uns poucos risinhos nervosos na platéia tentavam mostrar-se à altura daquele evento cultural. Estaria ele ouvindo o riso de Alice? Ela rira ao lhe dizer, uma vez: "Você não corre perigo".

No jantar, enquanto o trem atravessava fazendas imersas na escuridão, com umas poucas casas ao longe pontuando a noite, ela levantou-se um pouco trôpega após o café, retirando as migalhas que caíra no colo, e disse: "Preciso me deitar. Não estou me sentindo bem".

"Ah, meu Deus, por quê?"

A nova amiga de Bech sorriu. "O movimento constante. O dia comprido. Nada a ver com você. Gostei de você." Ela hesitou, equilibrando-se com dificuldade enquanto o Super Chief atravessava um trecho pedregoso da pista. Ela debruçou-se sobre ele, enquanto os talheres tiniam, e disse em voz baixa mas num tom natural: "Me dê uma hora. Preciso descansar um pouco. Cabine dezesseis. Dê duas batidas na porta".

"'Klein acabou fascinado pelos trapistas'", Bech ouvia sua própria voz dizendo. "'Como os hassídicos, eles pareciam possuir um segredo arcaico de felicidade, um segredo codificado nos grotescos cortes de cabelo que usavam. As tonsuras dos monges exibiam um círculo rosado de couro cabeludo, e seus rostos tinham um brilho infantil, transformado num olhar esgazeado pelos horários cruéis impostos por suas devoções e pelo hábito de levantar-se ao nascer do dia para tratar de tantas duras tarefas de fazendeiros.'" Excesso de oclusivas dentais, pensou Bech. E neste ponto sua língua cativa deu início a uma descrição longa e datada do irmão de Klein, um líder sindical numa época em que homens como ele ainda detinham poder suficiente para paralisar o país inteiro.

Depois de uma hora olhando para aquela terra plana e negra — ainda estariam em Illinois? — e de ter pedido ao cabineiro que arrumasse sua cabine, a de número cinco, Bech, de pijama e roupão listrado, aventurou-se no corredor atapetado e vazio, com sua perspectiva rígida, afunilando-se em direção ao ponto de fuga. Temia que Alice estivesse dormindo, mas assim que deu as duas batidas sua resposta veio rápida. De camisola, o cabelo penteado para trás, a cara lavada — Bech pensou numa freira ou prisioneira em sua cela —, ela estava ajoelhada na cama; não havia outro lugar para ficar naquele espaço mínimo. Para que vinte e quatro cabines coubessem no comprimento de um vagão, elas se encaixavam umas nas outras, de modo que havia uma diferença de altura de dois degraus entre duas cabines adjacentes; a cama da cabine mais baixa era empurrada, durante o dia, para debaixo do soalho do cômodo mais alto ao lado, e os movimentos dos pés dos ocupantes eram um pouco tolhidos por aquela saliência. Mas Alice era pequena e flexível, e ele não era alto, de modo que havia momentos em que o espaço que lhes cabia parecia tão grande quanto um salão de baile. Nos intervalos, levantavam a corrediça, cautelosos, como se os guardiões do puritanismo do Meio-Oeste pudessem estar atentos, suspensos na escuridão lá fora. A vastidão da paisagem adormecida de vez em quando era estraçalhada por silhuetas arquitetônicas súbitas e embaralhadas, ou por cancelas de passagens de nível abaixadas, onde brilhavam luzes pacientes, ou pela plataforma de uma estação local, que parecia um palco vazio, pleno de suspense. Cidadezinhas com cartazes de néon e linhas retas de postes de iluminação surgiam e desapareciam para dar lugar à principal atração visual, o vazio abissal das fazendas. Nuvens horizontais e baixas emitiam uma fraca fosforescência, como se fossem radioativas.

Deviam estar agora no Missouri, se não no Kansas. A nudez dócil de Alice, unificada ao tato e olfato de Bech, era recortada pelo estroboscópio das luzes filtradas por torres de caixas-d'água ou silos. Quando o trem parava pouco a pouco, silvando, numa plataforma onde havia uma única carreta de bagagem e uma única família ruidosa, Bech levantava a corrediça alguns centímetros para poder contemplar a beleza supina de sua companheira como uma entidade contínua, tranqüila e exultante, com elevações, várzeas e doces recantos ensombrados. A curiosa luz prateada de seus olhos agora se espalhava por toda a sua pele. No pequeno espaço recortado do ruidoso e protetor entorno do trem em movimento, ela era uma giganta que — era esta a impressão que Bech tinha — recebia suas penetrações, onde quer que se dessem, numa cavidade acolhedora. Ela fazia tudo, e era obrigada a reprimir os gemidos que perturbariam os demais passageiros, que estariam dormindo a poucos centímetros deles. "Você vai me esquecer?", ela perguntou a certa altura, um grito suave vindo de longe. De vez em quando cochilavam em meio à copulação incessante. O homem da farmácia tinha razão: Bech comprara poucos preservativos. Aquele cubículo de desejo satisfeito ficou agradavelmente carregado de um cheiro forte que não era dele nem dela. "Nós dois estamos misturados", sussurrou ela depois de engolir seu esperma e recuperar o fôlego. As planícies infindáveis que atravessavam não pareciam maiores que os territórios que se abriam diante deles. "Você é *perfeito*", suspirou ela quando já nascia o dia, tristonha, como um apito de trem distante, no ouvido dele. Ela não era perfeita, ele observara à luz implacável da manhã no vagão-restaurante. Na escuridão, Bech tocou-lhe a face que parecera cheia de marcas. Um milagre. A pele estava perfeitamente lisa. "Você também", disse ele. Era a verdade.

Enquanto lia em voz alta, Bech relembrava que fora o patrão de sua infeliz cunhada, um mafioso metido a besta com jaquetão e sobretudo de pêlo de camelo, que com má vontade explicara ao jovem escritor os detalhes do funcionamento de um sindicato. Na época, Bech imaginava que, no longo futuro que se estendia à sua frente, ele conseguiria montar todos os Estados Unidos como um mosaico com base em pesquisas como aquela. Agora, aqueles detalhes, à medida que eram tragados pelo microfone e projetados pelos alto-falantes, lhe soavam forçados e vazios, e a visão que seu anti-herói Klein tinha dos trapistas — desajustados, deficientes, derrotados — parecia-lhe de uma insensibilidade adolescente. Com alívio, por fim terminou a leitura; mas ainda teria de enfrentar as perguntas da platéia. O senhor usa processador de texto? Qual? Que autores o influenciaram na juventude? O que o senhor achou da versão cinematográfica de *Sem baga-*

gem, protagonizada por Sal Mineo? De qual — esta era a pergunta que menos lhe agradava — livro seu o senhor mais gosta? As luzes do auditório agora estavam acesas, para que ele pudesse ver as mãos levantadas, os rostos ansiosos, respeitosos, agressivos. Ele corria a vista por aqueles rostos na tentativa de ver Alice, sem conseguir, mas a platéia era grande, e perto das paredes não estava muito claro, e não havia nada nela, nem mesmo o terninho magenta, que a destacasse da multidão.

Quando amanheceu, estavam atravessando terras cultivadas irrigadas a duras penas, que a cada quilômetro iam perdendo terreno para o deserto. Bech havia escapulido da cabine de Alice rápido como um esquilo, e conseguira dormir algumas horas na sua. O vagão-dormitório tinha uma ecologia própria, à qual eles estavam se adaptando. Os outros passageiros já os aceitavam como um casal. Novamente foram convidados para jogar bridge — por timidez, Bech ignorou os sinais inequívocos que lhe fazia Alice de estar com a mão cheia e perdeu a oportunidade de declarar um pequeno *slam* —, e um casal de texanos robustos de meia-idade sentou-se à mesa deles na hora do jantar, aparentemente sem perceber que o outro casal estava apatetado demais para conversar e também não dispunha de um passado vivido em comum que lhe proporcionasse assunto. Numa parada de dez minutos, numa cidade com prédios baixos de adobe em estilo espanhol que pareciam entorpecidos sob um céu cheio de nuvens de tempestade, Bech saltou correndo do trem para encontrar uma farmácia e renovar seu estoque de camisas-de-vênus. Perto da estação não viu nada além de artigos de cerâmica e suvenires de couro de veado, e ouviu o condutor gritar "todos a bordo". O trem havia se tornado uma espécie de consciência, um lar para o qual sempre voltava apressado, em pânico, temendo que ele fosse embora e desaparecesse.

"Não precisava", disse Alice naquela noite. "Eu não me incomodaria de ter um filho seu."

"Mas...", ia dizendo Bech, pensando no marido dela, que nada sabia. O Tad. O nome evocava um sujeito inseguro, excessivamente simpático, com uma fala seca afetada.

"O corpo é meu", disse ela, uma mulher à frente de seu tempo. Bech ficou se perguntando se dentro de toda dona-de-casa convencional não haveria uma radical do sexo como ela. Alice ficou com pena dele: "Não se preocupe, estou às vésperas da menstruação. Você não corre perigo". Ela riu então, um riso curto e duro, como se sua voz tivesse ficado mais grave de repente por adotar o ponto de vista masculino.

Depois de passarem aquele dia como dois sonâmbulos, ganharam uma segunda chance quando a noite desceu sobre o deserto cheio de dunas e pontilhado de cactos. "Na minha ou na sua?", perguntou ele.

"Na sua", disse ela. A possibilidade de optar — um pouco de jogo naquela situação — pareceu-lhe divertida. "Detesto aquela protuberância; meus pés ficam claustrofóbicos." A cabine de Bech, um pouco mais alta, não tinha tal desvantagem. Lá podiam se esparramar mais, relativamente. Tendo subido os dois degraus, sentiam-se no topo do mundo. Aqueles três dias juntos, ele pensava muitas vezes, haviam formado um namoro, uma lua-de-mel e um casamento. Primeiro a gente fode para afirmar a posse, e depois para reafirmar o que conseguiu obter. Estavam menos ávidos naquela segunda noite juntos, e os órgãos genitais estavam irritados; assim, dormiram por períodos de uma hora ou mais. Ouviam o barulho de engolir e a mudança de tom, como se de um enorme instrumento musical, que indicavam que o trem tinha entrado num túnel, e sentiam quando as rodas passavam cuidadosas por entroncamentos importantes. Sentiam o comboio subir com esforço um trecho sinuoso, margeando um cânion curvo, sob as estrelas invisíveis que pairavam, frias e próximas, sobre as montanhas do deserto. Percebendo que a noite lentamente se aproximava do fim, Bech, presa da histeria sexual e da exaustão, começou a chorar, esfregando o rosto molhado, como um animal que assinala uma árvore, no ventre e nos seios dela, uma espécie de esperma espiritual que também deixava uma trilha luzidia e grudenta. Enquanto se submetia a esse ritual, ela acariciava e puxava de leve seus cabelos espessos e flexíveis.

A fila de pessoas com livros a ser autografados estendia-se a perder de vista. "Por favor, o senhor escreve 'Para Roger', está bem? É o meu avô, ele adora a sua obra, ele diz que o senhor foi o porta-voz da geração dele." "O senhor podia fazer uma dedicatória para 'o inimitável Lyndi'? Escreve assim: L, Y, N, D, I. Sem E no final. Isso mesmo. Muito obrigada. É uma maravilha ver o senhor aqui em Indiana."

Quando o dia nasceu, o deserto de Mojave estava cedendo espaço, um oásis de cada vez, para o paraíso californiano. Casas pintadas em tons pastel e palmeiras se multiplicavam até formarem uma cidade horizontal, curiosamente descorada sob um céu azul e perfeitamente liso, como um pano de fundo de cenário de filme. O trem parou finalmente numa estação em estilo espanhol, e ali, de súbito, com muita azáfama, todo um pequeno mundo se desfez de repente, com cabineiros sendo chamados e ganhando gorjetas, adeuses dados e evitados, bagagem reunida e guardada. Alice, que passara a manhã inteira no carro-salão, dormindo com a cabeça no ombro de Bech, apertou-lhe a mão, levantou-se e disse: "Já volto". O sol do Sudoeste que entrava pela janela o deixava sonolento. O trem parou. Onde estava ela? Bech saltou para a plataforma, mergulhando naquele ar inacreditavelmente acolhedor. Ela já havia se afastado a uma distância de dois ou três vagões quando ele a viu, à frente de um camareiro com sua carreta, ao lado da locomotiva, onde o maquinista, com ar de triunfo, trocava gargalhadas com um funcionário da estação. Alice juntou-se a um homem com um traje marrom mal combinado — calça de um tom, paletó de outro — e desapareceu na multidão; um outro homem havia se reapossado de sua posse. Bech teve a impressão de que Tad Oglethorpe era alto e calvo. E depois? No decorrer dos anos ele se esqueceu do motivo que o fazia se sentir entristecido e comovido toda vez que via uma mulher com alguma erupção áspera numa tez naturalmente sedosa.

Bech imaginava que de algum modo voltaria a vê-la. O universo, após testemunhar cópulas tão sublimes, daria um jeito de providenciar um reencontro. E de fato ele ocorrera, ainda que de modo nada satisfatório. O último fã da fila foi embora com seu autêntico autógrafo de Henry Bech, aquele pedacinho de seu ser arrancado do que lhe restava de vida, e não havia ninguém no hall do auditório além do pessoal da livraria guardando em caixas todos os livros que não haviam sido vendidos, e a matrona da cidade, cansada mas alegre, talvez ela própria uma radical do sexo, que presidira o comitê organizador de sua vinda a Indianápolis. Alice havia desaparecido, e a bibliotecária local também.

Ao ver seus livros, os sete títulos curtos e datados, sendo rapidamente guardados em caixas, Bech sentiu repulsa. Por mais exemplares que vendesse e autografasse, sempre restavam caixas e mais caixas, toneladas de papel desperdiçado. Aquelas mulheres que vinham às suas leituras, estava claro, vinham para debochar de seus livros — livros pretensiosos, distorcidos, falsos, vazios de quase tudo que tinha alguma importância, era o que essas mulheres com quem ele dormira estavam dizendo. Nós, *nós* é que somos suas obras-primas.

COMO FOI MESMO?

Era cada vez mais difícil para Don Fairbairn lembrar-se dos detalhes referentes à longa fase intermediária de sua existência, quando vivia com a primeira mulher e a ajudava, ainda que com a cabeça em outro lugar, a criar os filhos. O segundo casamento, que antes lhe parecera tão reluzente, deslumbrante, novo em folha, já ficara tão velho quanto estava o primeiro — vinte e dois anos, exatamente — quando, num fim de semana terrível, ele abandonou a mulher. Com a segunda esposa, morava numa casa grande demais para eles, mas tão cheia de suvenires e frágeis tesouros herdados que eles não podiam imaginar a possibilidade de morar em outra. No atual círculo de amigos do casal, os assuntos mais comuns eram saúde e morte, quando antes os telefones não paravam de tocar com notícias sobre negócios e divórcios. Sua atual esposa, Vanessa, punha o telefone no gancho e lhe dizia que o câncer de Herbie Edgerton havia voltado e se espalhado para os gânglios linfáticos e os ossos; trinta anos antes, sua primeira mulher, Alissa, desligava o telefone, virava-se para ele e perguntava se eles já tinham algum compromisso para sábado, porque os Langleys os estavam convidando para tomar alguma coisa e comer uma pizza na casa deles. É, prosseguia ela, o convite era tão em cima da hora que seria uma grosseria se partisse de qualquer outra pessoa que não os Langleys. Eles eram socialmente vorazes, agora que a psicoterapia os ajudara a ver que um não suportava o outro. A saúde mental e conjugal de todo mundo, Don lembrava-se, era tão frágil, mas tão frágil, que as mulheres, quando se encontravam, depois de perguntar "Como você está?", logo em seguida diziam: "Não, como você está *mesmo*?".

E então, dizia Alissa — desviando o olhar e com o rosto um pouco vermelho —, ela encontrara Wendy Chace no minimercado e, movida por um impulso, convidara-a para vir com o Jim tomar alguma coisa com eles no dia seguinte à noite. Wendy respondeu que sim, seria um prazer, mas só iam poder dar um pulinho, porque o Jim tinha uma reunião da Comissão de Planejamento, estavam combatendo uma incorporadora imobiliária de outro estado, uma verdadeira peste, cujo objetivo era transformar a antiga propriedade dos Treadwells num condomínio de chalés suíços. Só de reproduzir as palavras da mulher de Jim, aquela mulher frívola que abraçava todas as causas, Alissa ficava vermelha. Pelo menos isso estava muito vivo na memória de Don — os olhos da ex-mulher ficavam muito vivos e suas faces, normalmente um pouco pálidas, avermelhavam-se, enquanto os lábios, normalmente apertados e melancólicos, abriam-se para deixar escapar risos e comentários espirituosos quando Jim estava presente ou quando sua presença era prevista. Mas Don não podia se queixar de Alissa; também ele, tanto quanto a mulher, tinha o mau hábito de procurar fora do casamento forças para tocar em frente. A fórmula só funcionara até certo ponto — talvez até o ponto, em algum momento da faixa dos quarenta, em que se deram conta de que a vida não era infinita. Na verdade, os Fairbairns foram um dos últimos casais da velha turma a se divorciar. Haviam permanecido no convés do navio enquanto ele afundava, o tombadilho cada vez mais inclinado, o mastro despedaçado, as velas ao sabor dos ventos, cordas soltas a chicotear para todos os lados.

Agora abstêmio (peso, fígado, remédios incompatíveis), Don ainda se lembrava dos drinques — tomados em varandas e cais, iates e gramados, salas de estar, cozinhas e escritórios. O brilho metálico intenso do gim, a transparência um pouco mais viscosa da vodca, o tom dourado e encorpado do burbom, a matiz mais pálida e cáustica do scotch, a folha de hortelã, a fatia de laranja, o naco de limão, a coluna de cerveja coroada pela camada de bolhas ascendentes, os hemisférios de vinho branco e tinto flutuando acima da mesa, equilibrados em hastes invisíveis, os copinhos grudentos de anisete, Cointreau, B & B e Chartreuse esverdeado após o jantar, quando os minutos se atropelavam em direção à meia-noite, enquanto os convidados mais cautelosos, menos enturmados, consultavam seus relógios disfarçadamente, pensando na baby-sitter e na dor de cabeça e na ressaca adocicada do dia seguinte. Do ponto de vista do anfitrião, Don lembrava-se do ruído magnânimo com que as pedras de gelo desprendiam-se das formas de alumínio com um puxão firme na alavanca, e das garrafas de dois litros de bebidas com seus ombros redondos, enfileiradas nas prateleiras da despensa, compradas na loja de bebidas ao lado do minimercado, sendo o preço da bebida uma espécie de mensalidade paga de bom grado para pertencer ao impalpável clube dos jovens casais. Era curiosamente gratificante e satisfatória aquela sociedade inconstante formada pelo mesmo grupo de dez ou doze pessoas. Os homens que haviam desbravado as fronteiras do Oeste, ele se lembrava de ter lido em algum lugar, diziam que a carne de búfalo, por algum motivo curioso, era algo que não enjoava nunca. Os amigos dos Fairbairns chegavam para a sessão semanal de drinques às seis horas, cansados e desmazelados, com os filhos a reboque — as mulheres suadas após um dia de trabalho doméstico, os homens recém-saídos do trem, com sua palidez urbana —, e lentamente se transformavam em pessoas esfuziantes e encantadoras. Tontos, cada vez mais cheios de confidências, mais glamorosos e íntimos, iam embora quase às oito, quando já se passara havia muito a hora de alimentar de modo decente e pôr para dormir as crianças, as quais, reunidas em torno da televisão da cozinha, haviam devorado pacotes de batatas fritas e biscoitos recheados.

"Como é que você e a mamãe conseguiam?", perguntavam-lhe os filhos com admiração genuína, querendo saber como se viravam com quatro crianças numa casa sem empregados. Seus filhos, já se aproximando da virada dos quarenta, moravam em apartamentos na cidade ou em encraves praticamente murados em Nova Jersey, com um ou dois filhos cuja criação e proteção exigiam turnos diários de mulheres de cor — profissionais que usavam crachá, uma para a tarefa de vesti-los e lhes dar o café-da-manhã e outra para supervisionar o jantar, o banho e o vídeo antes de dormir. Não obstante, suas filhas sentiam-se exauridas pela tarefa de cuidar dos filhos, que haviam tido já maduras, encarando a maternidade como uma espécie de voluntariado em prol da conservação da espécie, de importância secundária em relação a suas brilhantes carreiras profissionais; para elas, a concepção fora um período de muita tensão psicológica, e o parto um empreendimento arriscado. Seus filhos lhe falavam, num tom sério que lhe parecia cheio de apreensão, a respeito da educação dos filhos e, num futuro ainda mais remoto, das possibilidades de emprego que aqueles pirralhos teriam no ano 2020. Eles dois, seus filhos homens, faziam cálculos mirabolantes envolvendo computadores e patrimônios líquidos, e pensavam em termos de curvas demográficas a longo prazo. Don não podia conter o riso ao ver-se entrevistado por eles como se fosse uma espécie de pioneiro, o sobrevivente de uma era mítica de domesticidade, quando pais gigantescos caminhavam sobre a terra. "Vocês estavam lá", ele retorquia. "Vocês lembram como era. Nossa tática básica era deixar o barco correr." Mas eles não se davam por satisfeitos, e de fato quase chegaram a convencê-lo que ele fora um chefe de família épico, a derrubar árvores para transformá-las em cabanas de troncos, nas matas virgens do baby boom.

Acompanhando os progressos de seus filhos pequenos, eles lhe perguntavam que idade tinham quando começaram a engatinhar, a andar, a falar e ler, e Don era obrigado a admitir, constrangido, que não se lembrava. "Perguntem à sua mãe", respondia.

"Ela diz que também não lembra. Que nós fomos todos maravilhosamente normais."

Filho único, vindo ao mundo na Depressão dos anos 30, Don fora homenageado, ao nascer, com a compra de um álbum branco grande, cuja capa acolchoada ostentava em relevo a inscrição *O livro do bebê*, e cujas páginas impressas em tinta cinzenta aguardavam anotações referentes a seus primeiros feitos, devidamente datados. *20 de julho de 1935. Donald deu seu primeiro passo, um pouco incerto. 6 de setembro de 1938. Começou a freqüentar o jardim-de-infância! Donny se apegou à mãe com unhas e dentes. Foi de partir o coração.* Com surpresa, constatou que sua mãe, com aquela letra mirrada, inclinada para trás, que para ele representava a quintessência da maternidade metódica, havia anotado tudo, até suas diversas formaturas e seu primeiro casamento; anotara os dois primeiros netos, mas não se dera ao trabalho de registrar os dois outros, nem o segundo casamento. É estranho — pensava Don — como a prosperidade atual dos Estados Unidos, que os americanos conseguiram trabalhando ainda mais que os alemães e os japoneses, gerou famílias tão reprimidas e sequiosas de carinho quanto as do tempo da Depressão. Os processos de desenvolvimento de seus filhos haviam se confundido agradavelmente em sua cabeça cada vez mais confusa, enquanto ele se alimentava todos os dias com o equivalente social da carne de búfalo.

A dificuldade de relembrar quase o assustava. Ele ajudava os filhos a fazer os deveres de casa? Imaginava que sim, certamente. Ele e Alissa iam fazer as compras juntos? Don não se lembrava de nenhuma ocasião como essa. As camas, como elas eram feitas? E as refeições, como foram preparadas durante vinte e dois anos? Sem dúvida era Alissa quem cuidava de tudo, enquanto ele lia a seção de esportes do jornal. O nascimento dos filhos, um ritual tão importante nestes nossos tempos de Nova Era, cumplicidade matrimonial e de desinibido culto ao corpo, era mais uma coisa que Alissa resolvia sozinha, no hospital, sem muitas complicações nem reclamações depois. O neném simplesmente aparecia numa cesta ao lado da cama dela, ou então junto a seu seio, e alguns dias depois Don os levava de carro para casa, dois onde antes era um só, uma duplicação de pessoas, como um truque de prestidigitação rápido demais para a vista acompanhar. O último parto, disso Don se lembrava, fora à meia-noite, no inverno, e o obstetra, que tiveram de tirar da cama, viera buscá-la de carro, e Alissa olhou para trás, sorrindo, como se estivesse indo para uma festa de Natal, e entrou no Buick de duas cores do médico. Sozinho em casa com os outros filhos, Don, nervoso, cismou, ele relembrava, que havia um ladrão ou um invasor psicopata em algum lugar daquela casa cheia de estalidos, aproveitando-se de a família estar vulnerável com aquela separação; só conseguiu dormir depois que levou um taco de golfe — um ferro número três, e não uma madeira, que se maneja com mais lentidão — para a cama, de modo a sentir-se protegido.

Tentava imaginar Alissa com um aspirador de pó e não conseguia, embora visse a si próprio, na sala de jantar da primeira casa em que moraram, manejando um aplicador de papel de parede, apertando aquela panela quadrada e grande contra a parede por um minuto ou dois e cortando o papel com uma faca de emassar, a bermuda e a camiseta encharcadas de suor, caminhando num mar de papéis úmidos e grudentos com flores prateadas desmaiadas. Uma vez por semana, naquela sala, Alissa lhe servia um corte de barrigueira, ele relembrava, a carne escura com um recheio bem apimentado, um prato que, cercado de salsa e tomatinhos rubros, evocava as economias domésticas de tempos idos, daquelas comoventes ambições culinárias dos anos 50 que tentavam perpetuar o ideal da refeição da família como cerimônia quase religiosa, salgada com o suor do trabalho feminino. Tantas refeições que ela lhe preparara com dedicação servil, para no final ele despachá-la como uma criada supérflua. Já ele e Vanessa, sem filhos para alimentar, haviam se tornado coletores e caçadores, freqüentadores de restaurantes, por vezes jantando separadamente, comendo em recipientes próprios para microondas enquanto Peter Jennings investia seu calor humano no noticiário noturno. Vanessa ainda conservava a predileção por pizza, quente ou fria.

"Mas como é que vocês *dormiam*? As crianças não ficavam acordando a noite toda?", insistia a mais velha de suas duas filhas trabalhadeiras, com suaves olheiras azuladas.

"Vocês todos dormiam direitinho a noite toda praticamente desde que nasceram", disse-lhe Don, desconfiado de estar mentindo mas incapaz de desencavar a verdade. Havia uma história de uma criança que choramingava por causa de dor de ouvido e que adormecera com o ouvido em questão encostado num pano de prato recém-passado, ainda quente. Mas seria ele próprio quando criança? Não conseguia lembrar-se de Alissa com um ferro de passar na mão. Lembrava-se, sim, de se levantar no negrume da noite e voltar para seu quarto com uma massa de protoplasma a esgoelar-se em seus braços, para entregá-la à mãe, que já estava recostada na cama com a alça da camisola baixada, os seios nus reluzentes à mostra. Ele adormecia outra vez ao som de lábios miúdos sugando, pezinhos chutando de leve. Era como se o bebê fosse ele. Mas não vinha nenhum assistente social bater à sua porta para salvar as crianças de maus-tratos, nenhum vizinho se queixava às autoridades, as crianças aguardavam o ônibus escolar tal como as outras — como se fossem palhacinhos, com trajes da era espacial feitos com tecidos sintéticos, tão diferentes das roupas de lã, sempre úmidas, que ele próprio usara na infância — e foram ascendendo de modo mais ou menos tranqüilo por todas as etapas da escolarização, até que, como bombas teleguiadas, encontraram faculdades, cônjuges e empregos; ao que parecia, portanto, ele fora bom pai e bom chefe de família. "Chego a ficar assustado", confessou Don à filha, "quando me dou conta de que não me lembro de quase nada."

Tantas tardes de sábado, tantas proezas masculinas de chefe de família, a troca das janelas de inverno por telas contra insetos na primavera, a bancada de trabalho no porão onde as aranhas teciam teias por cima do amontoado de ferramentas enferrujadas. As contas de calefação, eletricidade, telefone e água — ele não conseguia lembrar-se de ter feito um único cheque, mas sem dúvida teria feito muitos, todos trocados, carimbados e guardados no sótão de Alissa, junto com os slides, os cadernos de recortes, os boletins escolares e fotos amarelecidas de turmas que haviam se acumulado em vinte e dois anos cheios de dias, cada um com seus altos e baixos, seus contratempos, choramingos, histórias narradas por crianças animadas caminhando rumo à idade adulta, atravessando um mundo inteiramente novo para elas. Don havia perdido a anatomia. Era como um astrônomo antes das grandes navegações, antes do telescópio Hubble, trabalhando com imagens desfocadas. Lembrava-se de que se apaixonara por uma ou outra esposa alheia, de que ficara bêbado depois do jantar e mandara Alissa ir para a cama e ficara tocando vez após vez "Born to lose", de Ray Charles, ou talvez "Stop! in the name of love!", das Supremes, levantando o braço do disco ao final da faixa para tocá-la outra vez e ouvindo no dia seguinte o filho mais velho dizer, com um sorriso sacana: "Ontem você ouviu muito essa música, hein?". Por um momento as cortinas se abriram; por um segundo envergonhado a imagem entrou em foco. O quarto do filho era em cima do escritório onde Don ficara mergulhado em seu próprio pântano repetindo a mesma canção. Ele não deixara dormir o filho, que tinha de ir à aula no dia seguinte.

E os namoros das filhas, essa tragicomédia tradicional, com laivos de parricídio ático, em plena era da comédia enlatada? A menina mais velha foi para o colégio interno aos quinze anos, e a irmã menor tinha só doze anos quando ele abandonou o lar. Mal conseguia relembrar o som de um motor envenenado estacionando no cascalho para vir levar uma de suas virgens trêmulas.

Agora essa filha mais moça o convidava para tomar uns drinques num barco. Ele não precisava beber, naturalmente, ela explicou. As pessoas bebiam cada vez menos; o álcool prejudicava a malhação. Ela própria era esbelta, toda dura, como um galgo; participava das maratonas locais; o cabelo, que começara a embranquecer cedo, como o de Alissa, ela cortava bem curto, um corte masculino, para diminuir a resistência ao vento, imaginava ele. Era o seguinte, papai: o marido de uma amiga deles estava completando quarenta anos, e a esposa, como presente de aniversário, resolvera lhe dar um passeio de barco no pântano ao cair da tarde, e como os pais *dele* também estavam convidados, a mulher — você está entendendo, pai? — queria que outros representantes da geração mais velha também participassem, e por isso a pergunta era a seguinte: você e a Vanessa não querem vir, já que parece que você conhece o pai do marido dela, de um torneio de golfe, se não me engano?

Na verdade, quando apertou a mão de seu coevo sob o toldo do barco de fundo chato, reconheceu-o como um adversário que havia trocado de bolas de modo irregular no décimo oitavo *green* e depois dera a tacada final com que ganhara a partida. Na época, Don não quis enfrentar o constrangimento social de queixar-se para os organizadores, mas desde então evitava torneios no clube. Agora aquele homem — um desses aposentados exultantes detestáveis, com a pele do rosto enrugada e endurecida por um bronzeado constante — vangloriava-se daquela vitória. Sua mulher, um tanto mais moça que ele, cuidadosamente arrumada, com uma roupa que pareceria menos espalhafatosa na Flórida, grudou-se em Vanessa por ver nela sua única companheira. Don foi se afastando, tentando esconder-se em meio aos casais jovens que bebiam, para os quais ele nada tinha a dizer. Era esse o problema de não beber — a pessoa ficava sem ter o que dizer.

Era estranho se ver outra vez numa festa em que as mulheres ainda menstruavam. Magras, elegantes, movimentavamse, tagarelavam e faziam poses com uma eletricidade que lembrava os velhos filmes mudos, de velocidade acelerada. Os homens, de paletós xadrez e calças de tons pastel, pareciam garotos gordos — pares relativamente desajeitados para a animação de suas esposas, que no burburinho da festa o tempo todo exibiam novos ângulos, enquadramentos abruptos de beleza ligeiramente surpresa. Don respirava fundo, como se para extrair daquele ar salgado o odor das secreções delas, de seus segredos. Fora em festas como aquela que ele conhecera Vanessa Langley, ela e seu marido socialmente voraz. A semelhança entre o nome dela e o de Alissa fora uma das coisas que o atraíram; seria uma esposa com o acréscimo de um V, V de vitalidade e vigor, de vivacidade e vagina e vitória. Apaixonou-se por ela, e ela por ele, e agora estavam os dois ali, a bordo do mesmo barco, mais de vinte anos depois.

O barco seguia em frente, a balançar-se, com seu fardo de música gravada e copos tilintando e casais comemorando, pelo canal que serpenteava por entre os bancos de lama do charco verde e dourado em direção às águas mais amplas, onde ilhas abarrotadas de casas de veraneio com telhados de sarrafos lentamente mudavam de posição, de estibordo a bombordo, enquanto o comandante fazia sua nau girar em semicírculo para mostrar a paisagem. Havia um farol branco e uma extraordinária encosta atingida pelo sol, onde algum aristocrata americano de outrora havia mandado criar um padrão simétrico de arbustos aparados, formando um imenso ideograma, e uma marina onde mastros claros amontoavam-se como trigo num trigal, e uma vasta extensão felpuda de floresta verde-azulada, milagrosamente ainda intata, e a leste o horizonte de mar aberto já escurecendo para receber a luz das primeiras estrelas, enquanto a terra ondulada para os lados do oeste exibia em listras luminosas, como um salmão, os últimos magros restos de sol. Don contemplava tudo isso em silêncio; seus companheiros de viagem de vez em quando voltavam a vista para a paisagem externa, mas o grosso de sua atenção estava direcionado para dentro, para os outros que os cercavam, em conversações animadas e ávidas, cada vez mais estridentes com o efeito dos drinques, uma festa de amor que tornava inaudível a música. Era assim, fora assim mesmo o momento vivo inundado de beleza ignorado na busca por um momento melhor, ligeiramente deslocado para algum outro lugar, para um outro alguém ligeiramente diferente, enquanto o capim brotava nos canteiros de peônias, e cotões se acumulavam debaixo do sofá, e as crianças, despercebidas, tramavam suas fugas, seus outros lugares.

Umas poucas crianças tinham vindo com os pais; uma vez advertidas para não caírem na água, ficaram por conta própria. Para um dos garotos, que estava a seu lado na amurada, absorto na contemplação da paisagem, Don indicou um promontório e uma mansão rosada, cujo nome ele sabia, atrás do capim do charco que agora absorvia a escuridão enquanto a maré ia recuando de suas raízes. Já no carro, voltando para casa, Vanessa comentou: "Descobri que a mulher do pai do aniversariante e eu temos vários conhecidos em comum. Ela disse que uma ex-colega minha de faculdade, que dividia o quarto comigo no alojamento, a Angela Hart, acaba de fazer uma mastectomia dupla". Don pensou em contar-lhe, por sua vez, a sensação mágica e estranha que fora para ele ver-se outra vez cercado por mulheres férteis, com toda a excitação que essa presença provocava. Quando mais jovem e mais cruel, teria talvez feito um comentário assim para Alissa — qualquer coisa para obrigá-la a responder, para fazer o sangue fluir —, mas agora, entre Vanessa e ele, vigorava o tato que se estabelece entre dois aleijados cúmplices, duas vítimas do tempo.

CENAS DOS ANOS 50

É. O tempo passa, sim. Outro dia mesmo li que Harold Humes, o Doc, tinha morrido. Eu o conhecia por alto, como centenas de outras pessoas o conheciam. Nos anos 50 ele era famoso, ou corria atrás da fama, como escritor e como excelente papo, um sujeito baixinho de rosto alegre, tez fina, uma energia intelectual e um amor pela vida excessivos para um escritor, talvez. Havia publicado um romance longo, *A cidade subterrânea*, em 1957, e depois, em 1959, outro mais curto, *Os homens morrem*. Esse título, que um amigo meu qualificou na época como "franco e fraco", ao menos expressava uma verdade, como o prova a morte do próprio Doc. Na última vez que o vi, ele estava jogando xadrez com Marcel Duchamp na festa que marcou minha despedida de Nova York.

Era 1959, e a visão que tive daquele momento agora me parece muito datada — uma relíquia do alto modernismo diante de um tabuleiro de xadrez, que era como a jangada surrealista na qual ele havia chegado à ilha redentora que eram os Estados Unidos de Eisenhower. A sua volta, dezenas de pretensos artistas e oportunistas bebiam e beliscavam e tagarelavam, sequiosos da imortalidade que Duchamp já gozava. A arte andava em alta nos anos 50. Estávamos cheios de ambições rarefeitas e egos inflados no pós-guerra. Eu, que hoje sou um antiquário grisalho, morando em Boston, agora vejo aquela festa — num duplex de pé-direito alto que pertencia a um casal de mecenas, os Bermans — como uma vitrine montada em torno da peça mais preciosa, o inventor do nu descendo a escada e outras célebres e imortais quinquilharias de dissidência irônica. Duchamp era um homem bonitão, de uma magreza ascética, com uma cabeça em forma de bigorna. Creio que estava de meias e sandálias. Recordo-me bem do cachimbo, das orelhas grandes e peludas e do lenço de seda.

Lembro-me de ter pensado que Doc dificilmente estaria à altura do outro como jogador de xadrez. "Oi, Howie", ele me saudou, afetuoso. "Acho que você conhece o Marcel."

"De fama, é claro", respondi. Enquanto apertava as mãos dos dois, fiz um comentário pretensioso, cheio de ostentação juvenil, a respeito de suas posições na partida. Diante daquelas duas celebridades, o tabuleiro me parecia uma confusão total. Ao menos tive a decência de me afastar depressa, lamentando com sinceridade qualquer perturbação que eu tivesse causado às cogitações do grande homem ao fazê-lo me estender a mão. As revistas populares, que nos anos 50 ainda dedicavam bastante espaço às artes, comentavam que Duchamp, recusando-se com um desdém elegante a continuar produzindo arte, decidira concentrar todo o seu talento, durante o resto de sua vida, no jogo de xadrez, tal como Rimbaud trocara a poesia pelo tráfico de armas. Eu não acreditava que Doc fosse capaz de jogar uma partida interessante com ele, mas não conseguia deixar de admirar aquele meu contemporâneo furão por ter conseguido intrometer-se naquela esfera de grandeza e nela refestelar-se.

A *Paris Review*, da qual Humes fora um dos fundadores, noticiava, num obituário laudatório, que ele, por sua vez, teria abandonado a literatura, após publicar dois romances, por conta de um conflito que tivera no início dos anos 60 com o serviço secreto do governo britânico, o qual havia implantado em um de seus dentes um rádio microscópico que o mantinha obsessiva e dolorosamente informado a respeito dos segredos e dos sutis confrontos da Guerra Fria. Tanto a CIA quanto a KGB, pensava Humes, haviam instalado aparelhos de escuta em seu quarto, e ele ficava o tempo todo virando a cabeça ora para um dos microfones ocultos, ora para o outro, fazendo tudo para impedir, com seus comentários, um cataclismo iminente. Referia-se a uma caixa-preta, chamada Totó, colocada em órbita por engenheiros do MIT, a qual transmitia alertas que só ele seria capaz de interpretar. Deixou crescer uma barba grande e diáfana, como mostra a foto do obituário. Parou de escrever. O rumor surdo da ansiedade global tornou-se para Doc uma estática ensurdecedora; ele terminou sendo um mártir da Guerra Fria, tanto quanto, por exemplo, Gary Powers.

A meu ver, não há nada mais chato que essas teorias de conspiração, espionagem internacional, romances com tramas paranóicas e pretensiosas. Para mim, todo o longo trecho da história que vai do discurso de Churchill sobre a Cortina de Ferro à queda do Muro de Berlim, no qual está contida a maior parte da minha vida adulta, foi um intervalo abençoado, durante o qual, tal como no período de Metternich, fomos poupados das atrocidades de sempre — as quais, como já percebi, estão de volta. A Guerra Fria negava aos homens as infernais opções do heroísmo. Eu trabalho com antigüidades, numa loja na Charles Street, com um parceiro de longa data, e a paz da minha loja apinhada de objetos frágeis é algo que devo à bomba atômica, ao Plano Marshall, ao poderio aéreo norte-americano e aos tanques soviéticos. Acredite ou não, leitor do ano 2000, os anos 50 foram uma época deliciosa, dedicada ao individualismo, apinhada, tal como a minha loja, de expectativas cotidianas e valores tranqüilos.

Em Nova York, o expressionismo abstrato estava acontecendo, a arte pop estava prestes a acontecer e eu e minha mulher, que havíamos nos conhecido na escola de belas-artes, estávamos prestes a acontecer — ou pelo menos assim pensamos durante três anos. Foi como se resolvêssemos dar uma festa e ninguém comparecesse. Tínhamos o estúdio, a dedicação e o ascetismo, as tintas, os pincéis, as telas e o equipamento de solda (eu pintava, ela esculpia) — tudo, em suma, menos os mecenas, o público, o lucro. Graças a um de nossos poucos sucessos sexuais, havíamos acrescentado uma filha a nossa bagagem, e numa tentativa drástica de cortar os gastos tínhamos nos mudado para um vilarejo à beira-mar ao norte de Boston, outrora um próspero centro de estaleiros que produziam veleiros de madeira, agora reduzido a umas poucas barracas em que se vendiam mexilhões e, na rua central, a uma espécie de bazar perpétuo. Ali, em meio a pântanos magníficos e fazendeiros taciturnos, nossos talentos certamente haveriam de amadurecer. Com o tempo, triunfantes, voltaríamos a Nova York. Naquela ocasião em particular, eu havia voltado à cidade por dois dias para resolver questões legais ligadas à nossa sublocação e para acertar o transporte de nossas obras de arte terrivelmente volumosas e tristemente desprezadas.

Dito assim, tudo parece mais melancólico do que era na verdade. Eu estava com vinte e cinco anos e julgava ter praticamente toda a vida pela frente. Só de me ver no mesmo loft que Marcel Duchamp eu tinha a impressão de que tudo era possível e de que todo e qualquer esforço valia a pena. Estava também presente na festa uma mulher por quem imaginei estar me apaixonando. Ficamos conversando por uma hora inteira, mudando de pose no braço de um enorme sofá cromado coberto por um tecido rústico de algodão haitiano. Já me esqueci do nome da mulher, mas não do tom de sua pele, uma cor neutra e serena, a cor de uma cópia em gesso de uma obra da Antigüidade, como as que víamos na escola de belas-artes. Ela era uma Vênus de Milo com braços. Estava com um vestido decotado verde-garrafa, um desses tecidos brilhosos e encorpados — tafetá, creio eu — considerados sexy nos anos 50. Tudo estava no lugar certo, inclusive a distância geográfica que me separava de minha esposa e da sensação incômoda e hostil de fracasso que havia se apossado de nosso casamento quando nos mudamos para o norte. Porém não consegui dar o passo, a cantada que talvez tivesse garantido a posse daquela Vênus por uma noite. Em vez disso, fiquei de passar no trabalho dela no dia seguinte; ela ocupava um cargo subalterno no museu Guggenheim, recém-inaugurado. Quando cheguei, esfogueado e cheio de bagagens, ela havia saído para almoçar, disseram-me na recepção; subi a rampa, contemplando as telas grandes e borradas. O abstracionismo estava ficando esgotado, mas ninguém sabia que outra coisa havia para se fazer — era como o vazio no centro do magnífico templo oco de Frank Lloyd Wright.

Quando voltou, com meias pretas e uma bolsinha pendurada no ombro, a moça fez sinal para que eu entrasse em sua sala, um cubículo no subsolo abarrotado. Sentei-me numa cadeira de diretor e ela empoleirou-se em sua mesa, aguardando que eu jogasse minha cartada. Sabia que eu era casado e que estava indo embora da cidade; tais informações eu lhe havia passado quando nossa conversa estava bem lubrificada pela festa. Agora, porém, minhas engrenagens estavam emperradas. Fumamos, trocamos comentários cautelosos sobre o mercado de arte e fofocas sobre nossos anfitriões da véspera. A moça conhecia Sally Berman o suficiente para afirmar com firmeza: "Ela não é feliz".

O comentário me surpreendeu, e por algum motivo o tomei pessoalmente. "O que é que ela devia fazer?"

"Isso é ela que tem que resolver."

"Bom", disse eu, sem ter o que dizer, "com certeza ela vai conseguir."

"O que é que tem dentro desse saquinho de papel?", indagou ela.

"Ah... um presente pra minha filha. Uma escova e um pente de brinquedo. Ela ainda nem completou três anos e já aprendeu a escovar o cabelo."

"Ela deve ser uma gracinha, Howard. Não sei se algum dia eu vou ter filho — dizem que vale a pena."

"É maravilhoso, mas não resolve nenhum problema. Pelo contrário, cria *mais* problemas ainda."

Ela retraiu-se um pouco diante daquela insinuação de que ela teria problemas. Quem tinha problemas, seu olhar feminino percebia, era eu. "Boa sorte no interior", disse ela, veemente, ao nos despedirmos, como uma diretora despedindo-se de um aluno. "Espero que lá não seja muito isolado." Como tantos moradores de Manhattan, ela acreditava que só em Nova York havia gente de verdade; o resto do mundo era povoado por fantasmas risíveis.

"Ah... tem gente como a gente, até mesmo lá."

"Você pretende vir sempre a Nova York?"

"Não sei. Não muito. É meio longe."

"Por favor, me visite quando você vier."

"Claro. Eu gostaria. Muito." Porém, embora ela estendesse na minha direção o braço nu, cor de gesso, num gesto gracioso, quase uma súplica, o fato era que não havíamos acontecido, tal como Nova York não tinha acontecido para mim.

Naquele tempo havia companhias de aviação, sim, mas o avião não era o que é hoje, uma espécie de ônibus aéreo para homens engravatados de terno cinzento. Viajava-se mais de trem; até Boston eram cinco horas de viagem, com uma parada em New Haven, onde trocavam a locomotiva. Na South Station de Boston peguei um táxi até a North Station, e lá fiquei sabendo que teria de esperar quase duas horas pelo próximo trem que ia até minha cidadezinha costeira. Porém um trem para Haverhill sairia em cinco minutos, e eu, que conhecia muito pouco a geografia da Nova Inglaterra — havíamos nos mudado para lá apenas um mês antes —, achei que, como Haverhill também ficava ao norte, ganharia tempo indo para lá e depois telefonando para minha mulher.

Peguei o trem e passei uma hora olhando pela janela negra, vendo luzes apressadas e inescrutáveis e minha própria imagem, vaga e oscilante. Já era noite; aquela passagem constrangida pelo Guggenheim retardara minha partida até as três da tarde. É sempre difícil escapar de Nova York, como numa festa em que alguma coisa maravilhosa pode acontecer logo depois que a gente sair. Na estação de Haverhill, imponente e quase vazia, havia vários telefones públicos, mas nenhum deles funcionava. Quando liguei de uma drugstore no outro quarteirão, minha mulher ficou perplexa. "Haverhill! Meu amor, quem mandou você ir pr'aí?"

Já passava das nove, e eu estava zonzo e mal-humorado, de tantas horas passadas sentado num vagão superaquecido e chacoalhante. Para ler, eu só havia trazido uma edição popular das *Viagens de Mungo Park*, e as letras pequenas do livro, a dançar, haviam cansado minha vista. "Ninguém. A idéia foi minha. Achei que você ia gostar, que era uma prova da minha capacidade de adaptação." Ela era natural da Nova Inglaterra; eu era de Maryland. Em parte, havíamos feito aquela mudança para torná-la mais feliz.

"Benzinho", disse ela, "Haverhill fica a mais de trinta quilômetros daqui, é o fim do mundo. Não posso ir pegar você — a Annie passou esses dois dias que você esteve fora com febre, e não quero que ela saia da cama e entre no carro frio. Mas não desanime. O Malcolm está aqui, ele preparou um jantar pra nós. Deixe eu falar com ele. Acho que não vai se incomodar, não, ele fica acordado até tarde mesmo, ouvindo música." Cobriu o fone, mas ouvi sua voz exclamando: "Dá pra acreditar?" e depois uma risada curta, um contraponto em dois tons, um de homem e outro de mulher.

Malcolm morava em Manchester-by-the-Sea, um lugarejo perto da nossa Essex, porém mais chique. Era amigo de um vago conhecido nosso de Nova York, e por enquanto era nossa única companhia cultural naquele exílio praieiro. Nós dois havíamos ficado amigos dele, minha mulher antes de mim. Eu o achava um pouco afetado. Claramente, tinha dinheiro bastante para não precisar de um emprego fixo. Pintava aquarelas, paisagens de pântanos e dunas; tocava cravo, um instrumento que ele próprio construíra; ouvia discos de música clássica e jazz dos anos 40; lia vários livros por semana. *Morria* de vontade, dizia ele, de escrever um romance sobre os pais horrorosos dele, só que os dois ainda estavam vivos, morando numa enorme casa de praia em Coolidge Point. Um pouco mais velho que nós, músculos flácidos e pele muito branca, excelente cozinheiro e decorador, Malcolm fazia minha mulher rir e até mesmo ronronar, quando se aboletava no sofá de nossa sala, lentamente encharcando-se de burbom e botando as mangas de fora, por assim dizer. O cabelo era de um negrume romântico, mas já escasseava, com uma pequena calva atrás. Tal como o falecido Doc Humes, Malcolm entendia de tudo, ou ao menos estava disposto a conversar sobre qualquer coisa. Esfuziante e bem-humorado, deixava-me um pouco apreensivo; porém não tínhamos mais ninguém, e minha mulher precisava de companhia. Os dois falavam, meio a sério, em abrir juntos uma loja de antigüidades na rua principal de Essex, onde já havia várias. "O Malcolm diz que vai levar uns quarenta minutos, as estradas não são boas", disse ela. "Ele é um santo, a meu ver. Haverhill, meu bem, onde já se viu — ninguém nunca vai a Haverhill!"

Maryland era cheio de lugares aonde ninguém nunca ia; não me incomodei. Tomei uma Coca e comi um sonho na drugstore, que estava fechando, e voltei para a estação ferroviária, caminhando pela rua fria. Imagino que essa estação não exista mais; deve ter sido demolida há muito tempo; nunca mais voltei para vê-la. Era um pedaço do século XIX ilhado em meados do século XX, um prédio de uma grandiosidade que, como as igrejas da cidade, era fruto de expectativas frustradas. Lá dentro, cabines telefônicas vandalizadas e guarda-volumes acionados por moedas cobriam boa parte dos lambris trabalhados, frutos de uma carpintaria gótica. Nas bilheterias, acima da treliça caprichosamente ornamentada de ferro batido, uma placa tosca fora pregada: FECHA ÀS 18:00. Eu estava a sós com bancos cheios de fantasmas, viajantes que jamais voltariam. Ao longe, alguém reclamava, como uma voz possante de condutor de trem. Dois homens passaram pelo amplo salão de espera e entraram no banheiro juntos. Sob as janelas com vitrais, as serpentinas de calefação estalavam e zumbiam, aquecendo as tábuas envernizadas atrás delas. Decidido a aproveitar aqueles minutos de privacidade que tinha pela frente, sentei-me no centro de um banco vazio, com a mala a meus pés, e abri o livro de Mungo Park. Já estava quase no final, no diário de sua segunda e fatal viagem:

> Continuamos subindo as montanhas ao sul de Toniba até as três horas, quando então, tendo atingido a crista da serra que separa o Níger dos remotos braços do Senegal, adiantei-me um pouco; então, chegando ao cume de um morro, *mais uma vez avistei o Níger* a lançar sua imensa correnteza pela planície afora!

No entanto, eu não conseguia me concentrar na paisagem africana. Não conseguia livrar-me de uma sensação para a qual a situação em que me encontrava servia de metáfora: minha vida estava *fora dos trilhos*. Minhas ambições e esperanças elevadas haviam se esvaecido mais ou menos à altura de New London. Eu teria de arranjar um emprego, algum trabalho repetitivo e degradante, para poder me dedicar à arte. A qual ia morrer à míngua. Tal como meu casamento: também ele, ainda que não fosse culpa de ninguém, era uma das coisas que não estavam acontecendo. A atração intensa que minha mulher sentia por Malcolm era sinal disso. E minha filhinha: ela era maravilhosa, e até isso me assustava também. Toda orgulhosa por saber escovar o cabelo, ficava a alisá-lo desajeitadamente até deixá-lo eriçado, formando longas mechas, e depois vinha exibi-lo, crente que estava bem penteada, o rosto inchado de presunção, dizendo: "Olhe só, papai. Olhe só".

Eu não estava totalmente sozinho na estação. Ao que parecia, não passara nenhum trem depois do meu, horas antes. Um dos homens que tinham ido ao banheiro havia permanecido na sala de espera; parado junto à porta, contemplava a escuridão desoladora daquela cidade do interior. Os faróis de um carro riscaram o estacionamento da estação, os pneus roçaram o meio-fio com um grito agudo; vi de relance várias cabeças, inclusive uma silhueta de mulher com penteado alto, e imaginei que minha esposa e minha filha tinham mudado de idéia e vindo com Malcolm. Chegaram mais depressa do que o previsto — uma rapidez milagrosa.

Mas quem abriu de supetão as portas duplas e entrou correndo em direção ao banheiro foi um rapaz, com um blusão esportivo velho. Excesso de cerveja, pensei. Deixou o motor ligado e os faróis acesos. A luz pegava de chapa o rosto do homem que aguardava à porta, formando uma auréola com os cabelos finos claros que o contornavam. *Olhe só. Olhe só.*

O atleta voltou correndo para o carro, o motor roncou, as luzes foram se afastando na distância. O homem parado à porta dirigiu-se a mim: "Legal, hein? Dois caras e uma boceta". Deu uns passos arrastados para a frente, um homem magro com pescoço torto. Não era jovem, nem velho tampouco — apenas maltratado, e pobre.

"É", respondi, fixando a vista no livro acintosamente.

Era de tarde, e amarramo-lo à árvore próxima da barraca, à qual todos os burros estavam amarrados. Tão logo escureceu, os lobos arrancaram-lhe as entranhas, embora a apenas dez jardas da entrada da barraca onde todos nós estávamos.

Os passos curtos e arrastados aproximaram-se de mim. "Como é que tu acha que ela vai dar conta dos dois, hein?"

Recusei-me a responder. Por dentro, eu tremia de um modo pavoroso. "Aposto que um deles ela chupa." O sujeito de pescoço torto passou rente aos meus joelhos, parou, foi para trás de meu banco, parou de novo e gemeu, como se falasse sozinho: "Hoje aqui não tem nada". Então, para meu imenso alívio, saiu pela porta dupla e sumiu na noite.

Com todo o seu requinte vitoriano, aquela estação não tinha um relógio. Sem dúvida já teriam passado os quarenta minutos de Malcolm. Uma de minhas afetações artísticas da época era não usar relógio. Continuei lendo:

> Vimos numa das ilhas, no meio do rio, um elefante grande; era cor de barro vermelho, as pernas negras.

O homem tristonho de pescoço torto entrou de novo na estação, empurrando as barras de latão da porta, polidas por gerações de mãos. "Ficando frio lá fora." Tímido, mantendo o olhar fixo acima de minha cabeça, foi se aproximando, arrastando os pés no chão de mármore áspero e mantendo a cabeça inclinada para um lado. "Hoje aqui não tem nada", repetiu.

Expliquei: "Estou esperando uma pessoa. Estou rezando pra ela chegar logo".

"É, sei", respondeu o outro, com uma voz esganiçada e melodiosa, estranhamente cínica.

Dei-me conta de que responder a ele, dissesse o que eu dissesse, era um erro — uma maneira de incentivá-lo. O homem do pescoço torto estava imobilizado a três metros de mim, tendo farejado alguma coisa. Fixei a vista rigidamente no livro, como se a página branca fosse um círculo protetor, como uma fogueira num acampamento. Um passo arrastado em minha direção, e o homem sentou-se a meu lado. "Tu gosta de ler, hein?" Suas coxas dentro da calça de algodão amassada estavam a poucos centímetros das minhas. "Vem cá", prosseguiu ele, no mesmo tom normal de conversa, "já te chuparam alguma vez?"

Levantei-me de um salto e saí correndo da estação, abandonando minha mala. Meu coração estava maior que um coração de elefante, batendo forte de terror e indignação. Não esqueçam que eu era muito jovem. Menos de vinte e seis anos — um desconhecido para mim mesmo. Tive que me conter para não sair correndo pelo vale de pedra entre o leito da ferrovia e uma fileira de lojas escuras. A drugstore onde eu havia comido o sonho ficava no final dessa fileira, e ela própria estava escura agora. Porém em frente a ela havia um ponto de táxi, com um abrigo ainda iluminado, à espera dos gatos-pingados que as ferrovias decadentes ainda traziam. Atrás de um janelão sujo, num cubículo com paredes recobertas de calendários, vi dois velhos sentados um de cada lado de uma mesa gasta, sobre a qual havia um telefone e um rádio. Em meio a muita estática, o rádio tocava, se não me falha a memória, um quinteto de Benny Goodman. Um dos velhos, com uma camisa de flanela, abriu a porta e me perguntou: "Quer um táxi, meu filho?".

Respondi que não, um amigo vinha me buscar, dava para eu ficar esperando ali? Minha voz saiu infantil e frágil, eu sabia que era uma figura esquisita naquela cidade, com meu terno de nova-iorquino, o cabelo desgrenhado de artista e o dedo marcando a página do livro que ainda estava na minha mão.

É. Éramos muitos jovens, e qualquer coisa nos abalava em 1959. Malcolm chegou não muito tempo depois, no seu MG conversível azul-marinho. Naquele tempo, ter carro importado ainda não era comum — era o que hoje em dia chamaríamos de "fazer gênero". Hesitante, desci parte da ladeira, me aproximando da estação, para não me desencontrar dele. Ofegante, contei-lhe que havia sido atacado e tinha fugido; ele olhou para mim perplexo, à meia-luz da rua íngreme e fria. Estacionou o carro diante da estação e foi lá dentro comigo para pegar a mala. O homem de pescoço torto havia desaparecido, mas a mala continuava no lugar, naquele mar de bancos vazios, enquanto as serpentinas enferrujadas estalavam e silvavam junto às paredes. Até mesmo o saco de papel com a escova e o pente de Annie estava lá.

Quando demos início à viagem de volta, Malcolm não estava com seu jeito alegre de sempre. "Howard", disse, num tom quase de repreensão, "esse tipo de homem não é nenhuma ameaça pra você. Eles quase nunca são violentos. O problema não é violência, e de qualquer modo o problema é dele, não seu."

Senti-me envergonhado e ridículo por ter me apavorado tanto. Em todos os lugares aonde eu ia, naquelas minhas viagens, havia pessoas me enviando mensagens, embora eu não tivesse nenhum receptor de rádio implantado nos dentes.

Malcolm insistiu no assunto; parecia ter refletido muito naquilo. Citou estatísticas que lera num livro a respeito dos homossexuais masculinos: que eram pouco agressivos, pouco propensos ao crime, criativos e tolerantes. Eram, em suma, os cidadãos-modelo do novo mundo por vir, liberado, diversificado, despuritanizado. Havia em sua voz, com seu exótico sotaque da Nova Inglaterra, algo que eu nunca ouvira antes, um tom sério. Já na presença de minha mulher ele era todo sedução e gozação.

"Certo", eu disse. "Está tudo muito bem. Mas por que *eu*? Por que é que ele foi me escolher?"

Respondeu Malcolm: "A resposta óbvia é: porque você estava lá".

Então, para minha surpresa, ele não disse mais nada. Haveria outra resposta, menos óbvia? As luzes fracas de Haverhill ficaram para trás; atravessamos um rio e entramos em Groveland. Dentro do conversível estava surpreendentemente aquecido, tanto quanto na estação ferroviária, o que era curioso, e o calor me fez relaxar. Malcolm estava com um chapeuzinho de lã xadrez, talvez para proteger sua calva. Comovido, tive uma percepção confusa de minha juventude relativa, de meu cabelo abundante, como uma vantagem, um adorno, uma fonte de poder. Contei-lhe que havia conhecido Duchamp numa festa, que Doc Humes tinha conseguido dar um jeito de jogar xadrez com o grande homem. Malcolm riu, pediu-me mais detalhes com insistência; contei mais coisas, mas não falei da atração que sentira por Vênus, nem da visita que lhe fiz depois da hora do almoço, nem do gesto generoso de seu braço longo que me libertou daquela atração. Malcolm, por sua vez, contou-me que na semana anterior ele e sua irmã foram a um jantar em Manchester do qual participara John Marquand, e que o achara bonitão e simpático. Naquele tempo, Marquand era um grande nome.

Minha memória não está tão nítida, mas certamente, depois daquele passeio de carro longo e gostoso, numa noite escura de inverno, tomando estradas sinuosas, passando por Groveland e Georgetown e Ipswich, Malcolm me entregou, são e salvo, a minha mulher. Um pouco constrangido, como se a culpa fosse minha, não contei a ela o incidente com o homem na estação. Aquilo ficou sendo um segredo entre mim e Malcolm. Os anos se passaram, e ele continuou amigo de nós dois, sedutor com ambos, sutilmente exercendo a pressão do amor sobre aquele que haveria de ceder. Nada acontece da noite para o dia. Quando eu e ele nos mudamos juntos para Boston e abrimos a loja na Charles Street, já estávamos em plenos anos 60.

METAMORFOSE

Anderson, espécie de vagabundo e playboy, passara tempo demais no sol; essas horas ensolaradas lhe voltavam agora, após cinqüenta anos vividos nesta terra, sob a forma de câncer de pele, no rosto e em todas as outras partes mais delicadas que haviam se exposto demais. Seu oftalmologista, um homem consciencioso, com um sotaque do Brooklyn, preocupava-se com uma ceratose perto do canal lacrimal do olho direito — "Se ela se alastrar, você vai ficar chorando por falta de lágrimas" — e o encaminhou a uma cirurgiã plástica especializada em face, a dra. Kim, uma descendente de coreanos surpreendentemente jovem que até mesmo com um jaleco deselegante exibia uma beleza considerável. Era relativamente alta, quase da altura de Anderson, porém tinha a cintura baixa, as pernas curtas e grossas, as panturrilhas arredondadas das mulheres asiáticas. Seus movimentos traíam uma espécie de atletismo contido, os gestos eram um pouco mais rápidos e mais amplos do que o momento exigia, de modo que o jaleco se abria e as duas metades brancas ficavam balançando. Falava um inglês americano já assimilado, perfeitamente natural, porém com uma insistência suave e uniforme: ele imaginava um veículo lunar, seguindo em frente, decidido, por um terreno sem erosão, sob gravidade baixa. O rosto era fino, mais largo na altura dos malares; a tez era pálida, fosca, em tom de marfim um pouco amarelado, tão lisa que o fazia pensar com tristeza em seu próprio rosto manchado e marcado. Porém ela era uma médica, não havia por que sentir-se constrangido. Sob seu olhar, Anderson podia relaxar tal como uma criança sob os olhos amorosos da mãe.

Ela o examinou primeiro a olho nu, depois com uma lupa, e por fim com um aparelho complexo em que ele apoiava o queixo enquanto uma sucessão de lentes iam sendo acionadas, e arcos e manchas de luz se sobrepunham à imagem turva do rosto da médica, a poucos centímetros do dele numa sala escura. Quando prendia a respiração, Anderson a ouvia respirando. Por fim ela afastou para o lado o mecanismo que os separava e afirmou que podia operar, sim, não haveria nenhuma grande dificuldade. Existiam, na verdade, diversas lesões na parte interior da órbita do olho e na pálpebra inferior, mas seria relativamente fácil removê-las. "Ao que parece, o senhor tem pelo menos um milímetro de tecido saudável entre o carcinoma basocelular e o canal lacrimal."

Ele continuava a ver manchas e pontos luminosos. "E o outro olho?", perguntou, menos por curiosidade do que para ouvi-la falar mais um pouco. Havia um curioso zumbido grave por trás de sua voz, um som suave que persistia de leve, quase imperceptível, depois que a frase chegava ao fim.

"O outro olho parece estar bom. Problema nenhum." *Nenhuuumm.*

"Não é estranho, um olho ser atingido e o outro não, se os dois foram expostos à mesma quantidade de sol? Ou será que eu sempre apertei um dos olhos, que nem o Popeye?"

Ela sorriu daquela pergunta tão pouco científica, e nem se dignou responder. Em vez disso, preencheu uma série de formulários, os quais entregou a Anderson antes de ele sair. Em pé ao lado da médica, ele orgulhou-se de ser uns poucos centímetros mais alto que ela. A doutora partia o cabelo no meio e o reunia atrás num rabo-de-cavalo, que lembrava a asa de uma jarra delicada. "O senhor marca a cirurgia na recepção", disse ela. "No dia, o senhor toma um café-da-manhã bem leve e bebe pouco líquido. A operação vai durar duas horas." *Horasss.* E saiu à sua frente, com pressa em atender o próximo paciente, numa outra sala, com aquele seu passo aéreo e deslizante, exibindo as panturrilhas arredondadas abaixo do jaleco.

Ele mal podia esperar — entre outras coisas, porque o carcinoma estava avançando em direção ao canal lacrimal —, mas só conseguiu marcar um horário para dez semanas depois. "A doutora Kim é uma moça muito ocupada", disse-lhe a recepcionista, uma mulher de meia-idade, percebendo de imediato que Anderson estava interessado. Ele se deu conta de que a dra. Kim era um elemento vital da clínica, tanto quanto a vista que se tinha do quadragésimo andar, naquela manhã radiante, do East River e dos bairros residenciais que se espalhavam ao longe.

Ela estava grávida. Anderson não havia percebido isso durante a consulta, e mesmo dez semanas depois só se deu conta quando uma das enfermeiras mencionou o fato na sala de operações. "Sabe, doutora", disse a enfermeira, enquanto o rosto de Anderson estava sendo preparado com Betadine e emoldurado em papel anti-séptico, "*ninguém* imagina que a senhora já completou trinta e três semanas. Eu, a essa altura, parecia um ônibus. Virei uma *casa*."

Havia duas enfermeiras, e as três mulheres conversavam por cima da cabeça de Anderson como se ela fosse um centro de mesa cheio de frutas de cera. "A primeira foi assim também", disse a médica com aquela vibração interessante na voz. "Não aparece nada, de repente, plof." *Plofff.*

Anderson tentou levantar a cabeça, para ver a barriga da dra. Kim, mas ela estava atrás dele, de cabeça para baixo em seu campo de visão, segurando uma seringa reluzente. "É da maior importância", disse-lhe a cirurgiã, "que o senhor não mexa a cabeça. O senhor se incomoda se a gente amarrar os seus braços?"

"Acho que não. Vamos tentar."

"Tem pacientes que entram em pânico", ela explicou.

Anderson já havia operado o rosto antes, mas não deitado numa mesa de operação. Da outra vez, acomodara-se numa cadeira estofada que se inclinava para trás, enquanto um rapaz muito bem-vestido, de camisa branca e gravata, como se para proclamar com orgulho que seu trabalho quase não envolvia sangue, retirava pequenas ceratoses. Só sentiu dor quando tomou a injeção de anestesia, especialmente no lábio superior ou no nariz. Os canais lacrimais transbordavam. Porém a agulha da dra. Kim, precedida por um cotonete cheirando a cravo ou canela, entrava em cena despercebida. Uma enfermeira prendeu seu peito com umas correias leves, e ele entregou-se a um estado beatífico de impotência protegida.

As três mulheres giravam em torno dele. Uma das enfermeiras de tempos em tempos tomava-lhe o pulso e inflava o esfigmomanômetro, enquanto a outra entregava os instrumentos à cirurgiã. O ventre distendido da dra. Kim, que agora Anderson percebia, roçava no topo de sua cabeça, ou em uma de suas orelhas, quando ela se debruçava sobre ele e rompia sua pele, confiante, com instrumentos que ele mal conseguia imaginar, porque se aproximavam de seu rosto vindo da periferia de sua visão. Havia uma faca de formato agudo, como um lápis de ponta afiada, e também uma espécie de descaroçador delicado, cujo corte Anderson sentia como uma pancada suave, e um cauterizador, que produzia efêmeros sibilos e fumacinhas. O toque dos dedos da médica, protegidos pelas luvas de látex, era como pés de fadas calçadas com sandálias feitas de pele de filhotes de toupeiras. De vez em quando ele sentia a pressão de algodões, para estancar o sangue, e o aperto dos pontos de diversos tamanhos, cores e graus de solubilidade sendo inseridos, apertados e fechados com um nó que requeria um floreio rápido e hipnótico do fórceps anguloso.

Assuntos os mais diferentes circulavam entre as mulheres — a tentativa de Hillary Clinton, razoável ou insensata, corajosa ou ridícula, de derrotar o prefeito Giuliani nas eleições para o Senado, a situação desesperadora ou animadora da crise de Kosovo, o entrosamento ou não entre Hugh Grant e Julia Roberts em *Um lugar chamado Notting Hill* — e de vez em quando Anderson tentava interpor um comentário, por trás de sua touca de papel esterilizado. "Magra demais", disse a respeito de Julia Roberts. "E ele gagueja."

"Quando o senhor fala", observou a dra. Kim, "todos os músculos do rosto se mexem."

"Eu quase não acreditei", disse a enfermeira dos instrumentos, "quando estava estudando anatomia e aprendi o número de músculos que tem no rosto. Oitenta e quatro, acho que foi o que o professor disse, dependendo do que a gente contar. Quer dizer, a garganta e o globo ocular também contam?"

Anderson sentiu que as mãos e os instrumentos da cirurgiã se aproximavam da pálpebra inferior, uma área sujeita a cócegas e movimentos incontroláveis.

A enfermeira que monitorava o pulso e a pressão perguntou, acima de sua cabeça: "A senhora está cansada, doutora? Eu morria se tivesse que ficar esse tempo todo em pé no seu estado".

"Eu nunca me canso de operar", foi a resposta surpreendente. "Esqueço das horas." *Horassss.* "Sou capaz de passar a noite toda operando."

"Não dava pra sentar num banquinho?", perguntou Anderson, galante, tentando não mexer os lábios, como um ventríloquo.

"Comigo nunca dá certo", ela dignou-se responder. "Preciso ficar em pé, sentir que estão livres os meus braços." Aqueles *braçossss* roliços e lisos.

"Barbeiro é assim também", Anderson comentou. "Em pé o dia inteiro de braço levantado; acho que eu morria."

"Um pouco mais de lidocaína", disse a dra. Kim, com uma voz claramente mais severa. "Não se mexa e não diga nem uma palavra." Ela estava brincando com ele, pensou Anderson. Estavam começando a aprender a brincar um com o outro.

Quando se despediram — ele com esparadrapo cor da pele em torno do olho e ela, apesar do que havia afirmado, com olheiras que denotavam cansaço — Anderson desejou-lhe um parto feliz. *Felizzz*: prolongou a sibilante de modo sedutor. A médica disse-lhe que ele ficaria com o olho roxo por uma semana e pediu-lhe que marcasse uma consulta com a recepcionista para retirar os pontos uma semana depois, e também um check-up após seis meses. O East River, reduzido a fragmentos pelos arranha-céus de Manhattan, cintilava lá embaixo. Uma barca cheia de sucata alaranjada estava sendo puxada para o mar por dois rebocadores, e sua esteira negra e lerda era riscada pelo rastro branco deixado por uma lancha de polícia, que logo se abriu em leque. Perto do canal lacrimal, Anderson começou a sentir pequenas pontadas de dor.

Ela retirou os pontos sete dias depois, cantarolando de prazer ao contemplar a beleza de seu próprio trabalho, e quase um ano se passou até Anderson voltar a ver a dra. Kim. Ela ainda estava de licença-maternidade no dia do primeiro check-up, e Anderson, meio emburrado, ficou adiando o segundo. A cicatrização levou mais tempo do que ele esperava; durante semanas uma secreção ficou escorrendo, e por alguns meses um caroço estranho de tecido cartilaginoso no lado do nariz estava sempre irritado por estar em contato com as plaquetas dos óculos de leitura. Quando por fim a ferida sarou e as manchas vermelhas se tornaram invisíveis na superfície avermelhada de seu rosto, Anderson se deu conta da presença de uma ruga nova — não exatamente uma ruga, mas uma espécie de tendão suspenso, um parêntese de pele perto do canal lacrimal. Sua atual namorada, a mais recente de uma longa e briguenta série, achava que a marca lhe emprestava um ar um pouco malévolo. Quando mencionou aquela pequena anormalidade para a dra. Kim, agora esbelta, ela estendeu a mão e apalpou-a de leve, não uma vez, mas várias. "O senhor devia ter feito massagem", observou. "Agora talvez seja tarde demais."

"Tarde demais?"

Ela sorriu, e mais uma vez pôs a mão naquele pedacinho de sua anatomia que o incomodava, acariciando-o com firmeza, descrevendo um pequeno círculo com o dedo. "Assim", explicou. "Duas, três vezes por dia, por trinta segundos."

O toque daquele dedo deixou seu cérebro aparvalhado, mas ele apegou-se à razão. "Não acredito que isso adiante."

"Tente por uns seis meses. Seja paciente."

"Não dava pra senhora consertar com uma cirurgia?"

"Isso o incomoda tanto assim? Do ponto de vista cosmético é uma coisa bem pequena, mas se eu tentar consertar não posso garantir que vai dar certo; a operação não seria simples." *Simplesss.* Parecia que a voz não era exatamente dela, mas que estava sendo projetada, como se por um ventríloquo, de um outro mundo, um mundo ideal.

Anderson inclinou o corpo para a beira do assento, como se fosse apoiar o queixo na máquina para fazer exame de olho. "Gostaria de tentar", disse ele, "se a senhora estiver disposta."

"O seguro..."

"Meu plano médico é muito generoso", ele garantiu. Imaginou a operação — a pressão intermitente daqueles dedos envoltos em látex, como pés de fadas dançarinas; o chiado indolor do instrumento de cauterização; as conversas dispersivas das enfermeiras; o farfalhar do papel anti-séptico em torno de seu rosto quando ele tentava fazer algum comentário; o ventre distendido da médica roçando em sua cabeça.

A experiência, quando chegou o dia marcado, não foi tal como ele a imaginara. A doutora não estava mais grávida, a sala de operação era menor e só havia uma enfermeira, que entrava e saía da sala. Dessa vez, o procedimento implicou mais esforço físico e uma série de pontos, que se estenderam até quase o efeito do anestésico passar. Mas a intensidade do contato foi tal como antes. Dessa vez Anderson sentiu-se mais livre para usar os olhos, e ousadamente ficou observando os olhos da dra. Kim, de cabeça para baixo em seu campo de visão. Eles pareciam transbordar dos cálices das pálpebras superiores, sublinhados pelos sorrisos finos e negros das sobrancelhas. Longos flocos cor de âmbar, como agulhas numa emulsão, davam à íris uma profundidade de firmamento estrelado e riscado de raios quando a atenção da cirurgiã se concentrava nas pupilas contraídas, vãos pelos quais passava o mundo inteiro com todo o seu brilho. Cada vez que ela piscava, parecia uma coisa monstruosa, como o abrir e fechar da boca de um caranguejo.

Quando tudo terminou, e a cirurgiã baixou a máscara de papel verde-claro, sua boca parecia satisfeita. Ela arrancou a touca em forma de cogumelo e sacudiu a cabeça, soltando o cabelo farto, cheio de brilhos lustrosos. "Correu muito bem", disse. "Não é fácil fazer tecido flácido se reconformar." *Reconforrrmmmarrrr* — os erres eram tão guturais e os emes tão prolongados que Anderson começou a achar que ela estava talvez querendo provocá-lo. Porém a doutora logo reassumiu seus modos profissionais impecáveis e distantes; num tom sério, deu-lhe instruções a respeito de cada receita que preencheu, e explicitou de modo cuidadoso o curso previsto da cicatrização. "Dessa vez, não deixe de massagear." Demonstrou, descrevendo pequenos círculos ao lado de seu próprio nariz, perfeito, liso, duro, fosco. Enquanto ela executava, com passo apressado e pernas curvas, os movimentos da rotina pós-operatória, o cabelo solto, pendendo reluzente às suas costas, continuava a soltar, como músculos relaxando-se aos poucos, a forma de suas espirais. "Esses pontos vão se dissolver", disse ela. "Volte daqui a seis meses."

Seis meses depois, as margens do East River estavam cobertas de gelo, e o frio de janeiro arrancava fumaças de vapor de sua superfície. Sub-repticiamente, Anderson examinou as formas da dra. Kim para ver se estaria grávida, mas não conseguiu detectar nenhum sinal debaixo do jaleco disforme. Ela estendeu o braço e tocou a cicatriz quase invisível junto ao canal lacrimal de seu paciente. "Certinho", disse. "Simétrico."

"Parabéns."

"O senhor fez massagem?"

"Religiosamente. Mas percebi que a pele grossa debaixo desse olho faz uma prega que não tem do outro lado. E minhas duas pálpebras superiores estão caídas. De manhã parece que elas estão se apoiando nos cílios. Eu vejo no espelho, elas ficam com umas dobras meio aleatórias, parecem toalhas molhadas."

Ela o examinou com atenção, pousando os dedos em sua pele, apertando a pálpebra de modo a deformar o globo ocular, distorcendo sua visão, fazendo-o ver as coisas em dobro. "É, dava pra fazer um retoque", admitiu ela, "mas precisar, mesmo, não precisa. Do ponto vista funcional, está perfeito." Continuou a dedilhar-lhe as pálpebras, e a voz dele saiu aos arrancos, como se estivesse sendo torturado.

"Pois me incomoda", disse ele, "ver as pálpebras amassadas desse jeito. Eu queria uma coisa que talvez seja muito difícil pra senhora."

O toque da médica mudou, tornou-se inseguro. "O quê?"

"Queria que minhas pálpebras ficassem como as suas."

As pontas dos dedos, pousadas nos cantos internos dos olhos, imobilizaram-se. Anderson julgou sentir um leve tremor nelas. "Com epicanto?", indagou ela.

"Se possível."

"Seria difícil, como o senhor mesmo diz. O enxerto teria que vir de uma área muito sensível. O corpo tem poucos lugares onde a pele é tão delicada. O interior da coxa, o... A cor nunca fica exatamente igual."

"Não dava pra pegar a pele que está ali e dobrar? Ando me sentindo um rinoceronte, de tanta pele que sobra. Quando me abaixo, sinto a pele da cara descolar do osso. E essa papada toda aqui no queixo — não dava pra esticar?"

Os dedos da médica deslocaram-se para o queixo de Anderson, num gesto pensativo, fazendo ajustes delicados. "É uma operação comum", disse ela, "mas não é tão simples quanto cortar pano. Por baixo da pele tem músculos, nervos e capilares. Seria uma operação demorada e difícil." Reassumiu a posição de lótus, as mãos repousadas no colo, uma sobre a outra, com as palmas para cima. Anderson via seu rosto não apenas como uma oval reluzente, mas também como um tecido perfeitamente cortado, inconsútil, camadas de derme precisamente encaixadas nos malares, no maxilar, no olho branco e gelatinoso.

"Podia ser mais de uma operação", ele propôs.

Pequenas rugas surgiram no espaço liso entre as sobrancelhas da doutora, e rapidamente foram apagadas. "Para o senhor, é melhor fazer tudo logo de uma vez. Uma sessão, uma recuperação."

"Eu topo se a senhora topar", disse ele no tom baixo, quase agressivo, que ele usaria, com outras mulheres, em outras circunstâncias, para dar uma cantada.

A dra. Kim aprumou-se na cadeira, encarou-o com aqueles seus olhos líquidos e opacos, e falou mais devagar do que jamais falara. "Eu topo. Se o senhor realmente quiser. É bom saber", disse, "que às vezes pode ocorrer perda de sensibilidade, e até a expressão pode ficar um pouco rígida."

"Eu corro o risco", respondeu Anderson. "Detesto meu rosto do jeito que está." Ele passara a odiar, ainda que não quisesse manchar aquele relacionamento puro com uma confissão, os fatos cotidianos da vida: barbear-se, pentear o cabelo, suportar uma ida ao barbeiro, vestir o pijama à noite e tirá-lo, amassado e suado, pela manhã. Enjoara do cheiro rançoso que às vezes lhe chegava às narinas, vindo das regiões inferiores, e do súbito gosto de podridão que por vezes lhe vinha dos dentes coroados e tantas vezes remendados, como se todas as mortes noticiadas no jornal e todos os anos que ele deixara para trás tivessem se instalado, em miniatura, nas fendas e interstícios de sua boca viscosa.

A operação, tal como a dra. Kim previra, foi difícil — ela passou seis horas em pé, cortando e repuxando, aplicando injeções nesta e naquela parte do rosto de seu paciente, como um fazendeiro cultivando seus campos. Trabalhava com lentes de aumento por cima da máscara de papel verde; Anderson tinha uma sensação de tranqüilidade lunar no rosto sob todas aquelas atenções. Até mesmo o trabalho realizado nas pálpebras parecia acontecer, por efeito da anestesia, a uma distância enorme, embora ele tivesse aguardado o momento com medo. Não foi necessário fazer enxerto; a cirurgiã encontrou em torno de seu nariz tanta pele sobrando quanto na nuca de um filhote de cachorro. Quando terminou, as duas enfermeiras se aproximaram dela, como se para impedi-la de desmaiar. Ele passou a noite no hospital; a cama era limpa, os lençóis bem esticados.

Na manhã seguinte, por trás dos curativos Anderson sorriu um sorriso rígido quando viu os pacientes na sala de espera reagir assustados a sua aparência ameaçadora de múmia. Através de fendas semelhantes a óculos escuros de esquimó, ele viu o East River ao longe, sua superfície negra rompida por uma barcaça transbordando de lixo e por um barco de turistas, mais rápido, dando uma volta em torno da ilha. O prédio azul-esverdeado do CitiBank, o único arranha-céu de Queens, parecia um croco brotando da terra. Era primavera; as árvores já estavam cobertas de brotos, mas permaneciam transparentes; o nascimento das folhas seria um processo tão inevitável, gradual e gracioso quanto a cicatrização de seu rosto, que dela emergiria belo.

Houve várias consultas, com intervalos de algumas semanas, nas quais a doutora foi retirando o brocado de pontos — um processo curiosamente mais doloroso que o da colocação deles —, e depois um check-up dois meses mais tarde. Como se os dois tivessem compartilhado um êxtase intenso demais para poder ser repetido tão cedo, essas consultas foram breves e profilaticamente apressadas, corridas: ela estava sempre atrasada, e o tráfego de pacientes na clínica engarrafava o tempo todo. O rosto machucado e inchado de Anderson assustou-o diante do espelho. De nada adiantava sua namorada — uma nova namorada — lhe dizer que a cada dia ele estava com aparência melhor; tais comentários eram uma forma típica de lisonja feminina, um estratagema irritante. Apenas a dra. Kim lhe dizia a verdade fria, sincera, confiável. Seu toque era o toque da verdade.

Numa consulta oito meses após a cirurgia, a médica examinou-o da distância de um braço esticado e disse, escandindo as palavras: "Deu certo. As comissuras ainda aparecem, mas as pálpebras estão bem lisas. As manchas amarelas no queixo vão diminuir" — *di-mi-nu-ir*, quatro sílabas com a mesma ênfase, como uma boneca falando — "com o tempo, e também as marcas verticais vermelhas junto às orelhas". Ela inclinou-se para a frente e acariciou-as de leve, com as pontas dos dedos nus. O jaleco abriu-se em dois, e Anderson percebeu que ela estava grávida outra vez. A doutora entregou-lhe um espelho de plástico pesado, dizendo: "Dê uma olhada. Me diga o que o senhor acha que ainda pode ser melhorado. Vou sair da sala".

Com passos rápidos e uniformes, os pés calçados em sapatos pretos com salto e não naqueles deploráveis tênis brancos universalmente adotados nos hospitais, ela saiu pela porta afora, as pontas do jaleco esvoaçando, o cabelo preso atrás brilhando como uma corda de seda negra. O Natal se aproximava, e um pequeno presépio de uma só peça destacavase, inesperado, sobre a mesa da doutora. No espelho Anderson viu um rosto cuja expressão era de uma impassibilidade oriental; a superfície lisa e endurecida era perturbada apenas por uns poucos vergões que ainda restavam. O azul-claro dos olhos era incongruente, e os cabelos grisalhos e ralos estavam recuando, mas fora isso não havia quase nada que precisasse ser melhorado.

Nunca antes havia ficado a sós na sala da dra. Kim. Levantou-se da cadeira de exame, com um descanso dobrável para os pés que o atrapalhava, e andou até a mesa da médica. O presépio era de plástico, mas muito bonito, com expressões idênticas de surpresa no bebê, Maria, José, o carneiro, o boi e os pastores. Junto a ele havia fotos tingidas de uma criança bem pequena e outra já no jardim-de-infância — um menino e uma menina, ambos de sangue miscigenado — e um velho. Não velho, exatamente, talvez não mais velho que Anderson, porém envelhecido, branco, sorridente, com um nariz enorme, monstruosamente deformado e enrugado.

"Ah!" A voz da dra. Kim atrás dele parecia um tanto adolescente ao encontrá-lo examinando sua mesa. Ela recuperou o tom contido, profissional, sussurrado. "Esse é o meu marido." *Mariidddu* deliciosamente prolongado, um conceito vindo de algum mundo distante e perfeito. Ainda de costas para a médica, como se para ocultar dela aquele rosto ridículo, Anderson levou a mão até o canal lacrimal direito. Continuava no lugar.

COELHO SE CALA

I.

Janice Harrison vai até a porta da frente quando a velha campainha arranha o silêncio. Décadas de ferrugem acumulada já praticamente destruíram sua voz, um dia desses o aparelhinho vai pifar de vez, o badalo vai travar ou os fios vão entrar em curto-circuito ou seja lá o que for. Sempre que ela diz que quer chamar o eletricista, Ronnie diz que está na lista de consertos dele, é só esperar. Ronnie gosta de fazer as coisas ele mesmo. Já Harry preferia que os outros fizessem as coisas para ele.

Uma pontada no quadril desacelera seus passos quando ela sai da cozinha ensolarada e gasta, atravessa a sala de jantar, onde as persianas estão baixadas para não desbotar o tapete oriental e não ressecar a mesa de mogno encerada, e chega à sala de estar, onde a mesa de centro — uma imitação de bancada de sapateiro — à frente do sofá de pelúcia obriga as pessoas a fazerem um desvio que acabou traçando uma trilha mais clara no carpete. Um aparelho de televisão Zenith, grande e marrom, sobre o qual há uma pilha de quinquilharias empoeiradas que pertenciam à mãe de Janice, volta para ela seu olho cego do lugar onde outrora ficava a poltrona Barcalounger de seu pai. Agora eles não ficam mais vendo televisão aqui, sentados no sofá, como antes. Ronnie gosta de ver o noticiário da noite na pequena Sony da cozinha, enquanto janta, e Nelson, quando tem que ficar em casa depois do trabalho, prefere o computador no andar de cima, que ele acha mais divertido do que a televisão por ser interativo. Já com a mulher dele, Teresa, ele não interagia tanto, e ela acabou voltando para Ohio com os dois filhos há mais de um ano. Nelson e Roy, que está com catorze anos, vivem trocando e-mails, na maioria das vezes piadas grosseiras (uma das mais chocantes deste verão foi: *Lembra do tempo em que os Kennedys só afogavam uma mulher de cada vez?*), como se e-mail fosse a mesma coisa que morar com o pai.

Acontece muito de Janice nem ouvir a campainha, principalmente quando está na parte de trás da casa ou no jardim dos fundos. Ela vive encontrando recadinhos enfiados debaixo da porta por entregadores que tiveram de ir embora, cartões de visita de vendedores que perderam a viagem. Isso é o lado bom da coisa, mas mesmo assim ela se sente isolada; e se viesse uma pessoa com quem ela está morrendo de vontade de se encontrar? Só que não lhe ocorre ninguém que se enquadre nessa categoria. Tanta gente de quem ela gostava já morreu.

A pesada porta de nogueira, com suas laterais de vidro jateado ornadas de arabescos florais, a porta por onde ela passou quase a vida inteira entrando e saindo, durante todo o verão ficou dilatada, emperrando ao se abrir, por efeito de uma umidade que não chegou a produzir chuva. Agora ela se abre com mais facilidade, emitindo um estalido seco, pois já é outono. A moça — na verdade uma mulher, mais ou menos da idade de Nelson — que está na varanda da frente lhe parece vagamente familiar. O rosto é claro e largo, os olhos bem espaçados têm algo de leitoso no azul, e nos cantos já começam a se formar as rugas da meia-idade. Um pouco mais alta do que Janice, ela preenche muito bem o vestido bege decotado; e o tecido de algodão está repuxado na altura dos seios e do ventre. Leva uma suéter azul-marinho jogada nos ombros, tal como fazem as moças da corretora imobiliária Pearson and Schrack, pilotando seus computadores reluzentes, o que lhes empresta um ar de eficiência. Ela pergunta: "Senhora Angstrom?".

Janice fica um tanto surpresa. "Já fui", admite. "Agora o nome do meu marido é Harrison."

A moça fica vermelha. "Desculpe, eu já sabia. Falei sem pensar." Os olhos azuis se arregalam, e Janice tem a impressão de que aquela desconhecida está tremendo, seu rosto estremece por baixo das roupas cuidadosamente discretas, aquela criatura está de algum modo presa, ali no capacho, na sombra retangular da varanda com colunas de tijolo.

Atrás dela os carros passam pela Joseph Street com um zunido seco. Um Lexus vermelho-tijolo brilhando de tão novo está estacionado junto ao meio-fio, à sombra dos bordos, de folhas ainda verdes. Passa uma nuvem no céu, e quase chega a ficar frio: é assim que a gente se sente na nova estação, as sombras são mais nítidas e mais escuras, e por trás de todo som ouve-se a cantoria dos grilos. Com a estiagem terrível desse verão as folhas estão amarelecendo mais cedo, as dos castanheiros-da-índia já estão se enrodilhando e escurecendo, e os gramados que não foram regados se transformaram em palha, uma visão que faz Janice se lembrar da infância, aquele tempo em que a gente está mais perto do chão e o verão não acaba mais.

"Minha mãe morreu há dois meses", diz a moça, respirando fundo para conter o tremor, apertando com as duas mãos uma bolsinha listrada contra o ventre.

"Lamento", retruca Janice. Nelson vive lidando com gente maluca no trabalho dele, e diz que não há por que ter medo. Já ela lida com pessoas que estão tentando vender ou comprar casas, e que nunca na vida mexeram com tanto dinheiro, e por isso elas às vezes também ficam tensas e irracionais.

"Eu nunca me casei, minha família era só ela."

Quer dizer que, apesar daquelas roupas respeitáveis, essa mulher é uma mendiga. "Lamento", diz Janice outra vez, num tom mais duro, "mas acho que não posso ajudar." Leva a mão à porta pesada para fechá-la. Nelson está no centro de tratamento e Ronnie foi jogar golfe no clube com outros aposentados, de modo que ela está sozinha em casa. Não que a moça pareça uma pessoa violenta. Mas ela é maior que Janice, mais ossuda, e sua presença ali é perigosamente volumosa, como se tivesse tomado uma decisão desafiadora depois de muita hesitação, igual a um cliente que resolve oferecer trinta mil dólares além do que pode pagar. Os olhos dela, cujas órbitas são um tanto quadradas, estão inchados, olhos de quem não dormiu direito, e o cabelo, cortado bem curto, como é a moda agora, tem trechos castanho-claros e outros mais escuros, entremeados de mechas grisalhas.

"É, eu também acho que não pode", a moça concorda. "Mas minha mãe achava que talvez a senhora pudesse ajudar."

"Eu cheguei a conhecer sua mãe?"

"Não, vocês nunca se encontraram. Mas uma sabia que a outra existia."

É, seria bom se Nelson estivesse aqui. Ele saberia dizer só de olhar se aquela mulher não regulava bem, e lhe daria um daqueles rótulos que ele conhecia — bipolar, esquizofrênica, paranóica, psicótica. O psicótico vê e ouve coisas, e é capaz de matar uma pessoa sem querer, e depois no julgamento tem a maior cara de inocente. A textura envernizada da madeira da porta parece convidar sua mão a fechá-la, para proteger-se, dando fim àquele encontro, mas o que aquela moça tem de agradável e bondoso, embora esteja aflita e trêmula, mantém a porta aberta. O ar seco e quente daquele dia de início de outono no sudeste da Pensilvânia — as crianças de volta às escolas, as ruas silenciosas durante a manhã, os legumes nas hortas dos quintais já colhidos ou produzindo sementes — bate no rosto de Janice como o hálito do passado, pois sua visita veio dessa mesma região.

"Fui eu que cuidei dela no fim, ela não gostava de hospital, ela se sentia presa", prossegue a voz leve, educada e trêmula.

"Da sua mãe", diz Janice, entrando em casa sem intenção de fazê-lo.

"É, e como sou enfermeira isso pra mim não era nenhum problema, cuidar da medicação, trocar a posição dela na cama, essas coisas todas. Mas era estranho, porque ela era minha mãe. O corpo dela tinha um significado todo especial pra mim. Ela não gostava que pegassem nela, e resistiu enquanto pôde. Ela até que ficava à vontade com algumas pessoas, mas era muito cismada com essa história de privacidade, até comigo. Não gostava de me contar nada, só quando sentiu que estava morrendo."

A moça, à medida que o nervosismo foi passando, pulou um trecho de sua história sem se dar conta disso. "Mas o que é mesmo que isso tem a ver comigo?", indaga Janice.

"Ah. Eu acho que... acho que a senhora foi casada com meu pai."

Passa um caminhão dos correios, uma dessas vans sem nariz que tem agora, brancas com uma listra vermelha e azul. Antigamente eram só verdes, como viaturas militares. Os carteiros eram todos homens; agora quem atende a rua é uma carteira, uma moça de cabelo comprido, desbotado pelo sol, pernas curtas e bronzeadas, expostas pelo short, que anda pela calçada empurrando a sacola sobre um carrinho de três rodas. Ainda não é hora da carteira, mas do lado oposto da rua uma outra moça aparece na varanda da direita da casa geminada em frente à de Janice. Durante anos e anos morou ali um casal de velhos que pareciam imutáveis. Um dia eles foram morar numa residência geriátrica, e agora a casa está ocupada por um casal jovem que vive cuidando das plantas que transbordam da varanda, que toca música tão alto que sai pelas janelas teladas e se espalha por todo o bairro e que tem dois filhos pequenos que estão na pré-escola.

"É melhor você entrar", diz Janice, dando um passo para trás, convidando-a, embora admitir em sua casa aquela mensageira de um passado morto e vergonhoso seja uma coisa que lhe causa repulsa e a assusta ao mesmo tempo.

Na penumbra da sala apinhada de objetos, a moça, com rosto e braços tão brancos que é como se não tivesse havido verão, parece mais um móvel que o lento terremoto do tempo deslocou de seu lugar apropriado. Ela parece, tal como Harry parecia, estar um pouco fora de escala. Janice está acostumada a ver em sua casa pessoas de estatura mediana, como ela própria e Nelson e Ronnie, se bem que Alex, o filho de Ronnie, que às vezes vem da Virgínia visitar o pai, seja bem grande, e Judy e Roy, quando moravam aqui, ocupassem muito espaço, com a música deles, os jogos e a competição entre irmãos. Porém, levando-se em conta que eram uma menina e um menino com mais de quatro anos de diferença de idade, até que a coisa podia ter sido bem pior.

"Aceita um café?", pergunta Janice. "Ou chá — é o que o meu marido toma agora, por causa da pressão dele, e eu acabei me viciando também."

"Não, falando sério; meu estômago agora não aceita nada. Fiquei tanto tempo pensando no que dizer, e aí acabei dizendo tudo ao contrário. Meu nome é Annabelle Byer."

Aquele nome faz Janice pensar em *buyer*, "comprador". Para cada vendedor existe um comprador.

"Como eu já disse, sou solteira. Vou fazer quarenta anos no ano que vem. Sou enfermeira, trabalho no St. Joseph's há treze anos e nos últimos cinco estou trabalhando em assistência domiciliar, com pacientes que precisam de acompanhante, se bem que cada vez tem menos gente que pode pagar, agora que o governo está reduzindo os casos cobertos pelo Medicare."*

"Sente-se, por favor", diz Janice, para reduzir o volume radiante e perturbador daquela invasora. A moça senta-se no sofá, e, como todo mundo, afunda mais do que esperava, projetando os joelhos nus, muito brancos. Com uns repuxões apressados na saia, ela reduz a extensão de coxa exposta. Janice instala-se na bergère verde, com paninhos protegendo os braços, e coloca as mãos sobre o colo, as palmas viradas para cima, tal como fazia sua mãe, posicionando-se para escutar, se as batidas fortes de seu coração a deixarem ouvir. Seu coração está preso numa rede de cálculos a respeito do impacto que esta intrusão inocentemente repulsiva terá sobre sua vida e sua paz de espírito. Como Ronnie é bem mais previsível do que Harry, ela agora leva uma vida tranqüila.

"Minha mãe se preocupava por eu não ter me casado", diz Annabelle; sua voz bem menos tensa indica que ela já se sente mais em casa do que Janice julga apropriado. "Ela ficava achando que talvez fosse culpa dela, que ela me fez não ter confiança nos homens, ou ficar cismada com sexo, sei lá,

(*) Programa governamental que reembolsa os hospitais pelo atendimento gratuito a idosos. (N. T.)

com base na experiência dela. Eu dizia: que bobagem, mamãe. Meu pai, porque eu chamava ele de pai, era um homem maravilhoso. Morreu quando eu tinha dezesseis anos, mas o fato é que cresci com uma imagem boa do sexo masculino. Ele me jogava pro alto, mesmo quando eu já tinha onze anos, me ensinou a manejar o trator, a fazer tudo que uma criança pode fazer para ajudar os adultos numa fazenda — colher maçãs e morangos, dar comida pras galinhas, podar arbusto e arrancar fora erva daninha. A gente fazia trabalhos de carpintaria juntos, ele até me ensinou a atirar com a arma dele. Eu tinha dois irmãos, Scott e Morris, eu sempre me dei muito bem com eles — como fomos criados na fazenda, fazíamos muita coisa juntos. Tive namorados também, bem normais, se bem que em comparação com os garotos da cidade eles eram tímidos, mas quando terminei o secundário fui trabalhar como ajudante de enfermagem numa clínica chamada Sunnyside, lá perto do lugar onde antigamente era uma área para feiras...?"

Ela está verificando se Janice está mesmo escutando. A outra faz que sim e diz: "Já ouvi falar. Sunnyside".

"E aí fiz um curso de um ano e passei no concurso e depois que comecei a trabalhar no St. Joseph's os namorados não eram mais tão tímidos, tinha uns que eram até médicos casados, mas outros não eram, eu achava tudo muito normal, só que, sabe, nunca pintou paixão, a coisa nunca aconteceu. De repente era eu que não queria ouvir esse tipo de conversa. Eu dizia à minha mãe: não é nenhum bicho-de-sete-cabeças; se não acontecer, paciência, ninguém deixa de ser gente por causa disso, mas ela morria de preocupação porque eu continuava independente, como se ela é que estivesse atrapalhando, principalmente depois que vendeu a fazenda e eu pedi pra ela vir morar comigo, que nós duas juntas podíamos cuidar de um lugar maior, lá na Eisenhower Avenue..."

O coração de Janice dá um salto. Ela morou uma vez na Eisenhower Avenue, com Charlie Stavros, no número 1204, nos anos 60, quando todo mundo estava enlouquecido. Mas aquilo não devia surpreendê-la; a rua nobre, onde outrora havia mansões cuidadas por empregados irlandeses, era um lugar seguro para morar em casa alugada, para pessoas desajustadas como ela e Charlie, ou essa moça e a mãe.

"...ela tinha tanto medo de atrapalhar que dizia que não ia sair do quarto dela se eu recebesse alguma visita masculina, mas na verdade no tempo em que morei sozinha em Brewer aprendi a não levar homem para casa, porque às vezes eles ficam violentos, e àquela altura eu já estava na faixa dos trinta, e os homens que prestavam já estavam casados. Quando ela viu que estava morrendo — os médicos só descobriram os tumores, carcinoma linfocitóide do pulmão, quando o câncer já tinha se espalhado pro sistema linfático e os ossos —, ela me disse que havia uns parentes que eu não conhecia. Contou que meu pai não era meu pai de verdade, que ele estava tão apaixonado por ela que aceitou a filha de outro homem. Eu não tinha ainda nem um ano de idade, meus avós lá de West Brewer estavam tomando conta de mim enquanto ela trabalhava num restaurante perto da pedreira Stogey, quando ela conheceu o meu... quando ela conheceu o Frank Byer. Ele agiu depressa — parece que a mãe dele tinha morrido fazia pouco tempo, e a fazenda estava precisando de uma mulher. Não que ele não estivesse apaixonado por ela; estava, sim. Já tinha mais de quarenta anos e ela vinte e tantos, e quando eu já estava em idade de perceber essas coisas, sabe, eu via que ainda rolava muita coisa entre eles. Ele brincava com ela porque ela era gorda, mas ele era gordo também."

Janice está detestando ouvir aquelas histórias sobre pessoas tão vulgares. "Você nunca quis saber", pergunta, impaciente, "como foi que você nasceu antes de seus pais se casarem?" Pela cortina translúcida do janelão da sala — chamam de "cortina de vidro", embora seja de pano mesmo — ela vê que a mulher do outro lado da rua continua na varanda, às voltas com um regador de bico comprido, como se estivesse escutando. Mas daquela distância seria impossível. Janice acha que é uma coisa vergonhosa a presença daquela moça ali. Vergonhosa, uma sem-vergonhice.

"Bom, eles me enrolavam", explica Annabelle. "A senhora sabe como é criança, a gente fica achando que tudo em volta da gente é assim porque é, vai crescendo e achando tudo natural. O Scott estava só um ano atrás de mim na escola; o mês decisivo era fevereiro, eu nasci em janeiro e ele em novembro do ano seguinte. Eu era sempre a menorzinha da minha série, acho que esse foi um dos motivos de eu sempre me achar, sabe, tão inocente. Os outros meninos sempre sabiam mais do que eu, e faziam mais coisas. Eu era sempre a boa menina que ia direto pra casa no ônibus escolar."

A moça está começando a falar com Janice como se ela fosse uma espécie de tia, ou mesmo sua mãe. Janice não acha que foi um sucesso como mãe nem tem vontade de fazer outra tentativa. Assim mesmo, insiste: "Você tem certeza que não quer um café? Eu estou precisando tomar um chá, porque tem um monte de perguntas zumbindo na minha cabeça. Isso que você está dizendo é uma notícia e tanto, se for mesmo verdade".

Ela se levanta, mas Annabelle se levanta também e vai atrás dela para a cozinha, justamente quando Janice esperava se distanciar um pouco da outra, para poder pensar. É como aqueles testemunhas-de-jeová que você deixa entrar em casa, eles parecem uns pobres coitados, aí você fica cada vez mais envolvida, é uma citação da Bíblia depois da outra, e as manchetes dos jornais provam que o Apocalipse estava certo, e aí você começa a achar que nunca mais vai conseguir se livrar deles. Janice não gosta de muita gente dentro da cozinha dela. Nunca foi muito boa nas tarefas domésticas, motivo pelo qual era sempre alvo das ironias de Harry (se bem que a mãe dele nunca fora nenhuma Martha Stewart, nem ele era um faz-tudo como o Ronnie ou o Webb Murkett, aquele rapaz simpático que eles conheciam), de modo que para Janice foi um alívio passar a tomar chá em vez de café junto com Ronnie, depois que o médico dele mandou. Ela nunca conseguia calcular a quantidade exata de pó, enquanto chá era só colocar o saquinho na caneca, pôr a caneca no microondas e pronto. Ela usa chá Lipton mesmo, que patrocinava um programa de rádio que ela ouvia quando menina, aquela musiquinha do pinga-pinga, ou será que era do café Maxwell House? Doris Kaufmann e outras pessoas vivem insistindo para ela provar chá natural de ervas, ou de jasmim, ou chá verde, que dizem agora que faz bem, é preventivo de tudo, de soluço a câncer no intestino, mas Janice não consegue entender qual é a graça de beber uma coisa que não dá nenhum barato.

Leva dois minutos e vinte segundos para esquentar. Annabelle fica acompanhando a contagem regressiva do mostrador eletrônico por algum tempo, depois vai até a janela dos fundos e olha para a varanda de trás. "Uma beleza, esse quintal, tão ensolarado", diz ela. "A frente da casa é tão escura."

"Os bordos. Eles não param de crescer. Nós perdemos algumas árvores com o passar dos anos. Tinha uma faia linda que dava sombra no lado da casa, sinto a maior falta dela. Você tem certeza que não quer beber nada?" Janice não consegue usar aquele nome pretensioso da moça, nome de personagem de romance. Está pensando que o que ela própria quer, na verdade, para atenuar a sensação de choque e ajudar a agüentar a sensação de estranheza, é uma taça de xerez seco.

"Um copo d'água seria ótimo."

"Só água? Com gelo?"

"Ah, não, sem gelo. A senhora nem imagina como tem micróbio no gelo."

Harry sempre fazia com que ela se sentisse impura, mesmo quando não tinha razão. Ela entrega à moça um copo cheio de água límpida. Impressões digitais sobre impressões digitais. Agora usam DNA — apesar de que mesmo assim O. J. Simpson se deu bem. Aquela promotora de perna comprida era tão esperta que acabou se enrolando, e o tal advogado negro não vacilou. A moça parece estar pensando, do jeito que fica olhando para lá, em sair pela porta dos fundos e se instalar na varanda, para ficar apreciando a horta e os velhos balanços, porém Janice leva-a com firmeza de volta para a sala, escura e pouco utilizada. Porque é o caminho da porta da rua. Ela deixa a moça ir à sua frente e demora-se apenas o tempo suficiente para pegar no aparador na sala de jantar a garrafa de xerez Taylor, desatarraxar a tampa e derramar um bocadinho no chá. O sabor generoso e pardacento da bebida lhe sobe à boca e encobre o cheiro de anti-séptico que a moça deixa por onde passa, uma espécie de solução para bochecho que emana de sua nuca e seus braços nus. "Imagino que você já tenha me contado tudo que eu preciso saber", diz ela quando retomam seus lugares.

Annabelle não responde na afirmativa. Continua: "Eu estava falando dos meus pais; quando eu era criança não sabia quando eles haviam se casado, e depois que já tinha idade bastante pra sentir curiosidade minha mãe reconheceu que talvez eu tivesse nascido antes do casamento, porque a mãe de meu pai ainda estava viva mas muito doente, e o casamento podia apressar a morte dela. O que até fazia sentido, porque isso foi em 1960, quando as coisas ainda não eram liberais".

Que coisas ainda não eram liberais?, Janice pergunta a si própria. O aborto, imagina ela. E casais jovens vivendo juntos. Mas essas coisas já aconteciam naquela época também, só que às escondidas. O ano de 1959 lhe parece muito próximo, tão próximo quanto as batidas de seu coração, que também já batia naquela época, no fundo do túnel do tempo, aquele mesmo músculo fiel, na sua escuridão de sangue. Ela, porém, não quer prolongar a discussão; não quer envolver-se, embora sinta que alguma coisa a puxa de volta para o buraco triste e úmido do passado.

A moça parece ler seus pensamentos. "É, minha mãe me contou", diz ela, "o... sei lá como é que se diz, o caso que ela teve com o meu... com o seu marido, o senhor Angstrom, eles moraram juntos acho que na Summer Street por uns três meses. Ele nunca soube se minha mãe acabou resolvendo me ter ou não. Eu o conheci, a senhora sabe. Estive com ele algumas vezes, sem saber quem ele era. Quer dizer, sem saber do parentesco comigo. Ele uma vez esteve internado no St. Joseph's quando eu ainda trabalhava lá. Uma angioplastia, se não me engano. Ele era muito sedutor. Sempre fazendo graça."

"Ele morreu na Flórida", diz Janice em tom de acusação, "menos de seis meses depois. Infarto. Tinha só cinqüenta e seis anos." Como se esses fatos concretos, tão duros para ela na época, pudessem ter o efeito de separar Harry daquela moça.

"Ele devia ter feito uma ponte de safena, pelo visto. Naquela época não era tão comum."

"Foi ele que não quis. Não queria que mexessem no organismo dele. Tinha medo." Janice se surpreende quando sua voz começa a falhar e seus olhos a arder no limiar das lágrimas, como se estivesse se acusando de não ter dado a Harry uma vida que valesse a pena viver. Ela não telefonou para ele na Flórida, embora ele tivesse pedido. Harry estava sempre pedindo perdão, e ela não o perdoou.

"E antes disso", prossegue a moça, insensível, "quando eu ainda era assistente em Sunnyside, um rapaz que conheci em Galilee, chamado Jamie — nós estávamos morando juntos, num apartamentozinho no Youngquist Boulevard, mas aí o proprietário pôs à venda os apartamentos do prédio e a gente acabou se separando, mas essa é outra história —, eu e ele fomos ver umas Toyotas lá na Route 111. Compramos uma, se bem que não naquele dia, quando o senhor Angstrom estava lá. Eu o achei muito simpático. Ele prestou atenção em mim, não ficou só falando com o homem, não, nem tentou pressionar a gente como costumam fazer os vendedores de carros."

"Vender não era bem a vocação dele", observa Janice. "Depois que terminou o secundário, ele não teve vocação pra nada."

Mas ele era tão bonito, relembra Janice, naqueles corredores do colégio — tão alto, aquele cabelo bonito de viking penteado para trás mas caindo numas mechas sexy sobre a testa, igual ao Allan Ladd, cabelo que ele jogava para trás com aquelas mãos muito brancas, grandes, graciosas, enquanto brincava com as colegas da última série, como aquela namorada alta dele, Mary Ann, as pálpebras dos olhos semicerradas, o mundo daqueles corredores era todo dele, claro que ele não prestava nenhuma atenção nela, aquela tampinha da nona série. Eles só começaram quando estavam os dois trabalhando na Kroll's, em Brewer, ela na seção de amendoins e balas, ele depois de passar dois anos no Exército, que acabou servindo no Texas e não na Coréia, onde podia até morrer. Ele sempre falava na Coréia como se tivesse perdido alguma coisa por não ter ido lá e depois voltado para casa para levar uma vida tranqüila. Ninguém quer a guerra, mas os homens também não querem só a paz.

"É", suspira Annabelle, concordando até depressa demais, sem compreender como nós todos éramos simples naquele tempo, "ele era um atleta maravilhoso, lembro dos recortes de jornal que tinha na loja, e depois minha mãe me contou. Ela estudava num outro colégio, que às vezes jogava com o dele. Ela falava muito nele, quando puxava o assunto, antes de... falecer. Fiquei sabendo da senhora, e do Nelson, e da vez que a sua casa pegou fogo, minha mãe acompanhou tudo pelos jornais, imagino. Ela se interessava. O tom em que falava nisso, já perto do fim, não tinha nada de rancor. Foi uma coisa de época, ela dizia. Ele se envolveu, e o que é que podia fazer? Fosse como fosse, eu não fui nenhum presente, ela dizia."

Ruth e suas opiniões, que jamais mereceram nenhuma consideração sua durante todos esses anos, agora invadiam a sala. "Não diga" é o único comentário que ocorre a Janice, sentindo que o álcool já está em seu sangue, começando a dar um tom mais agradável a esse pesadelo. Que mal podem lhe fazer agora coisas que aconteceram quarenta anos atrás?

"Ele visitou minha mãe, sabe", prossegue a moça, com os gestos cada vez mais livres, o corpo cada vez maior, cruzando e recruzando as pernas brancas no sofá, o vestido de algodão bege subindo e expondo cada vez mais suas coxas. Também o cabelo parece muito curto, e ele se sacode demais quando ela inclina a cabeça para a frente. Há um toque de vaidade, de agressividade, naquele cabelo — tão abundante, de tantas cores, com aquele corte estudadamente descuidado, fios curtos misturados com longos. "Acho que foi no ano que ele morreu. Não sei como, ele descobriu onde era a nossa fazenda."

"É mesmo?" É horrível. O caso que Harry teve com Thelma, ela e Ronnie enterraram juntos, nunca mais o mencionando desde que passaram a fase de namoro em que os dois confessaram tudo. Eles haviam triunfado, eles eram os sobreviventes, Harry e Thelma eram sombras, cadáveres, a se dissolver dentro dos caixões enterrados, a pele se esfacelando, cada vez mais apertada, como aquela menina peruana oferecida em sacrifício que encontraram no alto da montanha, uma idéia insuportável de se pensar. Mas ao saber que ao mesmo tempo em que freqüentava Thelma ele procurava aquela piranha gorda por todo o condado de Diamond, Janice tem a impressão de que Harry depois de morto está perturbando sua paz de espírito, tal como no tempo em que estava vivo. Ele simplesmente não conseguia ser uma pessoa normal, respeitável, confiável. Ele se achava acima disso. Aquela moça, ao mesmo tempo acanhada e assanhada, simpática e no entanto com alguma coisa que não lhe agrada, é sua emissária do outro mundo. Janice não quer ter nada a ver com essa história, com essa moça. Pergunta: "Mas por que ele foi fazer isso?".

A moça junta os joelhos e inclina-se para a frente, para dar ênfase às palavras, mas o vestido é tão curto que o triângulo da calcinha aparece assim mesmo. "Pra ter notícias de mim, segundo minha mãe. Mas ela não quis dizer nada a ele. Queria me manter pura, sem contato com ele. Aí, acho que quando ela percebeu que, sabe, o fim estava chegando, mudou de idéia e resolveu me contar." Os olhos da moça agora estão menos leitosos, ali à luz atenuada da sala de estar, e brilham de importância, a importância que sua história lhe confere.

"*Pra quê?*", exclama Janice, resistindo à pressão. "Pra que remexer o passado? Pra que remoer coisas que não têm mais jeito? Com licença", diz. "Preciso reforçar meu chá." Ela nem finge voltar à cozinha, limita-se a colocar mais xerez na xícara ali mesmo, sob as vistas da moça, se ela resolver levantar a cabeça e olhar. Mas na sala de estar Annabelle está olhando fixamente para aquele pesado ovo de vidro verde, com uma bolha dentro, em cima da televisão morta, junto com as outras quinquilharias que Bessie Springer acumulou para alardear sua prosperidade à medida que a agência de carros do marido foi crescendo. Sua mãe e seu casaco de pele, e seu Chrysler azul — naquele tempo o mundo era mais simples, o orgulho das pessoas se satisfazia com essas coisas. A moça, com aquela perna desnudada agora que ela afundou no sofá, e a suéter azul caída dos braços nus, tem um jeito meio apiranhado de exibir o corpo que deve ser herança da mãe. E também alguma coisa suave, vazia, de menina sem pai, naquele rosto em perfil que recebe a luz tão passivamente quanto o ovo de vidro verde.

A moça sente o olhar de Janice sobre ela, vira-se e diz: "É muito constrangedor, não é? Eu aparecer assim de repente. Constrangedor pra mim e pra senhora". O lábio superior é gordo, o que dá a seu sorriso um toque interrogativo e infantil. Ela parece vulnerável.

"Bom", Janice pronuncia, reinstalada em sua bergère com a caneca cheia de chá reforçado, cujo ressaibo confortador lhe facilita assumir uma postura de autoridade. Há anos ela jurou que jamais se permitiria engordar como sua mãe, mas tinha de reconhecer que admirava o modo como, em seus últimos anos de vida, o marido já morto, toda sua geração se extinguindo, sua mãe assumiu o poder, controlando as finanças da família e defendendo seus conceitos de decência e decoro. Morando naquela casa, Janice ainda se sente cercada por ela — a mobília imutável de Bessie Springer, sua inquebrantável convicção de seu próprio valor. A teimosia dos Koerners, sua mãe comentava quando ria de si mesma. "Vai ver que a intenção da sua mãe era essa mesma, constranger todo mundo", diz Janice à moça. "Como ela podia achar que seria bom pra você ela fazer essa revelação quando você já estava crescida? Pra criar confusão, só isso. E sabe-se lá se é verdade mesmo." Se bem que ela tem a impressão de que é verdade, sim — há um toque de Harry, um brilho fraco, um fluxo perturbador que emana dessa moça, dessa prova viva de trinta e nove anos de idade.

"Ah, ela não ia inventar, a coisa foi saindo dela aos borbotões. Minha mãe não era disso, de inventar coisas. Ela vivia lendo romance policial, e dizia sempre: 'Como eles conseguem inventar isso tudo? Eles devem ter um parafuso a menos'. Ela até me mostrou minha certidão de nascimento, num hospital em Pottstown. 'Pai desconhecido', estava escrito."

"Isso mesmo, desconhecido", insiste Janice, como um advogado que sabe que a causa está perdida.

"A senhora perguntou por quê", diz Annabelle. "Acho que ela pensou" — e de repente as lágrimas refletem a luz em seus olhos, o lábio superior gorducho estremece, fora de controle — "que vocês podiam me ajudar, sei lá." Ela ri de suas próprias lágrimas, enxuga o rosto com mãos eficientes, mãos acostumadas a cuidar das pessoas — a esfregar, segurar, acariciar, agarrar —, cuidados de enfermeira. "Eu era uma pessoa muito só, ela deve ter pensado. E os meus irmãos, o Scott foi para Seattle, o Morris pra Delaware — foi ele quem ficou mais zangado quando ela vendeu a fazenda e foi morar comigo em Brewer. Ele achava que ia conseguir administrar a fazenda e morar lá, mas não seria justo ela deixar tudo pra ele. Além do quê, uma fazenda daquele tamanho já não dava mais sustento pra ninguém. Até mesmo meu pai — até o Frank — foi trabalhar no ônibus escolar do município pra poder pagar as contas no final do mês."

"Então a questão é dinheiro?", pergunta Janice, agora alerta, aquela indefinição ganhando forma. Dinheiro é uma coisa para a qual ela leva jeito; está no seu sangue de Springer. Ela trabalhou como contadora para o pai, e depois para Nelson, fazia o melhor que podia, só que no final ele tinha coisas demais para esconder. Ronnie tem suas economias e sua pensão, mas ela ainda cuida de sua própria herança, sabe quais as datas de aniversário dos certificados de depósito e sabe evitar que os impostos sobre ganhos de capital reduzam as aplicações em fundos de investimentos: os administradores de alguns deles inflam os rendimentos para causar boa impressão no relatório anual. Essa moça não vai levar um tostão dela. Janice bebe um gole de chá e encara a invasora.

Annabelle pensa sobre a pergunta, revirando os olhos. "Nã-ão, acho que não é isso, não. Eu ganho vinte por hora lá na agência e dou turno de doze horas de vez em quando. Minha mãe deixou pra nós um dinheirinho razoável, mesmo dividido por três. A hipoteca da fazenda era bem pequena, comparada ao dinheiro de hoje. E ela acabou arranjando um emprego bom, nos últimos quinze anos, na empresa de consultoria de investimentos que fica naquele prédio novo de vidro lá no centro. Ela até achava graça de botar salto alto e meia-calça todo dia para ir trabalhar, depois de viver a vida inteira como uma roceira mal-ajambrada. Ela conseguiu baixar o peso pra setenta quilos."

"Trabalhar é maravilhoso", concorda Janice. "As mulheres da nossa geração começaram tarde." É com certo desconforto que ela se coloca no mesmo barco que Ruth, a indizível Ruth, que mantinha seu marido cativo do outro lado do monte Judge, Ruth, o avesso traiçoeiro de todas as coisas respeitáveis.

"Não, a questão não é dinheiro, não", diz Annabelle, avançando para a beira do sofá, preparando-se para se levantar, ajeitando a suéter nos ombros, agarrando a bolsinha listrada amarela, preta e vermelha. "A questão era família, acho. Mas tudo bem, senhora Harrison. Já entendi que a senhora prefere não se envolver, e pra falar com franqueza eu compreendo perfeitamente. Quem teve a idéia foi a minha mãe, e ela já estava com a cabeça meio ruim por causa dos remédios. Quando uma pessoa está pra morrer ela não fica muito sensata, se bem que devia. Fiz isso mais por ela do que por mim, porque ela me pediu." Fica em pé e olha para baixo, para Janice.

"Mas espere aí."

"A senhora foi até muito paciente. Sei que essa história é muito chocante." Aquelas mãos hábeis e sólidas mexem no cabelo cuidadosamente despenteado, como se fosse ela que tivesse levado o choque.

Janice diz na defensiva: "É que não dá pra você aparecer assim de repente dizendo uma coisa dessas".

"Não vi outra maneira de agir. Achei que não dava pra escrever uma carta nem falar por telefone." Com os movimentos rápidos adquiridos por força da profissão, dá os poucos passos necessários para chegar à porta e põe a mão na maçaneta, uma maçaneta tradicional, com um desenho em relevo que o contato de muitas mãos deixou reluzente, uma espécie de bordado em latão. Ela abre a porta emperrenta com um estalo que deixa no ar uma pequena reverberação, um grito que morre aos poucos.

Há algo de pungente naquele corpo feminino forte, que se movimenta quase como um corpo de homem, como aquelas jogadoras de futebol que derrotaram a seleção da China no verão. Janice está sempre perdendo filhas: primeiro Becky, depois Teresa, que largou Nelson após quase vinte anos, e Judy aos dezenove anos, reservada e emburrada, vivendo exclusivamente entre os fones do walkman, excluindo a avó por completo. Começa a dizer: "Annabelle, desculpe se pareci uma burra...".

"A senhora, não. Eu é que dei uma de burra. A senhora parece mais é desconfiada, e cheia de razão. Obrigada pelo copo d'água."

"Preciso pensar, e conversar com o Ronnie e o Nelson."

"Nelson. Isso mesmo. Meu irmão. Na minha cabeça ele é um menininho. Minha mãe me contou que naqueles meses que eles passaram juntos o seu marido falava dele o tempo todo, estava sempre preocupado com ele."

Agora a moça está na varanda, pisando o capacho de fibra de coco; atrás dela o tráfego ralo do final da manhã passa sussurrando, as folhas dos bordos, poeirentas, cansadas, mordiscadas, lançam uma sombra mosqueada de sol sobre o Lexus vermelho novo estacionado junto ao meio-fio. Comprado com o dinheiro da herança, pensa Janice. A vizinha abelhuda da casa em frente finalmente saiu da varanda. "Como a gente entra em contato com você, se precisar?"

Os pés de Annabelle, calçados em sapatos bege de salto baixo, estalam sobre as tábuas do piso da varanda, depois param. Ela se vira e diz: "Estou na lista telefônica. B-Y-E-R. O primeiro nome aparece como A., é o único só com essa letra. Não ligue depois das nove da noite, por favor. Eu acordo às cinco e meia". A dureza da mãe se manifesta. "Mas não se sinta obrigada a ligar, não." Então o rosto redondo e alegre volta a ser um rosto infantil; ela sorri do jeito que as crianças sorriem, num movimento súbito e confuso de absolvição. "Eu não vou ficar contando com isso. Foi um prazer conversar com a senhora. Desculpe eu vir com uma história que já estava morta e enterrada."

"Quem era bom de enterrada", diz Janice, animada pelo xerez a ponto de fazer graça, "era o seu pai, no basquete."

O resto do dia ela tem a impressão de que está atravessando de fininho aquela tarde seca e ensolarada de setembro, no seu Le Baron conversível preto 1995, o último ano em que esse modelo foi fabricado. Ela não entende por que a Chrysler parou de fazê-lo. Janice o adora, ele é fácil de manejar e combina muito bem com ela, com um lenço amarrado na cabeça, a esvoaçar, e óculos escuros DKNY. A compra do Le Baron cinco anos antes foi a coisa mais extravagante que ela já fez para si própria, pelo menos desde que enviuvou. Quer dizer, depois que se casou com Ronnie não era mais viúva. Ela era a segunda esposa dele, e ele o segundo marido dela. Há um certo glamour picante no segundo casamento, se bem que nunca é igual ao primeiro, tão solene, os dois levando tão a sério os juramentos, passando sempre a noite toda juntos, nunca dizendo não, os pais todos ainda vivos de olho na gente, atentos para qualquer erro. Ela cometeu um erro, um erro terrível, e outros também, como Charlie, ainda que ela não consiga considerar Charlie um erro. Foi ele quem a libertou e a ajudou a recuperar o amor-próprio. E o mais estranho de tudo é que ele continuou amigo de Harry, e até mesmo a mãe de Janice gostava dele — Charlie sabia lidar muito bem com Bessie Springer. Morreu, coitado, dois anos atrás, ou três, sozinho num apartamento na zona sudoeste de Brewer, o antigo bairro polonês e grego que depois virou bairro hispânico, foi encontrado morto no sofá, o jornal aberto no peito, fechou os olhos para cochilar e foi-se. Charlie era assim, fazia tudo sem estardalhaço, e aquele coração fraco que ele sempre temia que estourasse na hora do amor um belo dia simplesmente resolveu parar. Quando morre um homem que a gente amou é como a morte dos pais da gente, menos uma testemunha da nossa vida. Agora, com o distanciamento da idade, ela não consegue mais achar que Harry foi o culpado de todos os problemas do início do casamento, ele também estava aprendendo a viver: a vida, o sexo, os filhos, descobrir quem ele mesmo era. Já o segundo casamento é uma coisa mais leve. A gente espera ganhar um pouco de companheirismo, divertir-se um pouco sem fazer mal a ninguém. Nelson caçoa do conversível, diz que é o Batmóvel dela, mas ela sabe que é só porque ele está decepcionado, o casamento dele fracassou daquela maneira, nem mesmo um divórcio de verdade. Ele diz que não tem dinheiro para isso, e a Teresa diz que quer esperar até Roy completar dezoito anos. Ou então, pensa Janice, até aparecer um homem interessante lá em Akron.

Engraçado, depois de tantos anos com os Toyotas do pai, ela voltar agora a ter um carro nacional. Já Ronnie sempre teve carro nacional. No tempo em que era casado com Thelma, ele teve uma sucessão de carros anódinos, sérios, carros de vendedor de seguros, modestos mas adequados, como a renda que a família recebe depois que o cliente sai de cena, como eles dizem, ela já não lembra quais eram as marcas, Chevrolet ou Ford. Só de pensar naquele tempo, Thelma tendo um caso com Harry quase até a véspera da morte dela, Janice sente um vazio doído por dentro. Agora Ronnie tem um Taurus novo, cinza-prateado, parece uma frigideira Teflon, aquela pinta dos carros modelo 1999, todo cheio de ovais — as lanternas traseiras, os faróis, a maçaneta embutida, tudo igual, e a traseira, onde tem o porta-malas, tudo uma oval só, contínua, como um bigode, ou um rolo de massa de biscoito que a gente aperta no meio. Antigamente os carros tinham uma forma mais ousada, como os aviões, no tempo em que a gasolina era barata, sete centavos o litro.

Ao meio-dia ela mostra uma casa num condomínio novo, ao sul de Maiden Springs, para um casal jovem que esperava encontrar algo menor. Não constroem mais casas pequenas hoje em dia, Janice explica, os terrenos estão muito caros e as pessoas têm muito dinheiro. E no entanto esse mesmo casal fica horrorizado quando vai ver uma casa muito boazinha, em ótimo estado, na zona norte de Brewer, num quarteirão onde todas as casas são iguais, com um jardim em terraços na frente coberto de hera e o terceiro andar convertido em apartamento independente (com escada própria) para possibilitar uma renda extra até que eles precisem de mais espaço quando a família aumentar. "Esse bairro é", pergunta o rapaz, "é muito misturado?" Ele não deve ter mais de vinte e cinco anos mas já está meio gordo, mole, todo cheio de nove-horas e irritadiço, como costumam ser as pessoas gordas, porque as roupas estão sempre apertando e porque arrastar aquele corpanzil de um lado para o outro é sempre um esforço. Hoje em dia tem muita gente jovem, até mesmo aquela moça de hoje de manhã, com cara de quem nunca pega sol, que vive fechada em casa. Janice está constantemente bronzeada, uma das poucas coisas a respeito dela mesma que sempre gostou. Isso e mais as pernas, que nunca ficaram gordas e tortas.

Ela responde, animada: "Pode ser que tenha uma ou outra família de alguma minoria, de classe média ascendente, no próximo quarteirão, mas o que mais tem é classe média alta, um ambiente muito bom para os seus filhos quando eles nascerem. Aqui neste bairro até hoje tem mercearias e lojinhas de serviços, muita gente está voltando do subúrbio pra aproveitar as vantagens de morar perto do centro, uma atmosfera mais estimulante. As pessoas *querem* mais variedade étnica, pra terem mais convivência, elas e os filhos. Estão abrindo uns restaurantes chiques por aqui, e também umas butiques novas na Weiser Street, que passou tanto tempo cheia de prédios abandonados. Falando sério, morar no centro agora está na moda".

"Eu não consigo me imaginar grávida subindo essa escadaria toda", diz a cliente em potencial contemplando o jardim em terraços, com degraus de concreto e uma grade de ferro pintada de verde-piscina, a mesma cor dos remates um tanto excessivos da varanda. À medida que esses quarteirões, com sua mesmice industrial de escadas, muros, varandas, portas com bandeiras e cumeeiras pontudas recobertas de ripas, antes ocupados por trabalhadores descendentes de alemães, foram sendo ocupados por uma população mais variada, os remates e alizares de portas e janelas foram ganhando cores mais festivas, carnavalescas — verde, amarelo-canário, roxo, um azul-claro lembrado, talvez, de algum mar de águas cálidas.

Gerações de mulheres subiram, Janice pensa, mas não se permite dizer. *Um pouco de exercício vai lhe fazer muito bem, dona Mariquinhas.* "Alguns moradores construíram garagem no andar de cima, nos fundos", diz ela. "Tem que pedir permissão, mas é possível. Se vocês não querem nem olhar, vamos ver o que é que aparece semana que vem. As casas na faixa de preço que vocês querem vão embora na mesma hora. Parece mentira, mas com todas as dificuldades dos últimos anos nesta região, o fato é que os imóveis estão bem valorizados no condado de Diamond. Os compradores oferecem logo o que o proprietário pede, pra garantir a compra. Os moradores de Filadélfia se aposentam e vêm morar aqui agora. Eles dizem que gostam do ritmo mais tranqüilo, do ambiente simpático." E no entanto, Janice não acrescenta, durante toda a sua infância e juventude Brewer era considerada uma cidade suja e corrupta, onde mandavam os gângsteres, os policiais desonestos, os capangas das companhias de aço e carvão e das indústrias têxteis, uma cidade onde as crianças compravam bilhetes de jogo ilegal nas tabacarias e os becos perto da estação ferroviária eram cheios de randevus, como se dizia na época.

De repente Janice sente um mal-estar quando se dá conta de que ali, na parte mais alta do Locust Boulevard, de onde se tem uma vista ampla dos quarteirões densamente povoados — tijolo e coberturas de asfalto e copas de árvores — descendo em direção ao rio, que faz uma curva a um quilômetro e meio dali, uma vista interrompida pelo edifício do fórum, com seu anexo, um prédio quadrado de vidro, e o outro caixote de vidro bem em frente ao lugar onde antigamente ficava a Kroll's, ela está a poucos quarteirões da Summer Street, onde foi concebida a moça que esteve em sua casa hoje de manhã, se o que ela disse é mesmo verdade. Essa idéia a perturba e ao mesmo tempo a deixa excitada, como se estivesse à beira de um cânion que só ela vê. Janice está viva; as pessoas que lhe impuseram aquela humilhação, tantos anos atrás, já morreram.

Na hora do almoço ela não volta a Mt. Judge, onde a entregadora dos correios deve ter deixado contas e anúncios na entrada e o sol da manhã estará começando a penetrar na sala de visitas, inserindo um feixe de sol cheio de poeira dourada atrás da televisão Zenith. Ela não quer voltar para a casa que foi conspurcada pela presença da moça, o passado voltando daquele jeito. Em vez disso, come um sanduíche de salada de atum e toma uma Coca Diet no West Brewer Diner, que abre vinte e quatro horas por dia. Antigamente ela vinha aqui depois das festas em Mt. Judge; o lugar já mudou de dono, gerações de garçonetes se sucederam, mas o aspecto geral da lanchonete — os reservados junto às janelas dos dois lados, o balcão comprido forrado de alumínio diamantado, com a abertura por onde o pessoal da cozinha passa os pedidos, até mesmo as pequenas jukeboxes individuais, com páginas de sucessos pop e country — permanece idêntico.

Uma moça esguia de sobrancelhas negras, espantosamente bela, vem servir Janice, e tamanha beleza em meio às outras garçonetes, algumas mulheres de meia-idade, outras adolescentes gorduchas cheias de espinhas, chega a doer nos olhos de Janice. Cabelo negro, olhos negros, nariz reto, queixo firme e arredondado, boca macia. Grega, italiana, talvez até armênia: ela própria morena, Janice sente-se particularmente atraída por esse tipo de beleza. Quando a moça fala, é com o sotaque arrastado da região — "Diga lá, minha querida, o que vai ser?" —, e na mesma hora Janice tem uma visão do futuro triste que a aguarda: o casamento, uma gravidez depois da outra, a comida pesada, a beleza perdida. Reduzida a uma faísca aguda, uma agulha de descontentamento intenso, perdida naquelas ruas de casas todas iguais e toldos de alumínio e varandinhas onde as moradoras pacientes se espapaçam nas tardes de calor, pensando no que foi que aconteceu com elas. A televisão, que antes as convencia a comprar perfume e jeans de grife, pouco a pouco passa a lhes vender complexos de vitaminas e adesivos para dentaduras recomendados por estrelas de cinema envelhecidas. É um erro ser belo quando jovem, um erro que Harry cometeu, mas não Janice; ela ainda tem espaço para crescer, como dizia sua mãe no tempo em que lhe comprava, por economia, roupas dois números acima do dela. Janice deixa um dólar de gorjeta para a garçonete, embora o sanduíche e a Coca custem menos de cinco dólares, incluindo os vinte e cinco centavos que ela pôs na jukebox para ouvir Patsy Cline cantar "Crazy" mais uma vez antes de morrer. Patsy Cline, que morreu tão jovem num desastre de avião, igual àquele pobre rapaz da família Kennedy. E nem era a gravação de Patsy Cline, e sim a de uma jovem "diva" da música popular, de modo que foram vinte e cinco centavos jogados fora.

Passa por West Brewer a caminho da casa de Doris Kaufmann, onde vai jogar bridge, em Penn Park, as ruas cada vez mais curvas e mais caras, já fora da grade retangular do perímetro urbano de Brewer. O sobrenome dela era Kaufmann quando Janice a conheceu, depois mudou para Eberhardt, e anos atrás Eberhardt morreu e Doris conseguiu fisgar Henry Dietrich, neto do fundador da Dietrich, a companhia de lingerie, que só fechou as portas depois da guerra. Para chegar lá, Janice segue pela Weiser e passa pela Emberly Avenue, a qual dá na Everly Drive e depois na Vista Crescent, onde ela, Harry e Nelson haviam morado até a casa ser incendiada pelos vizinhos racistas, por causa das coisas que aconteciam nela. Janice até compreendia os vizinhos, uma loucura Harry permitir aquilo tudo, lá pelos motivos egoístas dele. Ele era uma pessoa tremendamente egoísta, e a ficha só caiu para ela depois que se casou com Ronnie, tão responsável e metódico. Tem homens que não pensam antes de dar o salto, e tem homens que pensam. E agora essa moça de trinta e nove anos lhe aparece, agindo igual ao pai, toda cheia de si e inocente.

Janice gosta do bridge porque se encontra com as amigas e fica sabendo das últimas do mercado imobiliário em Penn Park, mas hoje o jogo lhe provoca um pouco de dor de cabeça na parte de trás do crânio. Primeiro ela dá um lance alto demais, depois, para compensar, outro baixo demais, parando em três espadas quando devia ter ido, ela percebe depois, até o pequeno *slam*. Doris, sua parceira naquela rodada de quatro, fica contrariada, embora tente disfarçar a irritação com um excesso de boas maneiras. "Com doze pontos na sua mão", explica ela, embaralhando as cartas, fazendo-as estalar com aquele ruído seco de que só os peritos são capazes, "depois que eu abri, mostrando pelo menos treze na minha, e com quatro espadas, inclusive duas figuradas, você podia pelo menos ir a *game.*"

"Você me confundiu quando mudou pra ouros. Eu só tinha duas."

"Eu estava mostrando um segundo naipe caso você precisasse. Eu estava me comunicando com você", retruca a outra, batendo na mesa com o baralho e pegando o Newport com filtro vermelho que havia deixado aceso no cinzeiro. Doris é uma das últimas mulheres das relações de Janice que ainda fumam, embora já esteja beirando os setenta, se é que não chegou lá; ela não revela a ninguém.

Janice se defende: "Achei que podia ser alguma convenção que eu não conhecia". Se ela decepcionou Doris nessa rodada, Doris a vem decepcionando de uns tempos para cá, porque está envelhecendo: até mesmo as bochechas estão enrugadas, como as de Clint Eastwood, as pálpebras murchas caídas sobre os cílios, as mãos longas e morenas que seguram as cartas mais parecem garras. Os anéis grossos, cheios de jóias, resíduo acumulado de seus maridos, deslizam frouxos pelos dedos ossudos; as pulseiras estalam quando ela mexe os braços. Antigamente Janice a admirava porque ela entendia de todos os assuntos, mas Doris a traiu se transformando numa bruxa velha, ranheta, mouca, metida a sabe-tudo. Doris retruca, seca: "Eu não ia passar pra dois de um naipe fraco depois de abrir com uma espada".

As duas outras mulheres sentadas à mesa, a qual parece, no meio do imenso salão dos Dietrichs, uma pequena balsa salva-vidas em alto-mar, são Amy McNear, que também começou a trabalhar como corretora imobiliária depois que o marido faleceu, e Norma Hammacher, a quem Janice vai perguntar, assim que tiver mais intimidade com ela, se é parente de Linda Hammacher, que foi sua colega de trabalho na Kroll's; era o apartamento dela, em Brewer, com vista para os gasômetros à beira-rio, e a cama dela que Janice e

Harry utilizavam quando trabalhavam juntos na loja e começaram a namorar. Já haviam acontecido algumas coisas com ela desde os tempos em que era uma menina bobinha que cursava o primeiro ano do secundário e ficava toda embevecida quando ele passava pelo corredor. No terceiro ano do colegial, Janice deixou que o namorado, Jerry Nagle, passasse a mão nela e gozasse sobre seu ventre no Packard do pai dela, e depois, no último ano, Warren Bixler lhe dava beijos de língua e usava a mão dela para se masturbar depois do cinema, uma coisa muito grosseira mas que a ajudou a entender exatamente como o negócio funcionava, e depois, no verão após a formatura, seu pai alugou por um mês uma casa de praia num campo de férias metodista em Rehoboth, Delaware, onde ela andava o dia inteiro de maiô, bronzeada como uma polinésia, e se sentia muito livre e solta. Naquele verão, enturmou-se com uma garotada de Washington, D.C. que não tinha nenhum limite, porque os pais militares ou diplomatas nunca estavam em casa. Passavam o dia inteiro andando pela praia e à noite pegavam seus carros e iam até Whiskey Beach, onde havia um casarão cor-de-rosa que pertencera a um membro da família Du Pont, com torres altas e seteiras que davam para o mar, como se para detectar a aproximação de submarinos, e aqueles universitários preparavam uma bebida que eles chamavam de Jesus Roxo, uma mistura de suco de uva com vodca, em latões de lixo de ferro galvanizado, a primeira vez na vida que Janice bebeu alguma coisa mais forte do que cerveja. Com o passar das semanas, resolveu que já era hora, e deixou que um rapaz de ombros largos e bunda estreita de Chevy Chase fizesse a coisa com ela, ali nas dunas, numa toalha cheia de areia, de onde dava para ver a fogueira logo atrás do perfil vago da duna mais próxima. Janice viu a luz brilhar na borracha da camisinha quando o rapaz a colocou: foi um gesto prudente e delicado da parte dele, mas provavelmente por isso acabou doendo mais do que se fosse com a lubrificação natural dos corpos; doeu mas funcionou, ela se tornou mulher de verdade em agosto de 1954, o primeiro nome dele era Grant, desgraçadamente ela havia esquecido o sobrenome, mas ele tinha de voltar para casa com a família no dia seguinte, ou dois dias depois, e ela não deixaria que ele fizesse de novo, estava machucada e morrendo de medo.

"Janice. Dê o lance", Doris estava dizendo.

"Eu passo", diz ela, embora veja alguns ases e reis em meio às cartas abertas em leque. Ela e Grant se corresponderam por algum tempo, mas ela achava sua própria letra feia e nunca sabia o que contar para ele, e acabou deixando a correspondência morrer.

Apesar de se sentir um pouco zonza de tanto Jesus Roxo e de estar morrendo de vergonha de pensar que alguém poderia vir da fogueira até o outro lado da duna para mijar, achou bom estar deitada ali, sustentando o peso do mundo na forma do corpo daquele rapaz ofegante, sabendo que ela fora feita para suportar aquilo, aquelas investidas dolorosas, os gemidos dele na hora do orgasmo. Os homens ficam tão comoventes quando gozam, cheios de gratidão por um minuto. Depois disso, teve um ou dois namorados, no tempo em que trabalhava na agência de carros usados do pai, arquivando documentos e cuidando dos livros, antes de o pai arranjar a franquia da Toyota, e isso numa época em que ninguém nunca tinha ouvido falar em carro japonês, mas quando não estava ao sol da praia ela tinha a impressão de que perdia alguma coisa, o pouco glamour que possuía, e foi por isso que acabou gostando da Flórida. Para fugir dos pais, pois já ia fazer vinte anos e nada estava acontecendo, foi trabalhar na Kroll's, no balcão de balas e amendoins; usava um guarda-pó branco com "Jan" costurado no bolso, embora seus pais sempre fizessem questão de chamá-la "Janice", pronunciando o nome por completo com firmeza, saboreando-o, a filha única deles, tão mimada e protegida. E lá na Kroll's encontrou, fazendo o trabalho mais braçal da loja, na seção de empacotamento e entregas, aquele cara altão lindo dos tempos do secundário, quando ele era o grande craque do time de basquete, no tempo em que ela era uma caloura raquítica de cabelo ralo que uma franjinha na testa não conseguia disfarçar. Ele também fazia corrida de quatrocentos metros e revezamento de mil e quinhentos, mas as pessoas se lembravam dele era como jogador de basquete, as que se lembravam. Parecia perdido, estranho, quase como se pedisse desculpas, depois dos dois anos no Exército e de uma sucessão de empregos que não levaram a nada. Foi com ele, pela primeira vez, pensando no assunto o dia inteiro no balcão, que Janice teve certeza, a certeza com que a gente adormece, faz uma refeição ou coloca um Tampax, que ela ia fazer amor, trepar, ser comida, e não apenas deixar que a coisa acontecesse com ela apesar de todos os seus escrúpulos, que era como costumava ser. Enquanto todo mundo na sua rua levava a vida normal de todos os dias, eles pegavam o velho Nash de Harry, desciam a Warren Avenue e iam para o apartamento de Linda Hammacher, para a cama de metal dela, que rangia e tremia tanto que às vezes eles tinham acesso de riso e precisavam terminar no chão, ela deitada no tapete gasto, os cotões de poeira debaixo da cama a poucos metros de seu rosto e um pé de chinelo esquecido, cor de carne. Harry na cama era menos metódico e firme do que Ronnie, menor, não que isso tenha tanta importância quanto os homens pensam que tem, mas Janice ficava tão excitada ao sentir o torso nu reluzente dele por cima dela e pensar como ele era glorioso na quadra de basquete, coberto de suor, que gozava estrebuchando desavergonhadamente quando ele enfiava firme nela. Ajudava, estar deitada ali no chão sujo. Ela era meio lerda em certas coisas, mas não na hora de gozar. Mesmo agora, aos sessenta e três anos de idade, Ronnie a elogia. Ela sorri por dentro, pensando nesse seu segredo.

Todo mundo passa. Doris olha em volta, desconfiada, e diz: "Alguém deve estar cheia de pontos. Eu só tinha três, um valete e uma dama".

Enquanto Norma embaralha as cartas outra vez, Janice ousa lhe perguntar: "Norma, você por acaso é parente da Linda Hammacher? Ela foi minha colega de trabalho lá na Kroll's, nos anos 50".

Norma faz uma pausa, as cartas imobilizadas nas mãos. "Eu tinha uma prima em segundo grau chamada Linda."

"Onde ela está agora?"

"Morreu."

"Ah, não! Bom, a gente já está chegando nessa idade."

"Faz tempo. Ela era jovem, relativamente. Foi uma coisa meio misteriosa."

"Como assim?", pergunta Janice.

"Uns falaram em AIDS, se bem que no jornal só dizia que era uma doença prolongada. A família dela não gostava de falar no assunto. Ela tinha casado e se divorciado."

"Meu Deus", diz Janice, realmente chocada; uma lembrança alegre estava envenenada agora.

"Foi uma tragédia", afirma Norma. "Droga. Contem as cartas de vocês. Eu devia ser a última a receber, mas não fui."

Como se para confortar Janice por ela ter atrapalhado a distribuição das cartas, enquanto as cartas são dadas outra vez Amy conta a ela as mais recentes peripécias na saga de um terreno enorme na parte leste do condado de Diamond, dois mil e quinhentos hectares que outrora pertenciam à siderúrgica Bethlehem, porque lá havia minério de ferro de baixo teor, e que foram vendidos para uma imobiliária canadense, a qual, cansada de brigar com os fazendeiros da região, que não aceitavam nenhuma das propostas da empresa para a área, conseguiu na Justiça transformar aquele trecho de mata da Pensilvânia num município com quarenta eleitores, dos quais só três não eram empregados da imobiliária. Eles já haviam aprovado um aterro que receberia quatrocentas toneladas de lixo por dia, trazido por uma caravana de caminhões, e um parque aquático com uma piscina do tamanho de um campo de futebol, um tobogã de cinqüenta metros de altura, para ser descido em botes de borracha, e um campo de golfe iluminado, de par três. "Agora estão falando em construir um condomínio de dez andares pra terceira idade, e mais uma pista de corrida de um quilômetro pra esses carrinhos de corrida em miniatura que viraram moda em Maryland", diz Amy.

"É", comenta Janice, "é o futuro."

Doris não ouviu direito, e resmunga: "Vocês estão falando no tal bug do milênio? O Deet diz que essa história toda é um exagero, é só pra essas empresas de informática ganharem ainda mais dinheiro".

Diz Norma: "Dois paus. Se é isso mesmo que eu tenho que dizer quando tenho uma supermão".

Olhando para suas cartas, Janice vê que não terá de fazer lance, independentemente do lance de Doris, e para comemorar pega em silêncio alguns amendoins torrados recobertos de açúcar na tigela de porcelana verde-clara que Doris e Deet compraram na China na viagem que fizeram no outono passado, numa mesa redonda de madeira trabalhada que também veio de lá — os chineses adoram despachar tudo por navio, até mesmo leões de pedra que pesam como pedregulhos, aliás eles despacham até mesmo pedregulhos, eles vêem muita beleza nas pedras, segundo Doris — e que faz par com outra mesa de madeira trabalhada colocada perto das outras duas jogadoras, na qual estão os copos de água de cristal Waterford e essas tigelas e o cinzeiro de Doris (ninguém pode reclamar, porque ela é a anfitriã, enchendo de fumaça os pulmões das outras), enquanto lembra como Harry gostava de tira-gosto, acabou morrendo por isso, e pensa que Doris é uma dessas mulheres fanáticas por arrumação, tem um lugar para tudo e tudo tem seu lugar. Já ela nunca foi assim, de transformar a mobília em religião. Também sua mãe não era assim, embora gostasse de coisas bonitas, quando seu pai começou a ganhar dinheiro na firma. É uma coisa meio agressiva, exibir desse jeito todas essas coisas caras compradas em viagens caras, como as jóias dos casamentos anteriores empilhadas nas mãos de Doris, coisas que depois as arrumadeiras vêm espanar, como se trabalhassem num museu.

Nas últimas duas rodadas, Doris serve vermute em pequenos cálices de pé de cristal veneziano, de haste rosada, e quando já está à porta dizendo até-logo e até-a-semana-que-vem, Janice não entende como pôde ser tão severa com sua querida Doris, que tantas vezes já a recebeu em sua casa tão bonita e lhe deu tantos conselhos bons durante aqueles anos terríveis com Harry.

Harry, Harry, ele é que era o problema, conclui Janice, e aquela moça ainda lhe aparece dizendo ser filha dele, por isso ela não conseguiu se concentrar no jogo, perdeu um dólar e setenta centavos e desceu para dois num lanço de três sem trunfos quando, como Doris lhe explicou, ela poderia tranqüilamente ter ganho a aposta em três sem trunfo se pelo menos tivesse guardado sua carta vencedora de ouros. Ele aprontava essas confusões e depois não consertava o estrago, e até agora, dez anos depois de sua morte, os sobreviventes que se virassem.

Brewer vai passando por ela, que segue em seu Le Baron, um rio de tijolo e painéis. É o termo que se usa nas reuniões de associações de moradores quando se discute a questão dos cartazes publicitários; o valor dos imóveis dispara quando os moradores impõem uma redução dos painéis e resolvem passar os fios elétricos por dutos subterrâneos. Janice pára nos sinais vermelhos, depois o fluxo recomeça, uma corrente de referências aprofundadas pela familiaridade de toda uma existência. Ela atravessa a ponte da Weiser Street, com seus postes de luz de ferro fundido e a placa com o nome de um prefeito falecido, um nome que jamais pegou. Quando menina, ela sempre queria saber por que aquela ponte não descrevia um arco no céu igual ao da ponte Running Horse, a um quilômetro dali, ao sul, nem se inclinava para o lado de Brewer tal como o viaduto do Youngquist Boulevard ao norte. O rio era mais raso naquele trecho. Por isso os índios fizeram uma aldeia ali. No tempo de menina, o rio era totalmente negro, todo assoreado por montes de carvão. Limparam o rio há décadas, e agora as pessoas passeiam de barco, algumas nadam, e até mesmo os peixes voltaram. As cidades industriais do século XIX, dizia o sr. Lister, um homem tristonho que lhes ensinava direito imobiliário, cometeram um erro grave ao voltar as costas para a zona portuária. Agora estamos no limiar de um novo século, que certamente vai cometer seus próprios erros. Janice segue direto até a Weiser, passando pelo prédio grande e branco da funerária Schoenbaum, antigamente só uma sala pequena, com uns pinheiros cônicos lúgubres na frente. Por quanto tempo ela ainda vai conseguir escapar dessa gente? Enquanto isso, os genes longevos de sua mãe lutam com os de seu pai, menos resistentes. No lado oeste da Weiser Square, o novo shopping center de quatro andares, com um átrio todo envidraçado para concertos e solenidades públicas, ainda não atraiu as lojas e os restaurantes prometidos pelos planejadores. Do lado leste da praça, muitos dos prédios permanecem tal como no seu tempo de menina; embora as fachadas tenham mudado ao longo dos anos, algumas delas com as vidraças recobertas de tábuas ou pintadas de branco por dentro, ela ainda reconhece a vitrine larga do que já foi a loja de móveis Schaechner's e a entrada estreita da sapataria Arnold's, aonde ia com a mãe comprar sapatos de verniz para ir a festas e onde havia uma máquina que deixava a gente ver os ossos dos pés se mexendo numa luz verde sinistra, que, depois se descobriu, dava câncer. Esses prédios, dois quarteirões inteiros, têm nos sobrados janelas emolduradas por tijolos decorativos, com arcos e remates complicados no alto, como se fossem castelos. O maior deles, o principal rival da Kroll's como loja de departamentos no centro da cidade, ainda ostenta seu nome em letras cursivas com a altura de todo um andar na fachada: *Fineman's*, onde o restaurante no subsolo, sempre fresco, atraía pessoas cansadas de tanto fazer compras, e onde havia uma seção de moda jovem no quarto andar que era um pouco mais "nova-iorquina" que a da Kroll's, um pouco mais ousada e mais alegre — suéteres de lã angorá bem apertadas, em tons de sorvete; cintos elásticos largos, imitando couro luzidio; blusas de náilon justas, saias de lã que chegavam quase até as meias e que apertavam bem nos quadris, fazendo a gente se sentir mais feminina. "Nova-iorquina" queria dizer "judia", mas até mesmo sua mãe, com todos os preconceitos, admitia que o corte e o tecido dos vestidos da Fineman's eram melhores, e também nunca resistia aos sundaes de caramelo servidos no restaurante do subsolo. Quando menina, Janice ficava fascinada com os elevadores de madeira trabalhada e com os trilhos de metal no teto por onde circulavam dinheiro e recibos. Tudo aquilo, todo aquele luxo de produtos apetitosos e perfumados, tudo havia acabado, só um nome restava cada vez mais apagado num prédio vazio, *Fineman's*.

Do outro lado da Weiser Square, um pouco antes da Fineman's, ainda estão de pé os quatro grandes pilares da Brewer Trust, agora absorvida por uma tal de **MellPenn**, uma grande placa verde iluminada por dentro que tapa o nome antigo esculpido em granito. Ela e Harry tiveram muita sorte daquela vez, o preço do ouro e da prata despencou cerca de um mês depois. Passando pela praça, entre a Sixth e a linha ferroviária, onde antigamente ficavam os cinemas do centro, uma fileira de palácios dentro dos quais a gente podia fugir do mundo, com espelhos nos saguões enormes, pingentes de papel nas marquises, agora não há mais nada — de um lado o estacionamento de asfalto e do outro um enorme buraco na terra, onde iam construir um conjunto habitacional para pessoas de diversas etnias, e que no cartaz colocado pelo arquiteto aparece como torres reluzentes, só que a obra parou por falta de investidores. Aqui havia uma loja de animais de estimação, e uma loja de música, o dono era Ollie Fosnacht, chamava-se Chords 'n' Records. Janice mal consegue acreditar que tantas coisas foram embora e ela continua aqui, ainda se lembrando de tudo.

A luz se esvai deste dia seco de setembro. Metade da rua está imersa na sombra. Acima do monte Judge, um leque de nuvens finas de grande altitude lembra cartas de baralho. Segundo o relógio do carro, são cinco e vinte. Os carros que seguem para o norte na Weiser e na Cityview Drive formam o que mais se aproxima de uma hora do rush na cidade, agora que as lojas e a classe média foram embora do centro. Só ficaram os pobres, velhas brancas e jovens hispânicos gastando seus tostões na Rexall's e na McCrory's, a última loja de miudezas tradicional que ainda resta. Nelson trabalha com essa gente carente no centro de tratamento de adultos, chamado Começar de Novo, a uns poucos quarteirões de onde ela está agora, antes da velha fábrica de pastilhas para tosse. Estranho, o entusiasmo com que Nelson se dedica a esses casos perdidos. Já a família dele o deixa deprimido. Janice torce para que ele só chegue em casa depois que ela tiver oportunidade de conversar com Ronnie a respeito da moça. Nelson vai ficar envolvido demais.

O locutor do rádio fala com muita veemência sobre uma chacina ocorrida em Camden, um homem matou a ex-mulher e os três filhos pequenos, o mais velho conseguiu chegar até o quintal dos fundos, mas o pai acertou-lhe uma bala quando ele estava alcançando a cerca. Por que tanta veemência? Hoje em dia essas coisas acontecem o tempo todo. Encurralado pela polícia a um quilômetro dali, o homem deu um tiro na cabeça. O suspeito era branco, o locutor se sente obrigado a dizer, porque nesta região, quando se fala em violência, as pessoas pensam logo nos negros. Há meses a televisão vem mostrando chacinas, as crianças naquela escola no Colorado, depois o homem que decapitava mulheres no parque Yosemite, e o homem na Geórgia que perdeu cem mil dólares no *day trading* pela internet e punha a culpa em todo mundo, menos nele mesmo. Deixou um bilhete comprido, cheio de sentimentos religiosos, pedindo a Deus que recebesse sua esposa e seus filhinhos queridos; já os assassinos adolescentes do Colorado zombaram da menina que disse que acreditava em Deus antes de matá-la. De uma maneira ou de outra, todo mundo acabava morto, indo direto para o Céu ou para lugar nenhum, para um vazio igual àquele buraco alaranjado bem no meio de Brewer. A gente fica pensando se esse negócio de fé não é melhor ter só um pouco, porque quem tem demais acaba virando assassino, distribuindo ingressos para o Céu que nem o tal do Jim Jones, aquele homem horrível lá nas selvas da América do Sul. Janice nunca deixou de acreditar em Deus de alguma maneira, mas também nunca levou a coisa tão a sério como sua mãe ou como Harry, daquele jeito estranho dele. Os dois sentiam que havia alguma coisa exterior a eles que refletia a boa opinião que tinham de si próprios. Elevada. Eterna. As placas *in memoriam* junto ao altar da igreja de S. João, já amarelando; o Jesus no vitral acima do altar, as mãos estendidas num gesto de auxílio ou desespero. A gente precisa de alguma coisa. Harry às vezes troçava da religião mas não gostava quando os outros faziam isso, o assunto sempre foi um ponto de discórdia entre ele e Nelson. Nelson aprendeu a zombar da religião só para implicar com o pai. E depois virou bom samaritano, dedicando a vida aos outros. Mais uma agressão aos pais. Todo o final do verão perdeu a graça para Janice, até mesmo as duas semanas em agosto na casa em Pocono, quando Judy e Roy vieram de Ohio visitar o pai, quando aquele rapaz dos Kennedys despencou do céu com a mulher e a cunhada, coitadas, eles devem ter gritado, gritado, caindo na água como se batessem num muro preto. Os homens da televisão disseram que a coisa toda levou uns poucos segundos, mas que segundos horrorosos não devem ter sido, como é que a gente pode continuar a acreditar num Deus capaz de deixar uma coisa dessas acontecer, aquilo fazia a gente relembrar o dia em que o pai dele foi assassinado, tão jovem e já era o líder do mundo livre, se bem que também era verdade que ele levava prostitutas para a Casa Branca, o que fazia Janice relembrar a morte da menininha, Becky, afogada, uma inocente, mas quem não é inocente, Deus poderia argumentar. Todos aqueles turcos no terremoto, dezenas de milhares dormindo em suas camas às três da madrugada. Até aqueles homens condenados à morte, esquizofrênicos na maioria, segundo Nelson, e todos os pedófilos foram molestados quando crianças, de modo que eles só estão passando adiante, honrando pai e mãe.

Ela já atravessou o parque, já se livrou da cidade, contornando a montanha. O viaduto que fica à direita, seus arcos e as casas espalhadas no vale lá embaixo estão bem nítidos à luz enviesada do entardecer, as ripas das casas e os arbustos, a serra azulada ao longe cujo nome ela jamais saberá. A meio caminho de Mt. Judge, num shopping que não chegou a decolar e virou uma velharia em ruínas, o multiplex de quatro salas está anunciando MICKEY OLHOS AZUIS BRUXA DE BLAIR SEXTO SENTIDO CROWN O MAGNÍFICO. Ela sai da 422 e, na altura da igreja batista, entra em sua cidade, subindo a Jackson Street e virando à direita, depois de três quarteirões, na Joseph.

Janice dirige sem pensar, sob as copas dos bordos que conheceu com metade de sua altura atual, tão pequenos que dava para uma criança alcançar os galhos mais baixos com um pulo. Uma vez ela subiu numa dessas árvores em que havia uma caixa de marimbondo, e não teve tempo de descer antes de ser picada. Agora os bordos estão tão grandes que em alguns trechos da cidade as calçadas estão tufando. A Joseph Street antigamente era mais ensolarada — havia mais céu aberto acima dos fios telefônicos e dos postes de iluminação, e a luz deles era amarelada e não azulada como agora. As casas eram cheias de pessoas mais velhas e sérias, ao contrário dessas famílias jovens que penduram faixas sem sentido nas varandas, como se todo dia fosse feriado. Janice estaciona o Le Baron junto ao meio-fio, cansada e preocupada demais ao final do dia para dar a volta no quarteirão e entrar na garagem pelos fundos. Aquele casal horroroso que não quis nem ir ver a casa na Locust Boulevard. Tão esnobes, sem base nenhuma. Se nenhuma mulher tivesse se disposto a subir escadas grávida, a espécie humana teria se extinguido há muitos séculos. Janice salta do carro e estica os músculos enrijecidos por ela ter passado tantas horas sentada. O casarão com fachada de estuque no número 89 da Joseph Street não lhe parece mais o mesmo desde que caiu a faia grande que ficava na frente. Harry dizia que aquela casa lembrava uma carrocinha de sorvetes espalhafatosa. E agora parecia árida sem a árvore. Janice tem a impressão de que séculos se passaram desde a visita daquela manhã — como se fosse um sonho, só que não foi. Ela entra em casa passando por entre as duas laterais de vidro jateado — a porta quase emperra na pequena pilha de correspondência que há no chão — e inala o ar parado da sala de visitas, o ar de sua vida, aparentemente intato.

Ronnie é tão bonzinho, coitado. Ainda tem alguns fregueses dos velhos tempos, gente que se recusa a comprar a apólice de seguros e a receber orientação sobre investimentos de qualquer outra pessoa, que quer atualizar os seguros sobre sua propriedade à medida que ela vai se valorizando ou mexer nos investimentos de modo a incluir mais ações, já que a Bolsa anda subindo tanto, mas desde que a Schuylkill Mutual tirou de Ronnie o cubículo com telefone e o carro da empresa, ele não tem muito trabalho, e quase nunca reclama. Montou um escritório muito bem-arrumado, com computador, fax e arquivos, naquela saleta da frente que dá para a rua, onde a mãe de Janice gostava de costurar e onde depois por algum tempo foi colocada uma cama de solteiro, para quando Nelson vinha da faculdade, no Ohio, acompanhado de uma namorada. Depois de passar mais ou menos uma hora catando milho, forçando a vista e remexendo papéis naquele quartinho apertado, verificando as cotações da Bolsa e o boletim meteorológico pela internet, Ronnie pega seu pequenino Taurus prateado e sai por aí como se houvesse em algum lugar trabalho para ele, alguém a quem ele pudesse vender alguma coisa. Passa o verão inteiro jogando golfe no Flying Eagle três ou quatro vezes por semana, muito embora não sinta pelo esporte aquela paixão que motivava Harry — ele é um homem realista, e além disso seu joelho dói. Continua tendo participação ativa naquela igreja de gente pobre que freqüentava com Thelma. E, ao contrário de Harry, que nunca teve paciência nem concentração para isso, se bem que durante uma época chegou a cuidar de uma pequena horta no quintal dos fundos, Ronnie inventa projetos para se ocupar na casa, coisas como pintar os remates da fachada, emassar as esquadrias nas janelas nos lugares onde o sol trincou a massa ou trocar a tela de aço galvanizado da varanda. Apesar do problema no joelho, que vem desde os tempos em que jogava futebol americano no secundário, ele sobe até o último degrau daquela escada de alumínio que Harry sempre detestou carregar e limpa as velhas calhas de ferro galvanizado. Diz que agora vai cuidar das chaminés, rebocar os tijolos. Isso gera certo conflito. Quando Janice diz que tem medo de que ele caia e morra, Ronnie responde que a casa dela é sua propriedade mais importante e que, antes de eles se casarem, estava muito maltratada. O ex-marido dela deixava tudo cair, Ronnie insiste, e o filho é igual ao pai. Será possível que eles não soubessem como é importante proteger o investimento deles na casa? Ronnie montou no porão sua oficina, e o zumbido das ferramentas elétricas atravessa o assoalho, por vezes acompanhado de uma serragem tão fina que chega a cobrir as xícaras e pires nos armários da cozinha. Quando ele pôs divisórias naquela despensa ao lado da cozinha, o pó de gesso se espalhou por toda a casa, entrou até no armário da sala de jantar onde ficam os copos Stiegel pintados à mão e a cerâmica Chester autêntica de sua mãe. O pó penetrou até mesmo na geladeira, deixando toda a comida com gosto das pílulas de cálcio que Janice toma para evitar a osteoporose. Depois de oito anos ela ainda está se acostumando a viver com um marido cuja presença é tão enfática na casa e que não está sempre ansiando por fugir, mentalmente sempre correndo em direção ao horizonte.

Conforme ela desejara, Ronnie chega em casa antes de Nelson, para que os dois possam combinar que posição adotar, à qual Nelson fatalmente fará oposição. "Ganhei três dólares e só dei duas tacadas de gancho. No dezessete emboquei um *putt* que só vendo", diz ele, tendo entrado pela porta dos fundos para guardar os tacos e as roupas de golfe no pequeno armário que construiu para este fim com toda aquela poeira de gesso. Agora a cozinha está cheia com seu cheiro, o cheiro de seu suor nos cabos dos tacos, nos sapatos sem travas, até mesmo nos chapéus que ele usa. Cada chapéu tem seu gancho próprio, e num deles a luva fica pendurada tal como um morcego secando, de cabeça para baixo. Janice admira a organização de Ronnie, mas por outro lado a encara como uma espécie de reprimenda, tal como se sentia em relação à mãe. Ele entra na cozinha com um andar lento, como se sentisse dor, mancando um pouco. "Como foi o bridge?", pergunta, educado. Talvez seja comum, nos segundos casamentos, uma certa rigidez, uma consideração cautelosa.

"Eu nem sabia por que estava jogando", diz Janice. "Fiz uma coisa que deixou a Doris irritadíssima, já não me lembro direito o quê. Ela está ficando velha e rabugenta. É o Deet que mima ela demais."

"O que é que temos pro jantar? Você lembrou de tirar alguma coisa do congelador?" Ronnie já aprendeu quais são as perguntas que devem ser feitas. Thelma era uma cozinheira hábil e uma dona-de-casa caprichosa, além de tudo o mais que ela fazia, dar aula na escola e criar três meninos. De início Janice tentava preparar refeições de verdade para Ronnie, mas sempre alguma coisa ficava ressecada ou crua, e suas tentativas de temperar a comida, por mais que ela seguisse a receita religiosamente, sempre resultavam em pratos gorados com um gosto meio esquisito. À medida que os yuppies foram tomando conta de Brewer e arredores, com a chegada de todas essas indústrias indefiníveis que não produzem nada que a gente possa pegar nem dirigir nem botar dentro de uma caixa — "a indústria da informação", como eles dizem —, havia cada vez mais restaurantes agradáveis e não muito caros aonde se podia ir; não era mais necessário ir até o centro, como no tempo de seus pais, quando se queria fazer uma pequena comemoração, normalmente num dos dois grandes hotéis de lá, o Conrad Weiser e o Thad Stevens. Além disso, os supermercados vendiam refeições congeladas e saladas prontas maravilhosas.

"Sabe, pra falar a verdade, eu esqueci", Janice confessa. "Cheguei ainda agora, há uns cinco minutos. Hoje fiz um monte de coisas, e de manhã, você não imagina que choque, Ronnie, me chega a uma moça aí na porta..."

Ronnie não está prestando atenção; está abrindo a porta da geladeira e olhando dentro dela. "Ainda tem um pouco de salpicão do jantar de anteontem, acho que ainda não azedou. E aquele macarrão japonês que o Nelson gosta. Ah, sim, e lá no fundo, atrás da alface murcha, tem uma caixa com aquela salada de feijão que a gente nem chegou a comer — será que era pro plástico estar fosco desse jeito? Acho que estamos salvos. Dizem que comer menos faz bem à saúde." Ele se aproxima do balcão para ligar a tevê. "Deixe eu só dar uma olhada no noticiário, pra saber o tempo. O rádio cismou que chove amanhã, eu só acredito vendo. La Niña bagunçou a *jet stream*, que está crente que a gente está no Saara."

"Ronnie, *por favor* não ligue a televisão, não. Preste atenção, é sério. Uma moça — na verdade eu devia dizer mulher, é mais ou menos da idade do Nelson — tocou a campainha, que aliás está precisando consertar, e disse que era filha do Harry. A mãe dela morreu agora no verão, e contou pra ela antes de morrer. A Ruth mandou ela vir atrás da gente."

Agora ela conseguiu atrair a atenção de Ronnie. Ele perdeu quinze quilos desde o tempo em que Janice o conheceu e tem aquela aparência caída, de balão esvaziado, das pessoas que conhecemos mais gordas. Do cabelo, que era encarapinhado e cor de bronze, já não resta mais quase nada, nem mesmo sobre as orelhas, que agora se destacam, uma carne borrachuda e vermelha. Os cílios claros estão quase invisíveis, fazendo as pálpebras parecer rosadas, como se ele as tivesse esfregado. O rosto dele, como o de Doris Kaufmann, parece uma ameixa, mas as rugas não são tão profundas quanto as que marcam a pele grossa dela. Embora Harry sempre dissesse que ele era um arruaceiro, um grosso, na verdade Ronnie tem uma pele fina como pele de bebê, de modo que o contato físico com ele dá uma inesperada sensação sedosa, coisa que Harry morreu sem saber. Agora Ronnie destaca a informação que, de todas as revelações daquela manhã, é para Janice a menos interessante de todas. "Quer dizer que a Ruth Leonard morreu", diz ele.

Janice lembra então que Ronnie também conheceu a tal Ruth na mesma época que Harry, aliás também trepou com ela, coisa que sempre incomodou Harry, o que Janice achava estranho, já que naquela época, sem dúvida alguma, muitos outros homens também haviam trepado com ela. Janice nunca conheceu Ruth, mas na época do secundário havia meninas como ela, apiranhadas, cujos nomes apareciam escritos nas paredes do banheiro, SUSIE PETROCELLI CHUPOU O PAU DO MEU NAMORADO e CAROLE STICHTER É UMA PUTA RETARDADA, a maioria delas vinha daquelas famílias de má reputação que moravam na pior parte da cidade; não particularmente bonitas, gordas, mudas em sala de aula, elas existiam até mesmo no tempo de Eisenhower, quando supostamente todo mundo era tão puro. Janice não consegue acreditar que uma trepada de quarenta anos antes possa ser tão importante para Ronnie, mas é o que sua atitude dá a entender, atônito, meio curvo, com sua camisa pólo suada e sua calça de golfe listrada. "Naquela fazenda dela", diz ele. "Foi a seca que matou a Ruth." Ele está tentando disfarçar com brincadeiras aquele transe em que os homens entram quando tentam evocar a sensação exata de penetrar o espaço de uma mulher específica. Agora aquele espaço não existe mais neste mundo, e ele nunca mais vai poder penetrá-lo.

"Acorde, meu bem. Segundo a tal moça, há anos que ela não morava na fazenda, estava em Brewer, morando com essa filha, trabalhando numa empresa de investimentos meio fajuta naquele prédio de vidro em frente à antiga Kroll's. Mas, afinal, por que é que você está tão abalado?"

"Não estou, não muito. Quem era vidrado nela era o Coelho. Pra mim ela era só uma vadia. Como é que essa moça provou que era filha dele?"

"Não provou nada, só contou uma história complicada, coisas que só ela saberia, disse que a mãe mentiu pra ela quando se casou com o tal do Byer pra que ela pensasse que ele é que era o pai e não o outro homem. Esse tipo de coisa acontecia muito mais do que a gente pensa, num tempo em que fazer aborto não era tão fácil."

"Fácil até demais, na minha opinião. Essas moças negras e hispânicas tiram filho todo ano, que nem a gente faz check-up. E ninguém está nem aí."

"Ronnie, a questão não é essa! A gente *tem* que conversar sobre essa moça antes do Nelson chegar em casa!"

Harry sempre achou Ronnie terrivelmente obtuso — dizia que era um brutamontes, um cavador de falta —, mas Janice acha que não é bem isso, é que às vezes ele cisma de *não sair da frente*, de não deixar que nada passe por ele se ele não está de pleno acordo com todos os detalhes. É porque ele tantas vezes se recusou a sair de uma sala até conseguir convencer o dono da casa da necessidade de comprar uma apólice de seguros; é daí que vem essa presença excessiva dele. Harry era fascinado pelo pau enorme de Ronnie, e é mesmo enorme, achatado em cima, como se desse para colocar uma taça de vinho sobre ele quando duro, mas o que mais intrigava Janice no início era constatar a relativamente pequena diferença entre o estado de ereção e o estado normal. Já o de Harry era água e vinho, ou estava todo enroscadinho como um bebê adormecido, ou então era um galalau de metro e noventa de altura, de olho arregalado.

"Está bem", diz Ronnie com sua voz insistente, implacável, "a questão é que a Ruth trepava com todo mundo naquele tempo — quem garante que foi com aquele fodão que ela engravidou? A moça parece com ele?"

Ela tenta ser franca. "É terrível dizer isto, mas não me lembro direito como o Harry era. A moça tinha uma coisa, meio assim, sei lá, um brilho pálido, e também um jeito de não conseguir ficar sentada quieta, uma coisa que meio que reconheci, eu acho."

"Você acha. Isso é muito pouco para você concluir que deve alguma coisa a ela."

"Ela não falou que eu devo nada, não. O que ela disse foi que a mãe pediu pra nos visitar porque ela ia ficar sozinha no mundo."

"Sozinho no mundo todo mundo está", ele retruca. Janice não entende muito bem o que ele quer dizer, mas fica magoada. Talvez Harry também pensasse assim, mas ele nunca lhe diria uma coisa dessas. Às vezes lhe ocorre a possibilidade de que Ronnie só se casou com ela para de certo modo se vingar de Harry. Aqueles olhos de pálpebras rosadas, sem cílios, desviam-se constrangidos do rosto de Janice, que ostenta uma expressão de espanto, ela tem consciência disso, e fixam-se no relógio do microondas, preocupados com o jantar ou com a chegada de Nelson. Diz ele: "Isso vai acabar em dinheiro, garanto a você, se você voltar a ter contato com essa zinha".

"Ela é enfermeira, e a mãe deve ter deixado alguma coisa pra ela, a venda da fazenda deve ter dado um bom dinheiro."

"Imagino. Como é que a conversa acabou?"

"Falei que a gente ia entrar em contato com ela. Ela não vai nos procurar."

"Ótimo. Tire isso da cabeça. Pra mim, isso cheira a vigarice."

"Mas eu estava *aqui*. Quando você era menino, será que seus pais nunca lhe disseram que o desconhecido que bate à sua porta pode ser um anjo disfarçado?"

"Não", ele responde. "Nunca me disseram isso. O que me disseram é que a pessoa que bate à porta provavelmente está a fim de passar a perna na gente. Vamos supor que o Coelho garanhão era mesmo o pai dela e que ela resolve processar a gente, pedir cem mil dólares ou mais de pensão que o pai nunca deu pra ela."

Janice dá um passo à frente para tocá-lo no ombro e oferecer-se para que ele toque nela também. "Ronnie, meu amor, por que você é tão duro com o Harry? Ele já morreu. Não pode nos fazer nenhum mal agora."

"Ele me incomoda. Ele trepou com a minha mulher. Trepou com a minha mulher duas vezes", acrescenta, referindo-se a Thelma no passado e a ela agora, uma brincadeira para atenuar a acusação, e Janice encosta seu corpo no dele, aquele bloco reconfortante de presença sólida e suada. As mãos dele encontram os lugares de sempre nela. Janice jamais teria imaginado, na adolescência, que prazer inocente a gente tem depois dos sessenta anos, quando alguém nos segura o traseiro. Ele pesa as nádegas dela como se fossem preciosidades. Janice pensa então que deveriam fazer mais coisas na cama, enquanto ainda estão vivos. Mas na idade deles há tantas coisas a fazer, mil e uma coisas que não levam a nada, tantos compromissos insignificantes.

Ouvem-se passos na varanda dos fundos, a varanda telada. Nelson deve ter estacionado seu carro, um Corolla 94 marfim, que adquiriu dando o Camry de Janice como entrada — ela o deu a Nelson quando se casou com Ronnie e resolveu livrar-se de seu último vínculo com a franquia da Toyota —, na garagem nos fundos, tendo visto o Le Baron parado na frente. Envergonhados, Janice e Ronnie se separam na cozinha. Nelson percebe que alguma coisa estava acontecendo, seu padrasto estava pegando na sua mãe. Para disfarçar seu constrangimento, ela fala a Nelson, Ronnie interrompendo-a para corrigi-la cada vez que este segundo relato difere do primeiro, sobre a moça — mulher — desconhecida que apareceu naquela manhã.

Os olhos fundos e desconfiados de Nelson zanzam de um lado para o outro enquanto ele escuta. Escutar faz parte de seu trabalho, e ele deixa que os dois falem enquanto pega uma cerveja Coors na geladeira. Nelson está com quarenta e dois anos. Ele engordou, mas muito menos do que Harry; esta lição ele aprendeu com o pai. Corta seu cabelo ralo, negro porém fino como o do pai — os fios louros da cabeleira de Harry se desprendiam da cabeça quando ele se mexia, tão logo secavam depois que eram penteados —, tão curto que o crânio e o rosto têm um aspecto anguloso, nu, como num prisioneiro. Usa uma espécie de uniforme de assistente social — calça cáqui e camisa branca com gravata, mas sem paletó. O paletó teria o efeito de acentuar de modo excessivo a distância que o separa de seus clientes no Centro de Tratamento para Adultos Começar de Novo, na esquina da Elm com a Eighth Street. A camisa limpa e a gravata afirmam que ele é uma das autoridades que controlam o acesso à Medicare e à Medicaid,* que reembolsam os ambulatórios criados para substituir as instituições sinistras que outrora cuidavam dos que eram então chamados de loucos. Oficialmente, Nelson é assistente de saúde mental; ganha vinte e sete mil dólares por ano. Suas qualificações: é bacharel em geografia, formado na Kent State University, Ohio, e fez especialização em aconselhamento em saúde mental dez anos depois, num curso de um ano de duração (1990-91) na Hubert F. Johnson Community College, nos prédios novos construídos à beira-rio em South Brewer, no tempo em que ele morava, junto com seus três dependentes, na casa de número 89 da Joseph Street, sob os auspícios da mãe recém-viuvada. Continua lá até hoje. Senta-se, com a mãe e o padrasto, à mesa da cozinha, para dividir com eles a refeição improvisada, cada um com sua bebida. Nelson toma sua Coors, Ronnie bebe uma Miller light, por causa do peso e da pressão, e Janice continua tomando, num copo de suco de laranja, o xerez nacional que bebericou ao voltar para casa, para tirar da boca o gosto ruim deixado pela partida de bridge em que ela se deu conta de que sua amiga Doris estava envelhecendo, virando uma velha surda e ranzinza. Tal como Ronnie disse, estamos sozinhos. Só podemos contar com a família, e olhe lá.

Pergunta Nelson: "Mamãe, *você* achou que ela era uma vigarista?". Ao concluir a narrativa, Ronnie tinha manifestado essa opinião a respeito do ocorrido. Nelson evita, de modo geral, entrar em conflito com seu padrasto, se bem que, quan-

(*) Programa governamental que reembolsa os hospitais pelo atendimento gratuito a pobres. (N. T.)

do Janice lhe disse pela primeira vez com quem estava pensando em se casar de novo, ele agiu tal como Harry, falando mal de Ronnie.

"Olhe, não tenho certeza", responde Janice. "Ela parecia sincera, mas por outro lado achei a atitude dela meio, sei lá, descarada."

"Os vigaristas sabem ser sinceros", diz Ronnie. "Por isso é que eles são bons em matéria de vigarice. O bom vigarista engana até a si próprio."

"Mas o que é que ela vai ganhar enganando a gente?", pergunta Nelson, com sua delicadeza profissional, sempre questionando tudo. "A gente vive com um pingo de dinheiro numa casa grande demais pra nós, que a gente devia era vender. Você se aposentou do seu ramo de vigarice, que é vender apólice de seguros, e eu e a mãe temos empregos de merda, não ganhamos nada." Seus cílios, que sempre foram compridos demais para um rapaz, se agitam nas órbitas fundas dos olhos. Aquele corte de cabelo o faz parecer um fuzileiro naval, ou um monge.

A pele fina de Ronnie fica vermelha. Ele retruca: "Era só o que faltava, um cara como você, que torrou em pó uma concessionária inteira, chamar alguém de vigarista".

Janice intervém: "Como eu disse ao Ronnie, ela parecia ter dinheiro. As roupas dela eram de qualidade".

"Qual era o carro dela?", pergunta Ronnie.

"Sabe, eu estava tão atarantada que nem prestei atenção. Não, espere aí." Tenta evocar a manhã — as sombras dos bordos na rua, o caminhão do correio passando... "Um Lexus", afirma. "Um Lexus vermelho-batom, novo em folha."

Nelson dirige um rápido olhar de triunfo a Ronnie. "Dá de longe num Taurus", diz ele. Volta-se para a mãe: "Acho *muito* bacana ela ter coragem de vir até aqui. Quer dizer, o que aconteceu naquela época não foi culpa dela. Ela se parece com papai?".

"Ah, Nelson, todo mundo me pergunta isso. Eu achei, um pouco, mas por outro lado eu estava procurando uma semelhança. Você sabe como é, a gente acha parecido mas não sabe exatamente como. O rosto dela era redondo e claro, e as pernas eram compridas, sólidas."

Diz Ronnie: "Essa descrição serve pra qualquer pessoa, ora".

"Os olhos dela... eles eram azul-claros e um pouco oblíquos, como os do Harry."

Os olhos de Nelson, castanhos como os dela, se alargam de interesse. Sua mãe gosta de vê-lo envolvido. Deve ser assim que ele fica no trabalho. Costuma chegar em casa esgotado, irritadiço, caladão. "Acho que a gente devia chamar essa moça", diz ele.

Ronnie é categórico: "É uma péssima idéia. Se vocês deixam ela entrar, nunca mais vão conseguir se livrar dela. Por que é que a gente vai deixar que a nossa vida vire de pernas pro ar porque" — ele procura um termo que não seja insultuoso — "o pai do Nelson transou com essa vaca morta num passado remoto?".

"Mas você também saiu com ela", diz Janice, ela própria mais rápida que de costume. "Ela já era uma vaca naquela época?"

"Era uma mulher grandalhona lá de Brewer", ele afirma depois de piscar, "que dava pra qualquer um."

"Não durante aqueles três meses", contesta Janice. "Que eu me lembre, o Harry foi viver com ela. Foi uma espécie de lua-de-mel. Eu grávida da coitadinha da Becky, e meu marido em lua-de-mel." Tendo dito isso, sente-se enfurecida, quase a ponto de chorar. Ronnie tem razão, claro. A moça é uma invasora que deve ser repelida.

"Eu *proíbo*", diz Ronnie, largando o garfo e esquecendo a quantidade de salpicão que pôs na boca, "vocês de entrarem em contato com essa vagabunda."

"Ronnie." Nelson quase nunca pronuncia o nome do padrasto, e agora, quando o faz, é em voz baixa. "Essa vagabunda pode ser minha *irmã*. Meu pai às vezes dava a entender que essa irmã talvez existisse. E agora ela veio nos procurar, se colocando à nossa mercê."

"Mas, afinal, o que será que ela *quer*, Nelson?", pergunta Janice. Ela se sente melhor, menos cheia de dúvidas, agora que se vê do mesmo lado que o marido.

"Ela quer dinheiro", insiste Ronnie.

"Ora, ela quer", diz Nelson, de olhos arregalados, voz mais aguda, na defensiva, o que sua mãe acha tocante, "ela quer o que todo mundo quer. Ela quer *amor*."

Ronnie vira-se para Janice num tom conspiratório. "Esse aí está maluco que nem o pai. Lembra a vez que o Coelho recolheu na casa dele um Pantera Negra e uma hippie drogada?"

"Amor parece um pouco demais", Janice concorda.

"Então eu mesmo vou procurar", ameaça Nelson. "A. Byer. Você disse que é a única na lista telefônica."

"Nelson, vá por mim", diz Ronnie, tentando bancar o pai, "você vai acabar se machucando. Você é vítima do Harry Angstrom desde os dois anos de idade. Pra que procurar mais sofrimento?"

"Não era *só* sofrimento", argumenta Nelson. "Havia elementos positivos no nosso relacionamento."

Janice acrescenta: "O Harry adorava o Nelson, mas vivia frustrado porque não conseguia exprimir o amor dele".

"Ah, vocês dois parem com essa melação", diz Ronnie, com uma voz irritada, forte e zangada o bastante para dar fim àquela conversa. "Eu conhecia o Coelho há mais tempo que vocês dois. Desde que a gente era garotinho, roubando bala do balcão da Lennert's. Um sujeito que adorava aparecer, que nunca gostou de ninguém neste mundo que não fosse ele mesmo. Culpa da mãe dele, de tanto que mimou o filho."

II.

"Alô?"

"Sim?" Desconfiada. Mulher solteira tem que ser, num mundo cheio de tarados ao telefone.

"É Annabelle Byer?"

"É." Um pouco mais tranqüila depois de ouvir o próprio nome.

“Aqui é o Nelson Angstrom.”

“Ah! Nelson! Que ótimo!”

Uma pausa; ele esperava que o entusiasmo dela se prolongasse mais um pouco. Diz ele: “Minha mãe falou da sua visita”.

“É mesmo? Achei que não tivesse corrido muito bem, não.”

“De jeito nenhum. Ela gostou de você. É só que ela não sabe muito bem como encarar toda essa situação. Ela foi pega de surpresa.”

“Eu também. Quer dizer, fiquei surpresa no início, quando minha mãe me contou. Não devia, já sendo maior de idade e tudo mais.”

“Ah, mas é pra ficar *mesmo.*” Sente-se mais seguro, à medida que a conversa vai tomando um rumo terapêutico.

“E *você*, como é que se sente em relação a isso?”, ela indaga.

“Me sinto muito bem”, ele responde. “E por que não? Quanto mais, melhor, é ou não é? Escute. Eu queria saber se dava pra gente almoçar um dia desses. Só pra um ver como é o outro.” A última frase foi desnecessária, mas talvez seja até bom ele colocar logo às claras a sua curiosidade.

Ela hesita. Por quê, se foi ela que resolveu surgir do nada? “É, também acho uma boa idéia.”

“Amanhã? Depois de amanhã? Como está a sua agenda?”, ele pergunta. “Eu trabalho na esquina da Eighth com a Elm, tem um restaurantezinho que abriu na Elm já quase na Weiser chamado The Greenery, mas apesar do nome é até bem legal, tem sopa, sanduíches, saladas, uma coisa meio neo-Nova Era, mas tem reservados que garantem a privacidade.”

“De repente é uma”, diz ela. Esse comentário o desagrada um pouco. Mesmo sendo sua irmã, quem sabe ela é uma desmiolada. Afinal, a herança genética dela não tem nada de muito promissor, não é? Ela pergunta: “Tudo bem pra você se a gente marcar só na quinta-feira? Até lá vou estar de plantão, é um paciente de Alzheimer que precisa de cuidados vinte e quatro horas por dia”.

“Ótimo”, diz Nelson. “Quinta-feira, dia dezesseis. Meio-dia e meia está bom pra você? Eu espero do lado de fora. Estatura mediana, cabelo curto hoje em dia."

"Eu sou...", ela começa, depois ri, sem saber se descrever. "Eu vou usar uns sapatos brancos largões."

E não é que eles escolheram justamente o dia de setembro em que um furacão chamado Floyd está previsto? Desastres provocados pelo vento e fortes inundações na Carolina do Norte, e a previsão é de que a tempestade suba a baía de Chesapeake e chegue ao sudeste da Pensilvânia. Mas esses meteorologistas são pagos para deixar todo mundo assustado, e embora tenha passado a noite acordado com o barulho do vento, que sacudia as esquadrias das janelas que Ronnie pintou no verão e lançava cortinas de chuvas no telhado de ripas asfaltadas que, segundo ele, precisa ser consertado para que a casa não fique desvalorizada, pela manhã o tempo não está mau a ponto de impedir que os carros passem pela Joseph Street, se bem que é preciso desacelerar para contornar um ramo de bordo graúdo que se quebrou e desabou durante a noite, enquanto ele dormia. Nelson não ouviu o barulho; dormiu melhor do que imaginava. O galho está no meio da pista, como um animal grande que morreu atropelado, o lado de baixo das folhas, que já começam a murchar, voltado para cima.

Nelson pensa em telefonar para Annabelle a fim de cancelar o almoço, mas não quer que sua mãe e Ronnie fiquem sabendo que ele combinou esse encontro. Em vez disso, liga para sua chefe, Esther Bloom, que mora em Brewer, e ela lhe diz que o Centro vai ficar aberto pelo menos até o meio-dia. "Essa gente não tem outro lugar pra ir, Nelson. Uma tempestade como essa levanta questões de sobrevivência que eles vão ter que elaborar."

A caminho da cidade, ele vê duas equipes de reparos, com luzes piscando e policiais de capas de chuva laranja orientando o trânsito, retirando árvores caídas com serras de cadeia — um velho salgueiro que havia afundado suas raízes na vala à beira-estrada junto ao shopping gorado, onde fica o multiplex de quatro salas, e do outro lado do viaduto, onde a 422 entra em Brewer e passa a se chamar Cityview Drive, um tulipeiro grande, lindo, junto ao parque. Nelson sempre achou o parque sinistro, um pouco. No meio das árvores sempre tem uma garotada barra-pesada, negros ou hispânicos, e aquele lugar está vagamente associado ao tempo em que seu pai saiu de casa e foi morar não muito longe dali, na cidade, na Summer Street. O tanque da Segunda Guerra Mundial que ficava perto das quadras de tênis foi retirado recentemente, e construíram ali um pequeno e gracioso coreto, branco e verde, como parte do projeto de reurbanização, mas ele vive coberto de pichações e praticamente só é usado como abrigo por marginais, quando chove; Nelson não se lembra de ter havido nenhum concerto ali. O rádio do carro só fala no atirador, mais um psicótico com boa pontaria, que matou sete e depois se suicidou numa igreja batista no Texas, e num atentado terrorista em Moscou em que morreram dezenas de pessoas, e mais uma notícia interessante, que ele não pega direito, sobre as ligações entre a dependência de cocaína e um acúmulo de certas proteínas no cérebro — não foi culpa sua, foram reações químicas em seu cérebro —, e mais outra notícia sobre medicina, que lhe interessa menos, os efeitos positivos do banho quente no tratamento do diabetes. Os Phillies derrotaram Houston por oito a seis em dez entradas, mas mesmo assim o time não tem a menor chance, já estamos no meio de setembro. Quando o carro passa pelo trecho mais descampado do parque, o vento o sacode de tal modo que Nelson segura com força o volante com as duas mãos.

Em Brewer, na esquina da Eighth com a Elm, os prédios altos reduzem um pouco o vento. É um dos trechos mais antigos da cidade, em que a área comercial se confunde com a residencial. Uma antiga fábrica de chapéus está vazia, restando apenas uma pequena copiadora chamada *PRINTSMART* num dos cantos. O centro de terapia ocupa o térreo de uma antiga escola primária de três andares, que oferecia desde o jardim-de-infância até a sexta série. O estacionamento é uma série de vagas diagonais ao lado do prédio, onde os moradores do bairro deixam seus calhambeques enferrujados à noite, ocupando duas vagas cada um, e não conseguem acordar a tempo de tirá-los dali. A vizinhança é pobre mas inofensiva, tal como a maioria dos clientes.

Quando salta de seu Corolla, Nelson vê um céu cheio de manchas roxas acima das colunas de tijolo do prédio, camadas de nuvens que se esfiapam à medida que deslizam rapidamente, porém a chuva parece estar amainando e a claridade aumenta, como se o céu fosse limpar. As pessoas nas calçadas, especialmente as moças que trabalham no anexo de vidro do fórum, a um quarteirão dali, de mangas curtas, encolhidas, sem nem mesmo um guarda-chuva, pelo visto não sabem que estão praticamente num furacão. Do outro lado da Eighth Street, uma placa barata com os dizeres DISCOUNT OFFICE SUPPLIES foi colocada em cima da porta de uma velha papelaria que, Nelson ainda recorda, cheirava a borrachas e removedor de tinta no tempo em que tudo ainda não vinha embrulhado em plástico-bolha e empacotado para vendas no atacado; a placa produz um tamborilar quando é atingida por gotas reluzentes de chuva. Mais adiante na Eighth, uma placa antiquada, cheia de sulcos, com a palavra **Tavern** balança de um lado para outro. Talvez tivesse sido melhor escolher esse lugar para o almoço — um pouco mais ousado, mais cavernoso, e além disso servia bebidas alcoólicas —, mas por algum motivo ele queria que seu encontro com a irmã fosse sóbrio e puro: uma ocasião solene.

O rádio noticiava que o governador Ridge estava pensando em declarar estado de emergência e feriado para todos os funcionários do estado e do município, mas ao entrar no Centro Nelson constata que todos os funcionários compareceram, menos Andrea, que trabalha com arte-terapia e mora depois de Pottstown, quase na Filadélfia. Todos os dias ela vem de carro trabalhar em Brewer, porque no país inteiro há cada vez menos verbas para terapeutas como ela, e o emprego que Andrea tinha na Filadélfia foi extinto. Para ela, uma mulher esnobe, cheia de caras e bocas, que já se divorciou duas vezes, tinge com hena o cabelo negro e usa em quase todos os dedos uns anéis grandes que ela mesma faz, Brewer é uma cidade de caipiras cheia de fanáticos religiosos e alemães obtusos.

À medida que as horas passam, a chuva começa a bater nas janelas do subsolo com vigor renovado, com tanta força que a água escorre pelos parapeitos de madeira. Anos antes da contratação de Nelson, arrancaram todo o assoalho e redividiram o espaço — escritórios pequenos para os empregados, salas maiores para os clientes, um espaço para recepções, uma cozinha em que os clientes preparam o almoço eles mesmos e uma saleta para refeições, com seis mesas redondas, ao lado dos sofás e poltronas do espaço livre. Nesta sala, os clientes que não estão fazendo terapia de grupo nem consultando os terapeutas podem ler, costurar, jogar jogos e — é o que se espera — interagir. No tempo do jardim-de-infância, era ali que as crianças de cinco anos aprendiam a dar laço nos cadarços e encaixar cubos em orifícios quadrados, mas a principal lição era a interação social, a socialização, todos sentados em círculo aprendendo a compartilhar as coisas; para estes adultos disfuncionais, a lição ainda é a mesma. São trinta, e teoricamente devem permanecer no Centro das nove às quatro; os funcionários são oito, chefiados por Esther, doutora em psicologia. Nelson resiste às pressões no sentido de que obtenha uma formação mais especializada, ou até mesmo um diploma universitário; tampouco quer abrir um consultório particular depois do que aprontou na agência da Toyota, nem assumir qualquer responsabilidade administrativa. Ele aprendeu a conhecer seus limites.

De vez em quando entra um ou outro cliente, encharcado e animado por estar compartilhando aquele problema meteorológico com toda a população de Brewer; já outros preferiram ficar em casa com suas ilusões, ansiedades e televisores. Como faltaram vários participantes do grupo de relacionamentos de Nelson, que se reúne três vezes por semana, os que vieram são integrados ao grupo de metas e prioridades de Katie Shirk. Nelson aproveita o tempo livre para botar em dia a papelada — relatórios sobre clientes, formulários de admissão — e enxugar o parapeito das janelas com toalhas de papel. Se deixar que fiquem molhados, a tinta descasca. A chuva aumentou outra vez.

Os DiLorenzos, porém, não faltam, todos os três às onze em ponto, com furacão ou sem furacão. Estão desesperados. O mundo deles desabou porque alguns neurônios estão em pane. Na sala de espera, eles exalam um cheiro úmido e estagnado de perplexidade — o patriarca grisalho e barrigudo, porém com braços e ombros ainda fortes; a mãe, cujas origens camponesas se revelam no terninho escuro muito simples, embora o dinheiro se manifeste nos sapatos e no lenço de seda no pescoço; e o filho, vinte anos, esbelto e bonito, com uma delicadeza quase feminina, olhos vivos, cabelos ondulados, porém já ficando mole e massudo por efeito da inatividade, enquanto o medo que tem de sua própria estranheza deixa os olhos escuros saltados de ansiedade. Nelson sente fascínio por aqueles olhos belos e impotentes — escuros mas não negros, mais claros que as sobrancelhas espessas, cor de cerveja preta ou daquelas geléias que as abelhas dão à rainha, com lampejos de luz; a vida que neles brilha é como uma pitada de veneno. Ele resolve conversar com o rapaz primeiro, e pede aos pais que esperem.

"Então, Michael. Como é que você está?", pergunta Nelson depois que a porta se fecha e ele se instala em sua mesa. É uma mesa mínima, de um material sintético que imita madeira. O rapaz está sentado na única outra cadeira que há no recinto, uma peça inteiriça de plástico, em frente à mesa. Ele tenta ficar numa posição bem relaxada para deixar claro que não leva a sério aquela história toda, mas a cadeira, frágil, com sua forma cientificamente projetada, não permite tais excessos.

"Bem. Tudo bem. Como sempre."

"As vozes pararam?"

Michael umedece os lábios, como se de repente houvesse percebido que estavam secos. "Pararam."

Ele está mentindo, Nelson sabe, porém continua olhando para a pasta referente ao rapaz, aberta seis meses antes. "Continua tomando o Trilafon direitinho?"

"Com certeza, sim, senhor." Outra mentira, Nelson percebe, com base numa certa retração naquela voz jovem, que se torna um pouco mais grave, um sinal inconfundível; porém Michael quer acreditar, quer ser curado, de uma doença que lhe parece ser ele próprio, nada menos que isso, um apodrecimento de seu eu mais íntimo, aquela voz interior, muito bem acomodada, num lugar aparentemente seguro, dentro de seu crânio.

"O Trilafon tem algum efeito colateral que você gostaria de discutir com o doutor Wu?" Howard Wu é o médico do Centro, que dá meio expediente ali três vezes por semana. Pele dourada, corpo atarracado, é uma figura muito querida, com seu jovial pragmatismo chinês e seus dentes grandes e convexos. É o Buda alegre do Centro.

O rapaz muda de posição, sentando-se na beira da cadeira e jogando o corpo para a frente com um movimento espasmódico. "Eu me sinto entupido. Nas duas extremidades. É como se estivesse com o nariz resfriado o tempo todo. Passo o dia inteiro com sono, e aí não consigo dormir à noite. Estou mal pra caralho", diz, com uma risada nervosa, como se para distanciar-se daquele sentimento. Uma fissão, uma dispersão naquele rosto jovem faz com que Nelson sinta dificuldade em olhar para ele.

"Você quer que eu anote que as vozes pararam? Se eu fizer isso, o doutor Wu vai achar que não precisa mexer na medicação."

O olhar fixo de Nelson provoca em Michael uma série de manobras evasivas, os cílios se movimentam sob as belas sobrancelhas negras, que parecem estar sempre franzidas, como é comum nos homens italianos, tornando-se mais espessas à medida que se aproximam do nariz. Esse rapaz deve ter feito um tremendo sucesso no colégio secundário de Brewer, e mais ainda desfilando entre os amigos no conversível que os pais lhe deram, orgulhosos por terem dinheiro para tais mimos. Ele fez muito sucesso cedo demais, tal como o pai de Nelson, de certo modo. Há ainda um pouco de bravata, educada porém perigosa, em seu sorriso e no jeito de amansar com o pente os cabelos negros revoltos. É um bom sinal, ele cuidar da aparência. Ou será que foi a mãe que penteou seu cabelo hoje, para esta consulta, e o obrigou a fazer a barba? "É, as vozes falaram um pouco, sim", ele reconhece, com voz grave, e depois dá um sorriso debochado, como se desafiando o mundo a levar sua afirmação muito a sério.

"O que foi que elas disseram? Você lembra?"

Nada.

"O que foi que as vozes disseram?"

"Uns negócios chatos."

Nelson espera.

"Elas dizem que eu sou um fodido completo. Mandam eu me matar. Ou de repente sou eu mesmo que fico pensando isso, pra ver se elas param. De repente é o que eu devia fazer."

"Michael", diz Nelson, com uma voz alta e séria o bastante para fazer o rapaz, cujos olhos estão buliçosos, encará-lo. "Se você, por um momento que seja, resolver se entregar a esses impulsos, o que é que você tem que fazer?"

Uma pausa longa. "Sei não."

"Você tem que entrar em contato com o Centro. A qualquer hora."

"É, mas também, porra, eu não vou ficar ligando pra centro nenhum às quatro da manhã."

"A gravação dá o número dos Serviços de Emergência. Você tem que ligar. Aliás, vou lhe dar o número." Nelson o anota num bloco com o logotipo do Centro e arranca a folha. Uma nova rajada de chuva bate contra a janela atrás de Nelson. Ele imagina a água se aventurando, trêmula, penetrando, escorrendo pelos parapeitos desta antiga escola, a tinta já solta por conta de temporais anteriores. "As vozes dizem mais alguma coisa?" O barulho da chuva é tamanho que Nelson mal consegue ouvir a resposta.

"Elas mandam eu matar os meus pais."

Ele fala com uma voz rouca, engrolada, e no entanto com um toque de desafio, uma pitada de arrogância adolescente, enquanto o sorriso debochado continua estampado no rosto, esquecido. "E como você se sente a respeito disso?", pergunta Nelson.

Michael o surpreende com uma explosão de afeto: "*Péssimo*. Eu *adoro* meus pais. Eles sempre foram muito legais comigo, me dão tudo que eu quero, e não vivem me pressionando pra eu ir trabalhar na, o senhor sabe, na porra da tinturaria". Sua voz está apressada, para acompanhar o ritmo do cérebro. "Eles me puseram na faculdade, quando muitos pais logo obrigam o filho a entrar pra empresa da família. Meu pai está ficando velho e a saúde dele não anda boa há algum tempo. Eles me puseram na Penn State, a melhor universidade do estado. E eu fiz o quê? Eu fodi com tudo."

"Não, Michael, você adoeceu. A gente está tentando fazer você melhorar. Você já está melhor. Você se veste, você não está mais agressivo..."

"Lá em casa às vezes eu fico agressivo." Começa a se exibir, para alguma pessoa imaginária que está sentada no lugar de Nelson. "A minha mãe, ela é um pé no saco, falando sério. Ela vive dizendo que eu não devia ficar vendo filme antigo na televisão, que eu tenho que levantar, ir para a rua, fazer isso, fazer aquilo. Não sei pra quê."

"Pra você ter um funcionamento psicossocial normal, como a gente diz. Isso exige um certo esforço. Deixe eu ver o seu gráfico. Você não vem ao Centro há uma semana, e na semana anterior só veio duas vezes. Por isso pedi pros seus pais virem com você. Eles e o doutor Birkits, todos nós queremos que você venha sempre pra poder melhorar." Birkits era o psiquiatra de Brewer a quem os pais de Michael o haviam levado, seguindo a orientação do serviço psiquiátrico da universidade, depois do surto. Birkits, um desses psiquiatras desanimados, que não acreditam mais em psicoterapia, encaminhou o abacaxi ao Centro Começar de Novo. Eles não recebem muitos clientes que vivem com pai e mãe e têm dinheiro para pagar um médico particular.

"Eu sei o que vocês querem", diz Michael, debochado.

"Sério, Michael. A gente quer melhorar o seu funcionamento, e o que a gente oferece aqui no Começar de Novo é um ambiente protegido em que você possa praticar, com os grupos, as atividades, o aconselhamento. Mas você tem que freqüentar."

"Está bem. Sim, senhor. Posso falar com franqueza?"

"Claro."

"Eu não suporto esses caras. Gordos. Veados. Feios. Não fazem o meu tipo."

"Qual é o seu tipo?", pergunta Nelson, e imediatamente se arrepende da hostilidade de sua própria pergunta, que saiu automaticamente.

"Fracassado", retruca Michael, e ri, um som áspero e abrupto que não combina com seu rosto assustado. "Meu tipo é esse, fracassado."

"Nada disso. Nem você, nem ninguém aqui. Nós somos seres humanos, o que nem sempre é fácil. Os outros clientes são pessoas boas, estão aqui pra se ajudarem. Eles gostam de você, é só você se abrir pra eles."

"Eles não iam gostar, se soubessem o que rola na minha cabeça." Faz um movimento brusco para a frente. Sua tez parece um pouco suada, úmida no alto da testa. Os olhos envenenados ardem de vergonha, porém ao mesmo tempo estão excitados, sentindo que alguma coisa estranha, uma transformação, está acontecendo com ele. "As vozes ficam cochichando, falando comigo sobre as garotas que eu vejo na rua. Essa, aquela. Elas me mandam imaginar a garota cagando."

"Cagando?" Nelson não consegue conter a sensação de espanto. Talvez fosse justamente essa a intenção de Michael. Nelson gostaria de saber até que ponto o rapaz o vê como inimigo. Será que ele sente em seu conselheiro de saúde mental alguma inimizade étnica, inveja de seu corpo esguio e de sua beleza latina? Quando Nelson tenta imaginar o que um esquizofrênico vê, ele relembra uma frase que lhe foi dita por Howie Wu: *Eles perdem a percepção da distância.* As coisas próximas parecem distantes — é assim que Nelson entende a situação — e não há uma profundidade nítida em que eles possam se localizar. As engrenagens que permitem que uma pessoa encaixe na outra nunca funcionam neles, é como se elas se dissolvessem, uma sensação enlouquecedora. A tentativa de se colocar dentro da cabeça de Michael é como uma faca penetrando em Nelson, uma espécie de náusea fria abaixo das costelas.

"Elas me mostram a garota de cócoras. Eu quero esfregar a cara dela na coisa. Quero fazer ela comer. O senhor fica chocado?"

"Não", Nelson mente.

"Pois eu fico." Michael joga o corpo para trás até onde a cadeira permite. Seu afeto está se esvaziando; seus olhos se estreitam enquanto ele relembra: "Trinta mil dólares por ano, imagine só, mais despesas extras e um carro pra mim. Mulher pra tudo que é lado. Professores badalados. Todas as associações de alunos querendo que eu entrasse pra elas. E eu fodi com tudo isso. Não agüentei a barra. Não sabia nem em que cursos eu tinha me matriculado. Me escondi no meu quarto, com a persiana baixada, até que o meu companheiro de quarto deu queixa pro decano e aí o serviço psiquiátrico veio me pegar. Eles dizem que eu falei pro decano, ou sei lá pra quem, que ele era a prostituta da Babilônia. E eu nunca nem ouvir falar nela". Arrisca uma risadinha, testando o rosto que está a sua frente.

"Michael", diz Nelson, encerrando a conversa com firmeza. O rapaz agora estava se exibindo, ameaçando. *Quando você se sentir inseguro*, Howie me disse uma vez, *confie na sua intuição. Se solte.* "Você precisa entender que é da maior importância tomar os remédios corretamente. Fiz uma recomendação aqui pro doutor Wu pensar em mexer na dose de Trilafon."

"Eu bebia cerveja e tequila na faculdade", diz Michael, levantando-se inseguro, percebendo que está sendo despachado e sentindo-se aliviado e ao mesmo tempo não, insatisfeito, ainda não curado. "Meus pais não sabiam, mas eu tomava os maiores porres. Acho que foi isso que fodeu com o meu cérebro."

"Acho que não. O cérebro humano agüenta muita cerveja. Michael, você não tem *culpa*", diz Nelson, contornando a mesa para que naquela saleta pequena o rapaz — alto quando fica em pé, a boca feminina entreaberta, o rosto brilhando na luz do dia chuvoso, implorando para ser compreendido — seja obrigado a sair, para a sala de espera, onde seus pais aguardam ansiosamente a hora de entrar.

"Um menino tão bonito", diz o sr. DiLorenzo, depois que uma segunda cadeira é colocada para sua esposa à frente da mesa de Nelson. "Inteligente, bonzinho. Um verdadeiro milagre. Esse menino nasceu depois das três irmãs, quando a Maria já estava com mais de quarenta anos, pra nós foi como um milagre." Fala com cuidado, com dignidade, como se ainda se lembrasse do tempo em que não dominava o inglês, esse filho de imigrantes que praticamente não conseguiram aprender a falar o idioma. O cabelo, penteado para trás, está ficando grisalho, mas as sobrancelhas espessas continuam negras.

A mulher intervém: "Mas mesmo quando ele era pequeno o Michael já se isolava um pouco. Ele brincava com os outros, mas depois se afastava e voltava pra casa. Eu perguntava: 'O que foi?'. Ele dizia: 'Nada'. Parecia que ele não via sentido em ficar com as outras pessoas. Ele era tranqüilo. Nunca teve nenhum acesso de raiva".

"Minha mulher fica imaginando coisas no passado", retruca o sr. DiLorenzo, endireitando as costas, os olhos aumentados pelos óculos de lentes grossas, olhos desgastados pelo trabalho de examinar tecidos de perto. "Ele foi um menino absolutamente normal. E também tirava as melhores notas, até terminar o colegial. Ele é que fez o discurso de abertura na formatura, era o segundo colocado da turma, falou que a gente devia ajudar a Rússia a manter a democracia e o capitalismo. Nunca deu trabalho a ninguém — nem aos professores, nem a mim, a ninguém."

"Se tivesse dado um pouquinho de trabalho teria sido mais normal", diz a mulher. "Na época, eu ficava pensando se ele não se sentia prejudicado por ter tantas irmãs mais velhas. Eu e as minhas filhas, a gente se divertia demais, sempre rindo, sempre ocupadas na casa, sempre contando coisas uma pra outra. Já o Michael, ele parecia um principezinho, distanciado."

"Não ligue pro que ela diz não, senhor..."

"Angstrom. Mas pode me chamar de Nelson se o senhor preferir."

"Não ligue pro que ela diz não, Nelson. Ele não tinha

problema nenhum. Praticava esporte, tirava nota alta, participava da política estudantil. Não tomava droga, não bebia. Foi coroinha também, até os quinze anos, e olhe que não foi a gente que forçou, não. Aqui nos Estados Unidos religião é uma decisão pessoal. Eu também dizia pra ele: 'Michael, olhe, se você não quer trabalhar na tinturaria, se você quer estudar — pra médico, advogado, sei lá, ter o seu escritório e usar a sua inteligência — eu acho ótimo, e a sua mãe também. O importante é você ser feliz. Estamos nos Estados Unidos'. Mas não, ele queria aprender a trabalhar na tinturaria; no verão, depois das aulas, era do que ele gostava. Eu é que não pressionava ele nem um pouco."

"Mas havia uma pressão, *sim*", diz a sra. DiLorenzo a Nelson. "O Joe precisava dele pra tocar a tinturaria, e ele sabia disso. Como a coisa não era dita às claras, era pior ainda. As meninas se casaram e foram embora daqui. Elas já não agüentavam mais aquelas substâncias químicas, as máquinas, ficar trabalhando até sete, oito da noite. Só uma delas ficou aqui no estado, e mesmo assim lá perto de Pittsburgh, num subúrbio muito bom, à margem do Allegheny. Os maridos delas não querem saber da tinturaria. A pressão era toda sobre o Michael, e ele sabia. Ele não agüentou. Homem não gosta de ter a vida toda dele já programada de antemão. Homem gosta de aventura. Não é, senhor Nelson?"

"Ela está maluca", diz o sr. DiLorenzo num tom confidencial. "Ele não queria aventura, não. Ele não era que nem esses garotos vagabundos de agora, que só pensam em, como é que chama, hip-hop, que pegam uma arma e vão dar tiro nos colegas pra sair no jornal das sete na televisão. Que dão tiro nos pais, que não respeitam nada neste mundo. Ele queria era tocar o negócio da família. Não houve pressão nenhuma. Na faculdade ele estava estudando química pra ficar conhecendo todas as novidades, os solventes mais novos, os menos agressivos ao meio ambiente, como a gente diz agora. Porque o maior problema do nosso trabalho atualmente é saber como jogar fora os produtos químicos; basta um processo aberto por uma vítima de câncer pra liquidar uma firma — só com as custas do advogado, mesmo que você ganhe a causa. Adoro este país, mas o sistema legal daqui é um horror."

"Joe, havia pressão, sim." A sra. DiLorenzo explica a Nelson: "O meu marido quase se matou de trabalhar pra construir a Perfect. Começou fazendo trabalho sujo pra um judeu velho lá em South Brewer, a loja funcionava num porão e numas casinhas todas iguais, um buraco escuro, o equipamento todo amontoado nos fundos, um galpão que não tinha nem alvará, ganhava cinqüenta centavos por hora, ou nem isso, o Joe vivia sendo explorado. Quando o judeu morreu, o Joe pediu dinheiro emprestado, comprou a tinturaria da viúva e mudou o nome pra Perfect Cleaners".

"Fica mais bonito em italiano, *perfetto*", diz o sr. DiLorenzo, escandindo a palavra, "mas estamos na América. As coisas aqui têm que ser perfeitas. Não ligue pro que a Maria diz, não — o Jake foi muito bom pra mim, foi ele que me ensinou o ofício. Primeiro ele me pôs pra trabalhar nos tanques, aquele cheiro de solvente de petróleo, foi só depois que mudou pra percloroetileno, depois fui trabalhar com as máquinas de passar roupa a vapor, e depois me encarregou de tirar manchas, é um trabalho que exige perícia — se bobear você estraga uma blusa de seda, um terno de lã caro. O negócio foi indo tão bem que eu abri uma filial em West Brewer, depois outra em Hamburg, e dois anos atrás puseram à venda um terreno numa área industrial em Hemmington. Fazia muitos anos que eu estava querendo construir uma sede maior, com lugar pra guardar casacos de pele no verão e equipamento pra aceitar qualquer tipo de serviço, até mesmo toalha de mesa de renda antiga, elas vão ficando amarelas com o tempo, muito frágeis, e cortinas de veludo grandes, que a gente quase sufoca com a poeira delas, tem umas mansões lá em Penn Park e às margens do Youngquist, os donos *nunca...*"

Nelson já cansou de ouvir falar na tinturaria. "E o senhor estava contando com o Michael pra assumir tudo isso um dia."

"Um dia, e não agora. Talvez daqui a dez anos, talvez menos. Nós temos uma casinha na Flórida, os invernos aqui não são muito bons pra Maria..."

"Não vá botar a culpa em mim se você quer ir pra Flórida e encarregar o menino de cuidar de todas essas instalações, esses empregados, os encargos sociais..."

DiLorenzo pega o mote com entusiasmo, dizendo a Nelson: "É socialismo disfarçado. As empresas menores que a Perfect estão todas fechando — os encargos sociais, os seguros. Antigamente tinha uma tinturaria em cada quarteirão. Eu não devia nem reclamar, é até melhor pras empresas maiores que têm condição de arcar com esses custos todos, mas mesmo assim eu fico indignado. Se fosse começar hoje, duro como eu era antigamente, não ia conseguir".

"Ele se *mata* de trabalhar", diz a mulher, "e quer que o Michael assuma essa coisa toda. Quer ir pra Flórida pra ficar vendo as moças na praia e se bronzear até ficar igual a um negro."

"O menino queria, falando sério, não fui eu que pressionei, não."

"Joe, ele *sentia* a pressão. Quando ainda estava terminando o secundário, já tinha começado a se recolher num mundo só dele. Começou a tirar notas mais baixas."

Nelson intervém, para interromper aquele festival de amor. Eles se amam, e aquele filho querido é perfeito, Perfect. "O Michael tem muita raiva de si próprio", ele lhes explica, "por decepcionar a família — é ele mesmo quem diz. Tento explicar a ele que a culpa não é dele. Também não é de *vocês*. Não é culpa de ninguém."

"Então o que é?", pergunta o sr. DiLorenzo com simplicidade, querendo saber quem é esse invasor invisível que destruiu seu filho.

Boa pergunta. "É...", diz Nelson, "é um distúrbio do sistema nervoso, que tem a ver com o fluxo de dopamina, com o controle químico da ativação das sinapses."

"Eu sempre me preocupei com isso", interrompe a mãe de Michael. "Ele ainda era pequeno, treze, catorze anos, e passava o verão trabalhando com o pai, inalando aquelas substâncias venenosas."

"Não diga bobagem, Maria", diz o marido, rouco de tanto falar. "Olhe pra mim, que estou inalando essas coisas a vida inteira."

"A química de que estou falando não é essa", diz Nelson. "Não sou médico, não entendo isso direito, a química do cérebro é uma coisa muito complexa, muito sutil. Por isso é que a gente só apresenta um diagnóstico de esquizofrenia depois de seis meses de observação, examinando com cuidado os sintomas. O que sabemos sobre a doença — o distúrbio — é que é muito freqüente em jovens no final da adolescência ou com vinte e poucos anos, que até então pareciam estar saudáveis. O Michael se encaixa muito bem nesse perfil. Isso é típico, a crise no início do curso superior." Olha para o lápis amarelo ainda em sua mão. Com o rabo do olho vê os rostos dos pais a sua frente, numa pequena alucinação, subirem no ar como balões de gás, mas sem sair do lugar.

"O que é que a gente pode fazer?", pergunta a mãe com uma voz mais fraca do que antes.

"Há alguma esperança?", pergunta o pai, mais pesado, e a cadeira estala com o aumento do peso, o peso da desesperança.

"Claro que sim", diz Nelson com firmeza, como se lesse um cartão que alguém segurasse a sua frente. "Esses medicamentos neurolépticos *funcionam*, e produtos novos estão sempre sendo lançados. As alucinações do Michael diminuíram, e o comportamento dele se regularizou. Agora — e é nisto que vocês podem ajudar — ele precisa aprender a aproveitar os recursos de que nós dispomos e assumir a responsabilidade por se medicar, tomando as doses receitadas pelo médico todos os dias."

"Ele diz que com os remédios ele vira outra pessoa", diz a mãe. "Que ele não gosta da pessoa que ele vira quanto toma os remédios."

"Essa é uma queixa freqüente", Nelson reconhece. "Mas, sem ficar insistindo demais, sem darem a impressão de estar pressionando, tentem lembrar o Michael de como ele era antes dos remédios. Será que ele quer voltar àquilo?"

"Senhor Angstrom, sei que o senhor não gosta de fazer previsões", diz o pai, viril, disposto a entrar num acordo, "mas com esses remédios a cabeça dele vai melhorar a ponto de ele voltar a produzir — seguir horários, passar nos cursos?"

Outra boa pergunta. Boa até demais. "Os casos variam muito", Nelson responde. "Com o apoio decisivo da família e do meio, clientes que sofreram surtos psicóticos muito sérios podem voltar a ter uma vida quase normal."

"Quase? Quase como?", pergunta o pai.

"Quase mesmo", diz Nelson, cauteloso, "o bastante pra retomar uma vida independente e trabalhar sob supervisão." Morar num quarto numa residência grupal e embalar compras num supermercado que adote uma política agressiva de empregar deficientes. Talvez. "Agora, vocês têm que ter em mente que muitas tarefas e ações cotidianas que pra vocês são óbvias e fáceis pro Michael são muito difíceis no momento. Ele não apenas ouve coisas; ele vê coisas e tem alucinações olfativas e até mesmo táteis, imagina coisas que se colocam entre ele e a realidade. Por outro lado, não está totalmente fora da realidade — ele sabe que a cabeça dele não está funcionando direito, e a consciência desse fato é um tormento pra ele."

Os dois, cansados, tentam assimilar essa informação. A consulta está chegando ao fim. Ouvem a chuva fustigar aquelas janelas frouxas de escola primária, como se num acesso de fúria, num mundo fora dos eixos.

"É de partir o coração", diz o sr. DiLorenzo. "Todos esses anos, desde que o menino nasceu, achei que estivesse fazendo de tudo pra ele. A Perfect."

"Não encare a coisa de um modo tão egoísta", diz a mulher, mas num tom solidário. "Pense no Michael. De repente a vida dele vai por água abaixo, afunda na loucura."

"Não, não", Nelson insiste, quase perdendo sua equanimidade terapêutica. "Ele continua sendo o filho que vocês criaram, o filho que vocês adoram. Continua sendo o Michael. Só que ele adoeceu, e precisa de vocês mais do que a maioria dos rapazes da idade dele."

"Precisa", diz a sra. DiLorenzo, a única palavra que fica pairando no ar. Ela levanta-se da cadeira, segurando a bolsa de miçangas pretas para que ela não caia de seu colo.

"O que a gente precisa", seu marido completa, levantando-se com ela, suspirando pelo nariz, "é de paz. E de umas férias. E tudo indica que isso a gente não vai conseguir. Nunca." Como águas-vivas mudando de forma dentro d'água, os rostos deles, que antes exprimiam preocupação com o filho, agora demonstram medo dele, medo de tudo que ele vai causar.

Nelson não diz nada. A entrevista o abalou, mas parece-lhe saudável que alguns desses fatos tenham sido discutidos. Os esquizofrênicos não ficam totalmente curados. Aquele filme em que o ator australiano faz o papel de um pianista que continua tocando porque uma mulher boa e amorosa cuida dele: uma besteirada sentimental, muito provavelmente. Eles não formam relacionamentos. Não têm persistência. Não conseguem segurar as pontas. Pensando bem, é admirável que a maioria das pessoas consiga segurar as pontas: atravessar um dia, mesmo o dia menos atribulado, requer uma coordenação neuronal fantástica. Essas pessoas disfuncionais o levam a pensar em quanto ele funciona bem. Elas não o incomodam tanto quanto as pessoas normais. Existem fronteiras. É necessário preencher formulários, escrever e arquivar relatórios, uma ordem tranqüilizadora. Cada conjunto de sofrimentos pode ser deixado numa pasta dentro de uma gaveta no final do expediente. Já no mundo exterior as obrigações não têm fim, não há como se proteger das necessidades e dores dos outros. A desorganização e suas conseqüências: um casamento fracassado e dois filhos sem pai em Ohio, Judy, com dezenove anos, rebelde e distante; Roy, com catorze, tentando manter contato com o pai via e-mail; e Pru, sabe-se lá o que ela anda fazendo, aquela filha-da-puta isolou-se dele, e ele ainda morando com a mãe e com Ronnie, como se fosse ele próprio um doente mental, acometido de agorafobia. Ali, no centro de terapia, ele tem um papel a desempenhar. Os clientes o respeitam. Percebem, naquele homem baixo, alinhado, de quarenta e dois anos de idade, com sua gravata listrada e camisa branca limpa, uma dor que foi dominada, pecados deixados para trás, absorvidos, corrigidos. Quando tem uma hora livre, como ocorre hoje depois que os DiLorenzos vão embora, Nelson vai para o espaço livre dos clientes — vai conviver com eles.

O centro de convivência, com seus sofás disformes, mesas de jogo de pernas finas, luminárias de pé meio bambas mas que ainda servem para iluminar, cheiros de café, de pastilhas para a tosse, de corpos não muito limpos e da refeição — feijão e presunto, com batatas fritas, ao que parece — sendo preparada na cozinha ao lado. Numa dessas mesas, Shirley, uma depressiva de cinqüenta anos, com obesidade mórbida, joga dominó com Glenn, um homossexual viciado em drogas com tendências suicidas de mais ou menos trinta e cinco anos. Glenn é do tipo escancarado. Usa brincos de brilhantes falsos nas duas orelhas e mais outro no nariz; pinta as pálpebras de um azul vívido e passa ruge embaixo dos olhos, como se fosse uma gueixa. Prende o cabelo num rabicho que sempre dá a impressão de ter sido recentemente feito. Nelson acha pouco provável que uma pessoa que cuida tanto da aparência seja mesmo suicida; Glenn sabe muito bem que a melhor maneira de receber atenção das autoridades, e ganhar alguns benefícios, é afirmar que tem impulsos suicidas. Esta nossa sociedade pseudocristã faz o possível e o impossível para manter todo mundo vivo, por mais que isso custe aos contribuintes. Esther Bloom não concorda. Os gays são gays, mas também são homens, diz ela. As mulheres flertam, produzem um certo espalhafato emocional. Quando os homens pensam a sério em suicídio, eles se matam *mesmo*, não ficam só tomando doses insuficientes de barbitúricos nem fazendo cortes vistosos, porém superficiais, nos pulsos. Segundo as estatísticas, os suicidas que mais levam a cabo seu intento são homens que sofreram reveses nos negócios. A categoria seguinte é a dos homens que já se sentem mortos.

Porém Glenn está vivo agora, e bem-humorado. Ele e Shirley — cujo corpanzil, com suas dobras mal lavadas de carne amarelenta, emite um cheiro que parece terrível até que se torna avassalador — batem com os dominós negros de pontos brancos na mesa com tanta força que se tem a impressão de que são tiros a perturbar o silêncio da sala. Uns poucos clientes assistem à partida. Nelson fica contemplando os estranhos desenhos formados pelas pedras. Se algum dia aprendeu a jogar dominó, já não lembra. No playground de Mt. Judge havia um pavilhão com tabuleiro de damas e xadrez chinês; ele e Billy Fosnatch jogavam bola de gude num círculo no chão de terra; foi só um ou dois anos depois que os pais separados de Billy compraram para ele uma minibicicleta, dando fim àquela fase da infância de consumo inocentemente modesto. Nelson, melancólico, vê Shirley e Glenn rindo, um bloqueando o outro, expandindo e interrompendo a cobra sarapintada que aos poucos vai cobrindo, angulosa, a mesa de metal. "Fim da linha pra você, otário!", exclama Shirley, e sua alegria provoca remoinhos de simpatia entre os espectadores, um círculo de ociosos capturados na órbita de seu bodum familiar.

"Fim da linha, é, benzinho?", retruca Glenn. "Pois sim!" E coloca um cinco dobrado atravessado numa extremidade da cobra de dominós.

"O que é que isso quer dizer?", indaga Nelson. "Colocar essa pedra dupla atravessada?"

Glenn levanta a vista, entorta a cabeça, uma das pálpebras azuis semicerradas, refletindo numa das facetas do brinco do nariz a luz fluorescente do teto. "Você nunca jogou dominó, Nelsinho?", pergunta ele. Apesar de toda a maquiagem gay, ele tem uma voz forte, uma dessas vozes das ruas de Brewer, mais grave do que era de se esperar, e também agressiva. Seu tom dá a entender que Nelson está tendo um problema de fronteira.

É possível. Os outros clientes estão escutando, atentos, como crianças que não têm mais o que fazer. Porém sua formação de terapeuta o ensinou a ser franco, direto e destemido sempre que exerce seu papel. "Se joguei, já esqueci. Qual é o objetivo?"

"Matar o tempo", diz Glenn.

"Coitadinho", diz Shirley a Nelson. "Você é filho único?"

Nelson hesita. Cuidado com as fronteiras. "Eu tive uma irmã. Ela morreu ainda bebê."

Os dois ficam chocados, tal como ele previra. Eles têm lá seus próprios problemas, é para isso que estão aqui, e não para ouvir os problemas dele. Shirley se oferece: "A gente ensina você, querido, quando terminar esta partida". Seu rosto largo contém um vestígio, uma marca delicada, como a deixada por uma samambaia numa pedra, do rosto que tinha quando jovem. O nariz é pequeno e reto, o queixo é pontudo — um pedaço triangular de osso no meio da gordura.

"Qualquer retardado aprende", diz Glenn, num incentivo grosseiro.

Uma das características simpáticas das pessoas disfuncionais é que elas não guardam rancor. Não se prendem a nenhum senso de dignidade imaginário, porém se concentram nos próximos dois minutos de vida que têm pela frente. Durante os vinte minutos em que aprende a jogar dominó com uma mulher enorme como uma montanha de vestido havaiano sujo e com um degenerado com a cara cheia de ruge e enfeitada por três brincos — quatro, pois há mais um, de metal, espetado na sobrancelha pinçada —, Nelson sente que seu nó interior se afrouxa, até mesmo o nó de apreensão pelo encontro na hora do almoço, uma coisa louca, com uma moça que saiu do nada e diz ser sua irmã.

Ao sair do Centro, vê que continua chovendo, mas agora a chuva é mais fina e se dilui no vento, formando um torvelinho que é como um sol branco. Não adiantaria abrir o guarda-chuva, que seria virado do avesso. Em vez disso, Nelson corre, reduzindo a velocidade sempre que sente que a camisa está ficando suada por baixo da capa de chuva, mantendo-se próximo aos prédios de tijolo e às fachadas reformadas com Permastone, no lado sul da Elm Street. As placas de plástico das lojas estremecem e se debatem; as caixas de correio de metal balançam, presas por um único parafuso, à frente das casas de quatro andares transformadas em prédios de apartamentos; latas vazias de Mountain Dew chacoalham na sarjeta; as copas das árvores se debatem, sacudidas por lufadas que as atravessam como se fossem quilhas de barcos perfurando ondas de cabeça para baixo. Os olmos que ladeavam esta rua morreram há muito tempo; as pereiras que a prefeitura colocou no lugar já cresceram tanto que é necessário podá-las para preservar os fios elétricos. Há menos pessoas nas calçadas do que de costume, mas as poucas que Nelson vê estão curiosamente alegres. Um casal negro, ele e ela com capas amarelas, se beija junto a uma porta. Uma moça latina magricela, com sapatos de salto largo e quadrado, jeans e blusa de malha, caminha conversando num celular. Será mesmo um furacão? As pessoas estão fazendo pouco da tempestade. Estão se rebelando contra os exageros dos boletins meteorológicos da televisão, que visam aumentar a audiência.

Nelson passa correndo por uma das últimas barbearias que dão diretamente para a rua ainda existentes na cidade, onde dois velhotes aguardam a vez, enquanto um terceiro está sentado na cadeira do barbeiro, coberto com um lençol até o pescoço; todos os três estão quase carecas, quatro contando com o barbeiro. Seu pai não quis esperar até ficar velho. Não teve paciência. O vento traça ovais nas cortinas de chuva. Acima dos telhados e chaminés, as nuvens arrastam caudas que lembram tinta diluída em água. Há menos de cinqüenta por cento de probabilidade de que a moça compareça ao encontro no meio desta tempestade. Nelson espera que ela não venha; assim, ele estará livre de qualquer compromisso.

Porém lá está ela, aguardando à porta do restaurante, The Greenery (*Saladas, Sopas e Sanduíches*), debaixo de um guarda-chuva azul-celeste, não com sapatos brancos largões, conforme o combinado, e sim com mocassins protegidos por botinhas de plástico transparente, como brinquedos embrulhados em plástico-bolha. "Oi. Eu sou o Nelson", diz ele com uma voz mais áspera do que era sua intenção, talvez por estar esbaforido depois da corrida. "Você não devia ter esperado do lado de fora, vai ficar encharcada", continua, nervoso, começando aquele relacionamento num tom de acusação.

Ela, ao que parece, não se incomoda. Os olhos suaves, de um tom de azul adensado pela cor do guarda-chuva, o contemplam enquanto ela se defende: "Mas está emocionante, este tempo. Está sentindo a eletricidade no ar? Ouvi no rádio do carro que o olho do furacão está em Wilmington".

"Aposto que ele vai logo ser rebaixado pra tempestade

tropical. A Carolina do Norte é que foi mais atingida. A Pensilvânia nunca sofre o impacto direto."

"Que bom, não é?", indaga Annabelle.

As cabeças dos dois estão no mesmo nível. Ele é baixo para um homem, e ela um pouco mais alta que a média das mulheres. Nelson se pergunta se um passante perceberia que eles são irmãos. "Vamos, vamos entrar", diz ele, ainda ofegante.

No restaurante há cerca de meia dúzia de fregueses, e o último dos três reservados está desocupado. O interior tem aquele cheiro antigo de vestiário, de roupas molhadas e segredos infantis. O gesto preciso e confiante com que Annabelle tira a capa branca e o cachecol vermelho e os pendura no cabide junto à porta dos banheiros emociona Nelson; ela já se tornou uma solteirona. Porém o jeito animado como se senta e desliza pela poltrona até o centro da mesa do reservado indica que ela ainda tem esperanças, ainda está participando do jogo, seja ele qual for.

A garçonete, já um tanto velhusca para aquele uniforme verde de saia curta, vem de trás do balcão e lhes entrega os cardápios, lindamente impressos em páginas cujas bordas imitam folhas, porém já manchados e rasgados de tanto que foram manuseados. "Agora", diz ela, "temos também hambúrguer e cachorro-quente."

Nelson comenta: "Eu pensava que isso era contra os princípios de vocês".

A garçonete, apesar do corpo pesado e da tez amarelada, tem senso de humor. "E era mesmo, mas as pessoas pediam sempre. Pizza e batata frita a gente continua não servindo."

"Pode crer", diz Nelson. Nos últimos anos, por hábito profissional, adotou respostas lacônicas, mas esta ocasião vai lhe exigir mais: ele terá de dar, de abrir caminho. Agir como provedor.

"Adoro comida saudável", diz Annabelle Byer.

"Já escolheram?", pergunta a garçonete. "Ou querem pensar mais um pouco?" Nelson freqüenta este restaurante uma ou duas vezes por semana desde que ele abriu, na primavera, mas a mulher o está tratando com uma deferência especial hoje por ele estar acompanhado. Annabelle tem o rosto um pouco redondo e é meio sem sal em comparação com a latina magricela de jeans e sapatos de salto alto, mas também não chega a ser uma companhia constrangedora; podia muito bem ser uma colega de trabalho, como Katie Shirk.

"Eu já escolhi", diz ele. "Aquela sopa de brócolis que vocês fazem..."

"Não é uma sopa cremosa, não", a garçonete interrompe. "É mais pra rala. Tem fregueses que acham aguada."

"Eu quero essa sopa", Nelson insiste, "e depois a salada de espinafre, com vinagrete de framboesa, e não economize nos pedacinhos de bacon."

"É exatamente o que eu quero", diz Annabelle, com uma alegria que Nelson julga excessiva.

A garçonete anota os pedidos. "O senhor pediu pra economizar ou pra não economizar nos pedacinhos de bacon?"

"Pra *não* economizar", dizem Nelson e Annabelle em uníssono. Nelson acrescenta: "E, pra beber, com este tempo horrível que está fazendo, um chá quente. Não chá de ervas; eu quero é cafeína. Lipton, se vocês tiverem".

"Pra mim também", diz sua irmã. Nelson está começando a enxergar o lado ruim de se ter irmã.

"Você nunca tem idéias próprias?", ele pergunta.

"Praticamente *só* tenho idéias próprias. Se você tivesse me deixado pedir primeiro, como aliás seria o correto, *você* é que ia parecer estar me imitando."

"Eu teria pedido uma coisa diferente. Eles têm uma salada César diet, com pedaços de frango caipira, que é uma delícia."

"Eu adoro comida saudável."

"Você já disse isso."

"É, eu estou nervosa. É *estranho*, não é, conhecer o irmão depois de tantos anos, e a idéia foi sua."

"É, e aparecer lá em casa e dar um tremendo susto na minha mãe foi idéia sua. Por falar nisso, meus pêsames pela sua mãe."

"Obrigada. Ela não parecia assustada, não, a sua mãe.

Mais agressiva, na verdade. Pensou que eu estava atrás do dinheiro dela."

"E não era pra pensar? E ela nem tem muita coisa." Nelson sente-se — e isso ele não esperava — à vontade o bastante para assumir uma postura combativa, como se ele e aquela pessoa tivessem ensaiado aquela disputa anos antes. "Aliás, vocês duas já se encontraram", diz ele. "Uns vinte e tantos anos atrás, numa festa num apartamento no Locust Boulevard. Na casa de um casal, Jason e Pam, e de um veado que morava com eles, o Slim." Nelson não diria "veado" no trabalho — ele já trabalhou com vários gays, colegas ou clientes, e o fato para ele não é nenhum problema, desde que se livrou da fantasia de que eles iam meter a mão nos seus fundilhos —, mas a presença daquela moça evoca nele uma personalidade anterior, menos politicamente correta. "Eu estava com a minha mulher. Ela estava gravidíssima, tomou um porre e rolou pela escada." Aquela lembrança ainda o envergonhava: ele é que havia esbarrado em Pru, desequilibrando-a, e a imagem de sua mulher caindo naquela escada em que os degraus tinham beiras de metal, abrindo as pernas cobertas com uma malha laranja, como se estivesse fazendo um convite sexual à beira do desastre, permanece até hoje em sua memória como um momento decisivo de sua vida. *Eu preciso ser uma pessoa melhor*, ele havia pensado na ocasião.

"Não me lembro de nada disso", diz Annabelle com aquele seu jeito manso irritante, levemente desafiador.

"Pois eu me lembro de *você*", ele acusa. "Achei você legal. Apreciei sua orelha. Você estava com um garoto chamado Jamie, e trabalhava na casa de uns velhos perto da antiga área de feira."

"Sunnyside", diz ela. "Minha orelha?" Num gesto automático, leva a mão à orelha direita, que o cabelo, curto e macio, deixa a nu. O cabelo, um pouco úmido por conta da chuva, é castanho, com mechas avermelhadas que parecem naturais e com uma quantidade razoável de fios grisalhos. O tempo está deixando sua marca em Annabelle, embora o rosto dela finja não perceber.

"Não era furada." Nelson não diz que a achou parecida

com sua própria orelha. Na época, ele também gostou de suas formas arredondadas, que pareciam convidativas, do lábio superior gorducho, da parte da frente das coxas quando ela ficava em pé. Alguns diriam que ela está um pouco cheia agora, mas neste condado os homens estão acostumados com isso. Como ela conseguiu escapar do casamento?

"Minha mãe não deixou", Annabelle explica. "Acho que era uma superstição dela, dizia que me queria ao natural, tal como eu havia nascido. Imagino o que ela não diria se visse essas garotas de agora. Até as enfermeiras mais moças fazem piercing, no umbigo, nos mamilos, em tudo que é lugar. Eu pergunto a elas se isso é higiênico, e elas respondem que os namorados gostam. Mais uma coisa pra eles brincarem, imagino." Ela fica vermelha, e baixa os olhos.

Chega a sopa, a sopa rala e florida que o restaurante prepara com ramos de brócolis e brotos de feijão e fatias de castanha-d'água tão finas que chegam a ser transparentes. Nelson e Annabelle viram os rostos para as tigelas fumegantes e se dão conta de que o tempo que têm para passar juntos está se consumindo. "Desculpe", diz ela, "não me lembro bem dessa festa. Acho que eu estava doidona de fumo."

"Não, não, eu é que estava doidão. De fumo ou de pó, naquela época eu estava sempre assim. Depois que meu pai morreu eu meio que sofri uma conversão e fiz o curso de aconselhamento de saúde mental. Aliás, você não acha uma coincidência estranha nós dois trabalharmos na área de saúde?"

"Se somos irmãos mesmo, não", diz ela. "Eu acredito na genética. E a área de saúde está crescendo muito, porque cada vez tem mais gente viva que cem anos atrás já teria morrido. Praticamente todo mundo agora acaba precisando de serviços de saúde."

"É, e será que vale a pena? Quer dizer, você cuidando desses cacos humanos com Alzheimer, que não entendem nada, não sabem mais nem agradecer, e eu suando a camisa pra não deixar que um bando de malucos deprimidos se suicide, e olhe que se eles morressem o governo ia economizar um bom dinheiro."

Ela olha para ele, a boca muito firme até o momento de

engolir a colherada de sopa, e diz: "*Nelson*. Você não está falando sério. Em termos abstratos, até dá pra pensar assim, mas não quando você está de cara com o paciente. Eu trabalho numa equipe que cuida de pacientes terminais. Mesmo no finalzinho, sempre tem alguma coisa ali, uma alma ou sei lá o quê, que a gente tem que amar".

"Especialmente quando a gente está sendo pago pra amar", diz ele; tem a impressão de que uma das fatias de castanha-d'água está estragada. Um restaurante com público especializado como este não tem movimento suficiente para manter a comida sempre fresca; aqui os produtos são usados um dia além do recomendado. Os fregueses que já estavam quando eles entraram estão indo embora, um a um, mas um pequeno grupo aguarda perto da porta, à espera de que uma súbita rajada de chuva enviesada diminua um pouco. As luzes do restaurante se acendem como se já estivesse escurecendo, embora ainda não seja uma da tarde.

"Me fale sobre ele", Annabelle cobra.

"Ele quem?" Embora Nelson saiba muito bem.

"Nosso pai."

Nelson dá de ombros. "Dizer o quê? Narcisismo paralisante, seria o meu diagnóstico. Intuitivo, mas não tinha muita empatia. Jamais cresceu. Ainda há pouco, vindo pra cá, quando eu passava por um grupo de velhos no barbeiro, me ocorreu o pensamento: ele morreu quando morreu porque quis. Vivíamos implorando pra que ele não morresse, mas ele não estava nem aí." Nelson reinterpreta a atitude de Pru ao ir para a cama com seu pai quando ele estava recém-saído do hospital como uma maneira de implorar que ele não morresse. Uma releitura razoável, pensa ele.

"Por que vocês não queriam que ele morresse, se ele era tão terrível?"

"Eu disse que ele era terrível? Ele era irresponsável e autocentrado, mas tinha também pontos positivos. Era uma companhia agradável. Uma pessoa pra cima. Como nunca cresceu, sabia lidar com criança, até mesmo comigo, quando eu era pequeno. Quanto menor a criança, melhor a relação com ele. Foi melhor como avô do que como pai, porque aí ele podia bancar o palhaço sem ser diretamente responsável e sem provocar aquele frio no estômago da gente. Eu senti muito esse frio no estômago. Porque ele aprontou muita coisa. Ele largou a mamãe pra ficar com a sua mãe. Depois se envolveu com um negro megalomaníaco e uma garota branca masoquista que tinha fugido de casa, e tantas fez que a nossa casa acabou sendo incendiada. Depois se apaixonou por uma moça que não tinha nada na cabeça, casada com um amigo dos meus pais na fase que eles viviam no clube. Depois teve um caso escondido durante anos com a mulher do amigo mais antigo dele. Quer dizer, amigo não, porque na verdade ele e o Ronnie sempre se detestaram. Como você vê, ele não tinha uma personalidade construtiva."

"E no entanto você não queria que ele morresse."

"O que é que você quer que eu diga? Ora, foi o único pai que eu tive. E você quer que eu deseje a morte dele?"

Annabelle sorri. Sua tigela de sopa está vazia. "Tem gente que acha que isso seria normal."

"Esse papo de complexo de Édipo, é? Freud é uma leitura divertida, mas na prática não funciona. Ninguém mais trabalha com Freud." Porém está mais chocado com a frase dela do que demonstra. *Seria normal.* Ele queria que seu pai vivesse, continuasse tomando conta dele, lhe desse guarida, por menos confiável que fosse. Lá fora o vento grita mais alto, a tempestade tropical chamada Floyd. As luzes do restaurante piscam e depois se apagam de vez.

Nesse exato momento, a garçonete traz as saladas. "Ih", exclama. "Está dando pra vocês enxergarem a comida ou é melhor eu trazer umas velas?"

"Não, dá pra ver", diz Nelson. Naquela penumbra oscilante, ao som do vento açoitando as árvores, Nelson chega-se mais para a frente e diz à irmã em voz baixa: "Ele era alto, uns vinte centímetros mais que eu, e tinha uma postura de atleta. Pra ele era uma tristeza eu não ser mais parecido com ele. No tempo do colegial, foi excelente jogador de basquete, naquele tempo em que o basquete era só pra brancos".

"É, mas isso é muito pouco, não é?", diz Annabelle, levando à boca a primeira garfada de salada. Ela tem um jeito um pouco ansioso de comer, mantendo a boca fechada com um sorriso satisfeito enquanto mastiga, o lábio superior reluzente de óleo.

"É o que todo mundo sempre dizia a ele, a vida inteira", comenta Nelson. "Mas não sei, não. Pelo menos era uma coisa que ele podia lembrar sobre ele mesmo. Já eu, não tenho nem isso."

"E a sua família?", ela pergunta antes da garfada seguinte, tomando cuidado para que os pedaços de bacon equilibrados em cima do espinafre não caiam do garfo.

"Eles me abandonaram. A minha mulher, Pru, que você viu grávida naquela festa que você não lembra mais, me largou há mais de um ano e levou as crianças. Voltou pra Ohio, a terra dela. Akron. A gente se conheceu no tempo que eu estudava na Kent State." Nelson não diz que ela era secretária e mais velha que ele; esses detalhes o constrangem. "Minha filha, a Judy, está com dezenove anos, faz vinte em janeiro, e ninguém tem nenhum controle sobre ela, só os namorados; e meu filho, o Roy, a gente se mantém em contato trocando e-mails. Ele tem catorze anos e entende mais de computador de que eu jamais vou conseguir entender."

"Por que ela foi embora? A Pru."

"Não sei. Acho que ficou decepcionada comigo. Ela me acha um bundão."

Annabelle termina de mastigar e diz, enfática: "Nelson, isso *não* é verdade. Você é um homem bom e inteligente".

"É, mas é possível ser bom e inteligente e também ser um bundão. A Pru sempre quis que a gente tivesse uma casa própria e eu nunca vi sentido nisso, com a mamãe morando sozinha naquela casa enorme em Mt. Judge. Eu não queria que ela ficasse sozinha. Minha mãe."

"Mas agora ela está casada."

"É. Mas aí eu não queria que ela ficasse sozinha com o meu padrasto, que é um horror. Me diga uma coisa: você acha que eu sou normal ou uma pessoa doente? Quando estou com os meus maluquinhos eu não preciso prestar atenção no que eu mesmo digo. Eu deixo *eles* falarem. E como falam! Cada um acha que a sua historinha é a história do universo."

A garçonete volta da cozinha e coloca sobre a mesa do reservado uma vela num castiçal de barro, e a acende. "Não precisava", diz Nelson. "Já estamos quase indo embora."

"Ir embora pra quê?" A garçonete vai até a porta e olha pelo vidro para a cidade encharcada, fustigada pelo vento. "Lá pro leste está tudo escuro", diz. "Lá atrás do fórum." Em letras fluorescentes, numa placa de cartolina presa no friso da borda, está escrito, no lado virado para dentro, FECHADO. Ela vira a placa, de modo que FECHADO fique voltado para a rua. O casal no reservado ouve a porta ser trancada. "O fogão e a grelha são elétricos", explica a garçonete.

Mais perto, Nelson ouve essa outra voz feminina, tão suave, tão transparente quanto a voz dentro de sua cabeça, dizer: "Me fale mais sobre seu pai, como você o via". A moça está fazendo força para ser simpática. Talvez seja mesmo simpática. Mas Nelson não gosta de falar sobre o pai. Alguma coisa obscura e preciosa é retirada dele. Quando tenta pensar em como eram as coisas quando era menino, Nelson sempre vê o pai e ele próprio no banco da frente de um carro, os dois sem ter o que dizer, porém o silêncio é confortável, e é agradável a sensação de estarem juntos em movimento. Nelson está sendo levado a algum lugar. À aula de piano que sempre o deixava nervoso, porque ele nunca estudava direito durante a semana, fato que era sempre percebido pelo sr. Schiffner, com suas camisas lilás e seu bigodinho à Hitler. À escolinha de futebol, no tempo em que ele jogava na divisão de juvenis todo fim de semana e tinha esperanças de virar um craque, pequeno mas ágil. À casa de Billy Fosnacht ou de algum outro amigo, que aliás não eram muitos, para ele dormir lá. Enquanto isso, a cabeça grande do pai se deliciava com seus devaneios, e suas mãos pálidas pousavam leves sobre o volante, as unhas com meias-luas grandes e translúcidas, normalmente uma mão apenas, enquanto a outra, distraída, alisava as costas da cabeça, um gesto que talvez remontasse ao tempo em que os adolescentes cortavam o cabelo à Sal Mineo ou à James Dean, como naqueles filmes de juventude transviada que Nelson via na televisão. Seu pai fora uma espécie de rebelde, um porra-louca, mas à medida que foi ficando mais velho e mais manso ele transbordava de felicidade com as coisas americanas mais simples, andar de carro com o rádio tocando alguma música, o aquecimento ligado, levando o filho para algum lugar naquela área metropolitana que ele conhecia quarteirão por quarteirão, esquina por esquina. À noite, na penumbra espectral do banco da frente, as sombras dos dois pareciam unidas para sempre pelo sangue. Quando criança, Nelson achava que sua própria morte era possível num mundo tão perigoso, mas não acreditava que seu pai pudesse morrer.

"No final, eu via meu pai", diz Nelson, "como um fracassado, uma pessoa que nunca tinha encontrado o seu lugar, que vivia do dinheiro da minha mãe, que aliás foi o pai dela que ganhou. Vovó — minha avó materna, Springer — sempre dizia que eu parecia o marido dela, o Fred. Ele era baixinho como eu e bom nos negócios, e cheio de vida. Mas meu pai nunca se considerou um fracassado. Ele se achava um vitorioso, e era assim que eu pensava também, até os doze anos mais ou menos."

"Eu também amava meu pai", diz Annabelle, "o homem que eu julgava ser meu pai. Ele sabia consertar qualquer coisa — você sabe, na fazenda tem sempre alguma coisa pifando, e ele nunca se mostrava inseguro, só suspirava e arregaçava as mangas. Ele tinha um jeito muito tranqüilo, confiante, que era maravilhoso — com minha mãe também, quando ela perdia as estribeiras. Sempre que algum paciente meu mais excitável começa a aprontar, eu tento pensar nele e imaginar o que ele faria no meu lugar."

O ouvido interior de Nelson lhe diz que há algo errado ali. Estão tentando lhe vender alguma coisa. Mas pode ser que seu ouvido tenha ficado preconceituoso de tanto passar o dia inteiro ouvindo histórias de famílias, lidando com todas as variedades de dependência e ressentimento, amor e o seu oposto, aquela atmosfera incestuosa, inescapável, doentia, das relações íntimas. Se a sociedade é uma prisão, as famílias são as celas, sem a possibilidade de redução de pena por bom comportamento. Pelo contrário, o bom comportamento tem o efeito de prolongar a pena.

"Pelo visto, ele era ótimo", ele rosna. "Toda vez que meu pai tentava consertar alguma coisa lá em casa, só fazia piorar mais ainda." Ouve suas próprias palavras e se pergunta se não estará sendo injusto. Lembra-se do pai trabalhando na horta que fez no quintal, pôs até mesmo uma pequena cerca de arame para proteger os legumes dos coelhos. Lembra-se do pai em uma viagem de carro a algum lugar, implorando-lhe que não se casasse, não se prendesse a um casamento, muito embora Pru estivesse grávida e o dia da cerimônia já estivesse marcado: seu filho ficou chocado quando ele sugeriu um aborto e ofereceu-se para despachar Pru com dinheiro. *Eu só não gosto da idéia de ver você obrigado a fazer o que não quer. É que você é parecido demais* comigo.

Eu não sou você! Ninguém está me obrigando a fazer nada que eu não quero!

Nellie, estão sim. Eles pegaram você de jeito, e você não deu nem um pio.

Ele havia reagido contra o pai, acusando-o de estar enciumado, negando a semelhança que o velho afirmava com veemência. *O que estou querendo dizer é que, por mim, você não precisava passar por tudo isso que eu passei.* Pois bem, Nelson não tinha passado pelo mesmo que o pai, e o casamento com Pru não tinha dado muito certo, mas o que lhe dói agora é constatar que seu pai estava tentando, até onde seu narcisismo lhe permitia sair de dentro de seu próprio eu egoísta e ajudar seu filho, tentando protegê-lo de uma daquelas catástrofes que são causadas quase todas as vezes que tomamos uma decisão. Ele tentara ser um pai melhor, embora Nelson, nem mesmo agora, pudesse julgá-lo de modo favorável. Diz ele, com esforço: "Mas ele não tinha só defeitos, não. A gente se divertia muito jogando bola no quintal. E ele me levava no estádio pra assistir os jogos dos Blasts. Uma vez fomos de carro até Filadélfia pra ver uma partida dos Flyers — alguém tinha dado os ingressos pra ele".

"Eu cheguei a conhecê-lo, você sabe. Na agência de carros. Ele parecia simpático. É claro que eu não fazia idéia de que era meu pai, mas ele foi paternal comigo. E engraçado."

"O que foi que ele disse de engraçado?"

"Nelson, como é que você pode querer que eu me lembre?" E então a lembrança lhe volta à mente. Um dia ensolarado de junho, a agência da Toyota na Route 111, do outro lado do rio, o passeio de carro, Jamie dirigindo, e o vendedor alto e pesadão, de meia-idade, com cabelos louros finos na frente. Ele no banco do carona, Annabelle no banco de trás. Diz ela: "Foi no tempo da crise do petróleo. Ele disse que não tinha mais nenhum sifão à venda em todas as lojas de ferragens de Brewer, e que não demorava todo mundo ia ter que entrar em fila pra comprar qualquer coisa, até mesmo barra de chocolate, não sei por que a conversa foi pra esse lado. Ele dava a impressão de que pra ele tanto fazia a gente comprar o carro ou não".

"Ele não estava nem aí mesmo. O único emprego que ele chegou a gostar foi quando estava numa gráfica, trabalhando como linotipista, que nem o pai dele. Mas aí as linotipos ficaram obsoletas."

"Isso é triste", diz a filha dele.

A garçonete está parada à espera, com seu avental verde. "Vocês estariam interessados numa sobremesa?"

Disse Nelson: "Pensei que vocês tinham fechado".

"É, eu fechei, sim, mas o cozinheiro ainda está aqui, ele acha que a luz deve voltar logo. De sobremesa a gente tem tofu, bolo de aveia com mel, queijo de cabra servido em *ramekin* e iogurte de baixa caloria congelado. E agora a gente tem também tortas caseiras, porque as pessoas sempre pediam. Deixa eu ver — torta de melado, merengue de limão e torta de maçã. Talvez ainda tenha um pedaço de torta de ruibarbo. Mas não dá pra esquentar, não, enquanto a luz não voltar."

Ela é a mãe, pensa Nelson, que ele e Annabelle têm em comum. A garçonete é a própria encarnação de Brewer, o rosto quadrado e assimétrico, como um pão gostoso que entortou no forno. De seu uniforme emana uma onda de sofrimento bem-humorado — pés doídos, filhos desencaminhados, queixas cotidianas. E no entanto, embora essa mulher lhe pareça uma velha, ela não deve ter muito mais idade do que eles — deve estar na faixa dos quarenta.

"Essa de maçã promete", diz ele, sem querer que aquele almoço chegue ao fim. Pois o que é que acontece depois? Não é como uma primeira saída com a namorada, em que a segunda ou a terceira termina numa trepada.

"Eu não devia", afirma sua irmã, "mas vou provar o bolo de aveia com mel."

A garçonete confidencia, baixando um pouco a voz: "Às vezes fica meio seco. Aconselho você a pedir junto uma bola de sorvete de iogurte de baunilha. Por conta da casa. Se a luz não voltar, vai estragar tudo mesmo".

"Você não presta", diz Annabelle. O rosto rechonchudo se abre num sorriso, os olhos brilham como olhos de criança quando ela aceita a sugestão. Embora já more na cidade há vinte anos, a moça ainda manifesta uma inocência de roceira que, se ela está sendo vista como sua namorada, constrange Nelson. Envergonhado, ele examina a parede acima dos reservados, cujo tema é vegetação — samambaias, arbustos, galhos de árvores, pintados em muitos tons silvestres. O que ele nunca percebeu antes, depois de tantos almoços apressados no balcão, é que no mural aparecem duas crianças em plano médio, vistas de costas, um menino e uma menina com trajes alemães tradicionais, cabelos presos em rabichos, de mãos dadas, perdidas.

"Pois é", diz ele. "Acho que acabei não lhe dizendo muita coisa sobre o meu... o nosso pai. Mamãe tem um monte de fotos e recortes de jornal lá em casa — você gostaria de dar uma olhada nessas coisas um dia?" Ele quer dar a ela o pai, o pai que é dela e dele, mas quando estende a mão a poeira cai por entre os dedos, de tão fina, seca e morta que está. Em apenas dez anos, o tempo transformou aquele homem espetacular em pó.

"Tenho a impressão que a sua mãe não quer me ver de novo na casa dela", diz Annabelle.

"De jeito nenhum", ele afirma, sabendo que Annabelle tem razão, e acrescenta: "E a casa é minha também", quando não é, pelo menos ainda.

"Acho que um de vocês pediu chá verde", diz a garçonete, trazendo duas sobremesas geladas e duas xícaras fumegantes. "A água ainda está quente, e todo mundo diz que faz bem. O japonês é o povo que vive mais. Outro dia mostraram na televisão duas irmãs gêmeas, com mais de cem anos de idade, que lá são famosas que nem cantor de rock aqui."

"Chá verde é ótimo", diz Nelson para livrar-se daquela mulher maternal. Quando os irmãos recuperam sua privacidade, ele diz a Annabelle: "Foi muito bom conhecer você. Só lamento meu pai não ter tido essa oportunidade. Ele achava muito ruim não ter uma filha".

"Isso é um pouco estranho. Os homens do tempo dele não eram todos machistas?"

"Ele não gostava muito de homem, nem mesmo de mim. Acho que para ele todo homem era um concorrente. Na disputa pelas mulheres. Ele tinha muito medo do lado homoerótico dele. Era uma coisa reprimida. O único amigo dele, amigo homem, de verdade... você quer mesmo ouvir isso?"

"Ah, quero, sim."

"...era um vendedor de carros que andou transando com a minha mãe uns tempos. Acho que foi por isso que a amizade deu mais certo, uma certa intimidade masculina. Charlie, era esse o nome dele, ele também já morreu, há coisa de dois anos. Também tinha problema no coração, só que ao contrário do papai ele fez tudo direitinho — três pontes de safena, válvula de porco, marca-passo, o diabo. Por algum tempo deu certo, mas não pra sempre, como você sabe, sendo enfermeira. Minha mãe nunca perdeu contato com ele, nem depois de casar com o Ron. Essa geração, depois que eles" — Nelson rejeita o verbo óbvio —, "depois que iam para a cama com uma pessoa, nunca mais se recuperavam." Essa digressão acabou por levá-lo bem longe. É mesmo verdade o que ele aprendeu com os professores de psicologia no Johnson Community College: se você deixa uma pessoa falar sem parar, ela acaba botando tudo para fora, começando com o que não era para sair. "Então, papai e Charlie estão lá no céu", concluiu ele, irônico, "vendo nós dois aqui juntos."

"Quando será que vamos estar juntos de novo, eu queria saber", comenta Annabelle sem ironia. Ela tem esse jeito direto, que faz parte de sua inocência. Até que ponto é possível uma pessoa ser inocente, aos trinta e nove anos de idade, em 1999?

"Em breve", Nelson promete. E pensa no que será que ele está se metendo. "Tenho um plano. Você devia conhecer mais gente além de mim."

"É?"

"Claro", insiste Nelson, num tom cheio de confiança, tom de irmão mais velho. No mesmo estilo, faz sinal para a garçonete, que está parada atrás do balcão contemplando a tempestade pela janela ao lado das compridas cafeteiras de alumínio que contêm café e água quente, cada vez mais frios.

"Eu quero ver se cai algum galho", ela explica, "mas nada."

"A Pensilvânia não pode se dar ao luxo de ter um bom furacão", Nelson brinca. "Nós todos devemos nos mudar para as Carolinas." Ele anseia por um furacão, dá-se conta disso neste momento — por uma grande convulsão que solte tudo dos eixos.

A escuridão do restaurante parece estar se dissipando. Nelson coloca a mão em concha atrás da chama e sopra a vela, apagando-a. A garçonete traz a conta, escrita à mão no verso de um menu rasgado ao meio: onze dólares e quarenta e oito centavos. "Espero que vocês tenham troco, porque sem luz eu não posso abrir a caixa registradora."

Nelson abre a carteira e encontra uma nota de um dólar; todas as outras são de vinte. As agências vinte-e-quatro-horas do MellPenn só permitem saque em notas de vinte, estimulando os consumidores a gastar mais depressa. As notas são todas novas. Nelson odeia essas notas novas, com a cara de Andrew Jackson enorme e descentrada. Além disso, a expressão dele agora é meio pusilânime. Transformaram aquele matador de índios num homem sensível da Nova Era. Parece dinheiro de Banco Imobiliário.

Annabelle percebe que Nelson hesita e pergunta: "Quer que eu lhe dê algum dinheiro?".

"De jeito nenhum."

Por mais maternal que tenha sido a garçonete, ele não é besta de lhe deixar oito e cinqüenta e dois de gorjeta. Também não quer aceitar dinheiro de Annabelle: isso faria com que aquele encontro terminasse sendo uma coisa meio bundona. Ele se sente encurralado, preso, espremido entre alternativas impossíveis: disfuncional. Outra opção seria usar o cartão de crédito, mas também isso exige eletricidade. "Você pode ficar me devendo e acertar comigo na próxima vez", sugere a irmã, com jeito. Ele ignora o comentário e continua olhando para dentro da carteira, vendo as bordas das notas verdes, como se um milagre fosse brotar dali.

E de fato um milagre ocorre: as luzes se acendem. As máquinas do restaurante começam a zumbir a sua volta. "Vou ter que abrir o restaurante de novo", a garçonete reclama. Ela lhe apresenta uma conta saída de uma impressora matricial, e Nelson retira do troco uma nota de cinco dólares e duas de um. "*Muito* obrigada, senhor. Um bom dia pra vocês."

Brewer ainda é uma cidade em que uma gorjeta de mais de dez por cento provoca sentimentos de gratidão. "Almoço bom", Nelson diz a ela. "Bom e saudável. A massa da torta estava bem grossa, como as que minha avó fazia."

"Voltem sempre", diz ela, porém de modo automático, arrastando os pés cansados em direção ao reservado para limpar a mesa e substituir o jogo americano descartável.

Lá fora o vento aumentou outra vez, arrancando gotículas das folhas das pereiras. As botinhas de plástico de Annabelle brilham; ela amarra o lenço vermelho embaixo do queixo, o que deixa seu rosto mais sério e mais fino. Faz uma careta quando leva uns respingos, depois sorri. Ela não sabe o que vai acontecer agora. Nelson quer lhe dar o mundo, mas não sabe como. "Foi divertido", diz ele. "A gente se fala." E beija-a no rosto, sentindo o gosto da chuva, pensando que aquela pele é metade sua, pensando: *Minha irmã. Minha.*

"Ela é filha do papai, sim", Nelson diz à mãe. "Aquela mesma inocência estranha, aquele jeito de ir levando."

"No dia que ela veio aqui, não tinha nada de só ir levando, não", diz Janice. "Ela estava era decidida, com aquele penteado mal-ajambrado, exibindo as pernas até a virilha."

"O que você acha da idéia de ela voltar aqui? Dessa vez convidada, com mais umas pessoas."

"Que pessoas? O que é que eu digo a elas? Essa aqui é a filha bastarda do meu falecido marido, de quarenta anos atrás? Já foi muito humilhante aquela vez, um verdadeiro pesadelo, Nelson. Não vejo motivo pra passar por aquilo tudo de novo. Não acredito que você está me pedindo uma coisa dessas — assistente social não era pra ser uma pessoa sensível?"

"Não necessariamente em relação à própria família. Mamãe, ela é da nossa família. A gente não pode fazer de conta que ela não existe, agora que a gente sabe que ela existe. Só um jantar de família, chamando talvez os filhos do Ronnie."

Dos três filhos que Ronnie e Thelma tiveram, dois no momento estão descasados. Georgie, o filho do meio, mora em Nova York, embora seus sonhos de se tornar dançarino na Broadway estejam cada vez mais longínquos. Alex, o mais velho, o nerd e o mais bem-sucedido da família, mora em Fairfax, Virgínia, e se divorciou da mulher. Alex não é nenhum Bill Gates, mas se saiu bem; é mais ou menos da idade de Annabelle. Ron Júnior, o mais moço, abandonou o secundário quando terminou o segundo ano e foi trabalhar como carpinteiro numa firma de construção local. Casou-se com uma moça da cidade; eles têm três filhos com menos de dez anos. Nelson raramente vê os filhos de Ronnie — só quando Georgie, fugindo das tensões da cidade grande, vem dormir no quarto grande da frente que, até Pru ir embora, era o quarto de Judy. Mas costumam se reunir no Dia de Ação de Graças, uma refeição que Thelma transformava numa grande ocasião; Ronnie insiste que Janice mantenha a tradição, embora ela jamais possa se tornar uma cozinheira do nível de Thelma. A primeira sra. Harrison era professora e aplicava aos deveres de dona-de-casa seu senso de ordem e medida e respeito pelas grandes datas, além de um toque, um floreio, de excesso. Deve ter sido esse seu lado excessivo que a fez amar Harry, um amor que a arrastou para a vergonha. Janice tem pavor do peru — uma coisa enorme de se comprar, demoradíssima de se cozinhar, numa temperatura que tem de ser exata — e nunca consegue prepará-lo direito. Ou o peito sai tão seco que as fatias se esfarinham quando Ronnie começa a cortá-lo, ou então as juntas ficam sangrentas, e as crianças à mesa emitem interjeições de nojo. As reuniões familiares sempre foram dolorosas para Janice, pois nelas se juntam numa espécie de júri implacável todas as pessoas a quem devemos algo, primeiro nossos pais e pessoas mais velhas, depois nossos filhos e os filhos de nossos filhos. Uma das coisas que ela e Harry tinham em comum, secretamente, por trás de todos os problemas deles, era a antipatia por todas essas cerimônias determinadas pelo calendário. Sua mãe era muito carola e seu pai ia nas águas dela, mas Janice nunca se sentia à vontade, quase começava a chorar quando o órgão irrompia estrondoso, principalmente depois que Becky morreu e Deus não moveu uma palha naquela situação terrível. Na verdade, ela e Harry foram mais felizes na Flórida, só eles dois no Valhalla Village, ele no golfe e ela no tênis, cada um com seu círculo de amigos, quase sempre fazendo as refeições no restaurante do condomínio, muito bonzinho e agradável, o Mead Hall, com aquela decoração viking modernista.

Janice franze a testa. "Pra mim, Nelson, é uma coisa forçada e constrangedora. Só porque aquela vagabunda antes de morrer resolveu que essa moça tinha que nos..."

"Mamãe, ela é minha *irmã*. Escute. Se não posso convidar minha irmã pra vir aqui em casa, então de repente já é hora de eu sair daqui. A Pru sempre disse que eu devia fazer isso, até por uma questão de amor-próprio."

"Ela disse isso? A Pru disse isso?" Janice sempre achou que ela e a nora haviam dividido aquela casa muito bem todos aqueles anos depois da morte de Harry, quando decidiram vender a casa em Penn Park que Harry adorava. Ela passava a maior parte do dia na rua, trabalhando como corretora, e Teresa ficava em casa com as crianças, e naturalmente cozinhava e fazia uns trabalhos domésticos e umas coisas leves no quintal. Era perfeitamente razoável, em vez de pagar aluguel. Depois que Ronnie entrou para a família a situação ficou mais difícil. Havia uma tensão no ar. Ronnie insistia que tudo fosse feito à maneira dele, na cozinha e no resto da casa. Thelma cuidava dele com tanta dedicação que ele ficou exigente. Thelma estragava os homens: era uma espécie de malefício, que sobrevivia a ela.

Coitado do Nelson. Agora está com essa cisma — tem que fazer alguma coisa por aquela moça que ninguém conhece. Dói no coração de Janice perceber que ele sempre quis a família que ela e Harry nunca conseguiram lhe dar — uma família maior, mais feliz. Ele amava os pais dela porque foi deles que herdou esse desejo de fazer parte de um clã atuante no mundo, aquele casarão desempenhando o papel de fortaleza. O menino queria tanto que ela e Harry fossem felizes. Quando brigavam, por mais boba que fosse a briga, a carinha dele ficava branca de preocupação, uma bolha se esforçando para não estourar. E agora ele vive tentando aliviar o sofrimento dos outros; Janice sente um aperto no coração quando pensa em quanto eles dois devem ter magoado Nelson.

"Não sei, Nelson. Quem sabe no Dia de Ação de Graças. Aí ela some no meio da multidão."

"Mãe, Ação de Graças está muito longe."

"Não, é o tempo necessário pra gente se acostumar com a idéia. Vou ter que falar com o Ronnie. Tenho certeza que ele vai ser totalmente contra."

Mas quando, nesta noite ou na noite seguinte, na cama, Janice fala com Ronnie sobre o desejo tolo e melancólico de Nelson, e faz sua proposta do jantar de Ação de Graças, crente que o marido vai descartar a idéia na hora, ele diz, com uma voz mais jovem e agressiva: "É, acho que a gente não vai morrer por causa disso. Até estou curioso pra ver como saiu a filha da Ruth Leonard".

Ele pronuncia o nome daquela mulher, que Janice sempre acha difícil lembrar, com tanta facilidade, e isso lhe traz à mente que Ronnie e aquela vagabunda foram amantes em algum fim de semana numa praia em Nova Jersey, no tempo em que Harry ainda nem a conhecia, algo que sempre o incomodou, se bem que Janice sempre achou que ele não tinha direito de se incomodar com isso. Mas Harry era assim: arrogava-se toda uma série de direitos, só por ser a pessoa maravilhosa que era.

III.

De: Roy Angstrom [royson@buckeyemedia.com]
Data: Sexta-feira, 22 de outubro de 1999 20:04
Para: nelsang.harrison@qwikbrew.com
Assunto: Piadas de aniversario

Pai boa festa de aniversario com quem voce estiver!!! Essa e bem velha mas eu nao conhecia e achei legal. O presidente Clinton estava em Oklahoma City depois do tornado de 3 de maio e um homem pos uma placa na frente da casa dele que tinha sido devastada pelo vento: EI BILL ISSO AQUI E QUE E CHUPADA. O Servico Secreto mandou o homem tirar a placa. Acho que a historia e verdadeira o que voce acha?

Sentado na saleta da frente do andar de cima, olhando fixamente para a tela do computador, Nelson muda de posição na cadeira giratória, constrangido. Se é só assim que seu filho sabe se comunicar, melhor do que nada, mas será que ele sabe mesmo alguma coisa sobre chupadas? Se bem que, depois dessa história da Monica Lewinsky, até mesmo a garotada do jardim-de-infância está sabendo, os noticiários não falam em outra coisa. Pru no começo fazia com ele, especialmente antes de se casarem, mas com o passar do tempo a coisa foi rareando mais e mais, mesmo quando os dois estavam doidos de alguma coisa, mesmo quando ele a chupava, aquela bocetinha ruiva, de pêlos ralos, se comparada, por exemplo, com a pentelhada crespa de Melanie. Uma vez ele se posicionou para que ela fizesse sua parte, e Pru confessou que odiava o cheiro. *Que cheiro?*, ele retrucou, sentindo na mesma hora que começava a ficar flácido. *Eu me lavo.*

Não adianta, ela explicou. *Mesmo lavando o cheiro não sai. É meio azedo. E além disso eu tenho medo que você goze na minha boca.*

Por quê, amor? Por que você tem medo? É tão legal de vez em quando.

Legal pra você.

Antes você gostava.

Que eu me lembre, não. Eu dizia que gostava porque sabia que você queria que eu dissesse.

Você mentia pra mim?

As pessoas pegam aids assim, você sabe.

Ai, meu Deus. Se eu estiver com aids você vai pegar de qualquer jeito. E como é que eu posso estar com aids? Há milênios eu não transo com mais ninguém.

Isso é o que você diz. E aquelas putas viciadas, antes de você largar o pó?

Que puta viciada que nada, isso não existe. O que existe são mulheres menos griladas que as outras, só isso. Era verdade, antes de Nelson largar o pó, quando ele freqüentava o Laid-Back, as garotas que rodavam por lá à procura de drogas e sexo gostavam de chupar os homens porque assim eles gozavam mais depressa e davam menos trabalho. Não precisavam nem tirar a roupa de baixo dentro do carro. Elas ficavam com aquele cheiro na boca, e quando ele estava doidão gostava de beijá-las, embora elas resistissem e dissessem que ele era tarado, que no fundo era veado. Aquelas garotas, apesar de toda a putaria delas, tinham pouca imaginação, uma mentalidade muito estreita. *Se eu estivesse com aids os sintomas já teriam se manifestado a essa altura.*

Não necessariamente. Li que o vírus pode ficar em estado latente até quinze anos. Ele se esconde na base da coluna.

Ai, meu Deus. Estamos casados ou não estamos?

Mas me comer você pode.

Está aí uma mulher racional. E a aids?

Nelson, eu já disse que você pode me comer. É pegar ou largar.

Pois vou largar. Perdi o interesse.

É, perdeu mesmo. Você é uma criança.

E era uma maravilha segurar a cabeça da mulher lá embaixo, todo aquele cabelo sob suas mãos, a ponta das orelhas e a nuca, não dá para ver o rosto, mas os ombros dela ficam tensos quando a gente goza, e algumas mulheres dizem que também ficam excitadas, mas segundo Pru elas mentiam porque queriam outra coisa. As mulheres mentem tal como os negros mentem. Se você pertence a uma raça escravizada, dizer a verdade não leva a nada. Elas nem sabem mais dizer a verdade. Nelson vê esse tipo de coisa o tempo todo lá no Centro. É só para os que estão no poder que vale a pena saber das coisas. Só eles podem se dar ao luxo de saber a verdade. A Nelson não agrada a idéia de que Roy sabe o que é uma chupada. O menino está com catorze anos, devia se satisfazer com a masturbação. Aquela coisa tensa, nova, a sensação que Nelson tinha de estar apoiado numa porta branca, alta, fechada, de estar de cabeça para baixo por um segundo, os músculos pequeninos se contraindo num espasmo: a sensação transporta a gente para um outro mundo, mais alto, distante, gelado como sorvete, secreto como um pensamento, e deixa um gosto metálico na boca, o gosto de ter estado num lugar diferente. Mas ele quer que as imagens na cabeça do menino sejam inocentes, virginais, que ele esteja pensando na garota que se senta ao lado dele na escola em Ohio, deitada sob seu corpo, toda renda e flores amassadas, enquanto ele goza na segurança de sua cama. Não essa pornografia juvenil da internet. Quem poderia imaginar que a internet, que supostamente ia transformar o mundo numa esfera reluzente à prova de tirania, acabaria virando uma coisa tão porca, tão adolescente?

> E ai vai outra pai. Uma mulher na lua-de-mel diz
> que nao esta a fim de fazer amor e vai dormir e acorda
> as 3 da manha para tomar um copo dagua e ve que ele
> continua acordado e pergunta por que. Ele diz que o
> pau dele esta tao duro que nao sobrou pele para
> ele fechar os olhos.

Melhorou, pensa Nelson. Pelo menos sexo normal entre pessoas casadas. Judy já foi fundo com os garotos, ele não sabe quando foi que ela perdeu a virgindade, deve ter sido ainda na Pensilvânia, quando moravam todos nesta casa, Judy no quarto da frente, às vezes ela saía com o namorado e voltava bem tarde, Nelson relembra, entrava por aquela porta que sempre prendia, fazia um barulho que o acordava, passos sorrateiros subindo a escada, quando ela tinha só dezesseis, dezessete anos, o rosto ainda sardento. Pru certamente sabia. Pru não queria falar sobre esse assunto com ele. *Era mesmo de se esperar,* ela retrucou uma vez. *A sua tia Mim é uma galinha, os Angstroms são todos assim, parecem coelhos.*

E até mesmo ela com o pai dele, naquele exato quarto em que ele está agora, o rosto iluminado pela tela do computador. Nunca conseguiu assimilar a idéia de todo. O que aliás é uma coisa saudável. Às vezes a negação é saudável. É o que a criança faz para manter uma imagem positiva do responsável quando é maltratada por ele. Pru, quando ele insistia para que ela falasse no assunto, dizia que também não entendia. A coisa simplesmente aconteceu, Nelson. *As coisas acontecem, e pronto. Nem tudo tem uma razão profunda pra acontecer, como ensinaram a você no curso de serviço social.*

Ah, foi isso que me ensinaram, foi?

É, e também a sempre fazer perguntas em vez de tentar dar uma resposta.

Então eu devia dar uma resposta? Qual é a sua pergunta?

Por que é que você vive me atazanando, querendo saber o que aconteceu uma vez comigo e com seu pai, quando a gente nem sabia direito o que estava fazendo, eu por causa das coisas que você andava aprontando com o pó e ele porque o coração estava nas últimas? Seu pai morreu, Nelson, e eu e ele nunca mais vamos fazer nada, mesmo se a gente quisesse. E a gente não quer. Não quis.

Nelson olha pela janela para a Joseph Street, para as janelas do segundo andar do vizinho, na esperança de ver nua a mulher que mora lá. São três as janelas, na do meio há uma abóbora de plástico com uma lâmpada dentro, as outras duas estão na penumbra, a da direita provavelmente é o parapeito da escada, mas as outras são do quarto, ao que parece um quarto de criança. Nessa casa geminada morou durante muitos anos um casal idoso que passava o tempo todo nos fundos, na cozinha e na sala da tevê, mas esse casal jovem, com dois filhos pequenos, usa a casa de um jeito diferente, e de vez em quando a gente vê a mulher só de roupão ou de lingerie, calcinha de biquíni e dois montinhos bege rentes feito pele, o tipo de sutiã cujos modelos são anunciados no *Standard* de Brewer com nomes sensuais como Secret Shaper, Seamless Charmer, Lace 'n Smooth, Nearly Nude. Pru antigamente usava calcinha de biquíni, mas depois que engordou passou a usar aquelas tradicionais, de algodão branco, calcinhas de velha, com pano suficiente para fazer uma camiseta de motorista de caminhão. *Mas me comer você pode.* Ele precisa de mulher. Voltar para casa do trabalho e encontrar a mãe e o padrasto e comédias de televisão feitas para nova-iorquinos na faixa dos vinte — isso não é vida. Nelson dorme mal: não sobra pele para fechar os olhos. Mas com a idade que tem agora, quarenta e três anos, ele se sentiria ridículo num bar para descasados ou no circuito das festas, se conseguisse encontrá-lo. As coisas que rolavam no Laid-Back, na esquina da Ninth com a Weiser, eram coisas de outra época — outros estilos de vida, outras drogas da moda. Preocupações da Guerra Fria, preocupações com o Japão. Agora que o século está chegando ao fim, tudo isso está indo parar nos livros de história. E ele teme que, se voltar ao circuito, possa acabar recaindo na cocaína, ou tomando ecstasy, se é que é o que está se tomando agora, ou até mesmo heroína, cada vez mais barata; é muito fácil ter uma recaída quando a gente acha que não tem muito a perder. Conversando com os viciados no Começar de Novo, Nelson constata, quando eles defendem a droga, que não têm argumentos. Felicidade é sentir-se feliz. Tudo bem que isso encurta a vida, mas depois que você morre, qual a diferença? Viver até a próxima dose, a próxima descolada, dá um sentido à vida para eles. Quando você fica limpo, fica exposto à falta de sentido da vida.

Por aqui esta tudo legal pai. A decima serie e bem parecida com a nona so que as pessoas respeitam voce mais do que qdo voce e um reles calouro. Tem muito estudante africo-americano na North High mas da pra levar tranquilo. E so ficar na sua e nao ofender ninguem e os cursos sao bem faceis. No primeiro semestre tirei A em 4 materias e B em biologia mas o professor de biologia o sr. Pedersen diz que sabe que eu posso me sair ainda melhor.

A Judy esta botando a mamae maluca sai quase toda noite e tem vezes que de manha a cama ainda esta arrumada mas ela a algum tempo esta falando em fazer curso de comissaria de bordo da USAirways, o centro deles e em Pittsburg. A mamae esta trabalhando hora extra com um advogado o sr. Gekoppolos (ou coisa parecida) no centro da cidade na Buchtel Ave mas ela pediu pra eu dizer que a gente continua precisando da sua pensao que este mes ainda nao chegou.

Por enquanto e isso ai pai quero jogar uma boa partida de TOMB RAIDERS e depois meter a cara no estudo pro teste de biologia. PHEB (por hoje esta bom) abracos :-) ROY.

Os olhos de Nelson ardem por ter de ler isso naquela letrinha mínima do Windows 98. Até mesmo a fonte e os ícones minúsculos são feitos para olhos muito jovens. O garoto é inteligente, é só os mais velhos não bagunçarem a cabeça dele. E a Judy, pode até ser que ela saiba o que está fazendo. Pelo visto, não tem medo de avião, se bem que ele não ache uma boa idéia a filha estar o tempo todo voando por aí. Também seu pai tinha medo de avião.

De: papai [nelsang.harrison@qwikbrew.com]
Data: Domingo, 24 de outubro de 1999 21:31
Para: royson@buckeyemedia.com
Assunto: amor paterno

Roy — As notas estão ótimas, parabéns. Continue assim. As piadas também são ótimas, mas será que não tem nenhuma de salão? Sexo às vezes é engraçado, mas também é uma coisa muito séria, uma das coisas mais sérias da vida. Acho ótimo Judy estar conhecendo muita gente, mas diga à sua irmã para não se expor demais. As pessoas tendem a nos avaliar conforme o valor que atribuímos a nós mesmos, e as mulheres são sempre mais vulneráveis aos juízos negativos. Gostei de saber que ela já está pensando numa profissão, mesmo não sendo a profissão que eu escolheria para ela. Até agora, nossa família sempre ficou com os pés bem fincados no chão. Diga à sua mãe que vou mandar o dinheiro logo, mas o Ronnie acha que eu devia contribuir mais para as despesas da casa porque ele está aposentado e vive da pensão e da previdência e está tudo subindo, inclusive o imposto predial.

A grande notícia aqui, pelo menos na minha opinião, é que você tem uma tia que nenhum de nós conhecia — uma filha que seu avô teve com outra mulher quando eu era bem pequeno. O nome dela é Annabelle Byer. Ninguém sabia da existência dela, e um belo dia ela apareceu aqui, algumas semanas atrás, e contou a história toda para a sua avó. Fui almoçar com ela no mês passado e nos demos muito bem. Conversamos como se nos conhecêssemos desde pequenos. Ela é enfermeira, e eu trabalho na área de saúde mental — é ou não é a maior coincidência? Sua avó vai convidá-la para passar o Dia de Ação de Graças conosco, e talvez você tenha oportunidade de conhecê-la quando sua mãe trouxer você aqui no Natal. Estou morrendo de saudade de vocês. Aquele agosto lá nos Poconos foi ótimo, mas isso já faz tempo demais.

Por aqui todos vão bem de saúde. A seca deste verão terminou com muita chuva agora no outono, mas chegou tarde demais para os fazendeiros. Em matéria de piada, as únicas que tenho ouvido são as que um dos clientes negros lá do Centro conta, do tipo "sua mãe é tão gorda que...". Só me lembro destas: que ela vende sombra, que ela passa maionese na aspirina, que quando ela vai ao cinema ela senta ao lado de todo mundo. Tem uma senhora muito gorda lá no Centro, e quando ela está presente ele nunca conta essas piadas.

Estou muito orgulhoso de você, Roy. Com muito amor, seu pai.

P. S.: Como você vê, eu ponho todos os acentos no lugar. Será que você não aprendeu isso na escola? Além do mais, "há algum tempo" é com agá, "há" do verbo "haver".

Nelson clica o botão ENVIAR sem reler a mensagem. Ele adotou um tom de pai exigente, o tipo de pai que ele nunca teve mas que também nunca quis ter. Seu pai lhe dizia: *Sempre que alguém me manda fazer uma coisa, meu instinto é fazer exatamente o contrário.* Mas neste mundo é necessário manter a ordem e a organização. Os vínculos afetivos precisam de manifestações de afeto, senão eles não permanecem. Nelson desliga o computador com cuidado. Às vezes, sem motivo nenhum, a máquina congela, com uma advertência: Este programa realizou uma operação ilegal e será fechado. Agora a única luz na casa do outro lado da rua é o sorriso elétrico da abóbora. Quando ele viu a mulher daquela casa só de lingerie, seu ventre era muito branco e alongado, com o umbigo no meio, bem fundo, do jeito que os médicos fazem agora.

"Tia Mim? É o Nelson. O seu sobrinho."

"Eu sei que você é o meu sobrinho, meu anjo — quantos sobrinhos você acha que eu tenho? Amorzinho, como é que você está? Como vão as coisas aí na terrinha?"

Sua voz é seca e rachada, ressecada pelos cigarros tal como os desertos são ressecados pelo sol, porém simpática, com todo um calor de envolvimento familiar preenchendo aquelas veias velhas num momento que ela imagina ser uma emergência. Senão por que ele haveria de lhe telefonar? Ela é seis anos mais nova que seu pai, por isso deve estar com sessenta agora, não seria considerada muito velha para algumas profissões, mas para a dela é velhíssima, há muito tempo que ela está aposentada, apesar de todos os *face-lifts* e lipos e maravilhas da odontologia moderna. Nelson fica imaginando quando foi que ela pegou seu último cliente. De vez em quando aparece uma profissional do sexo lá no Centro, e em alguns casos elas conseguem manter uns poucos clientes antigos, quase como um casamento. Agora, sem irmão e sem pais que lhe forneçam um elo com a região, tia Mim nunca mais vem. A última vez foi no enterro de seu pai. Não havia cadáver, só uma urna quadrada com tampa, feita de uma substância composta que lembrava flocos de aveia prensados. Sua mãe mandou cremá-lo lá mesmo na Flórida, porque assim o transporte era mais fácil. Ela e Nelson, revezando-se ao volante, o trouxeram para a Pensilvânia no Celica ardósia em que ele fugira pela última vez. Pru veio de avião com as crianças um dia depois que ele e a mãe pegaram um vôo noturno em Filadélfia, mas quando ela chegou seu pai já estava morto. Morto, e seu corpo, um metro e noventa de altura, cento e quinze quilos, já tinha sido despachado do hospital para o crematório. Pru havia caído em desgraça por ter confessado, porque sua formação católica a ensinara a confessar tudo, que ela e seu pai haviam cometido — qual o termo exato? — adultério ao quadrado. Uma espécie de incesto, uma ocorrência única. Ela e as crianças se espremeram no banco de trás daquele carro esporte de duas portas, enquanto a urna, que lembrava uma geladeira de isopor, só que menor e mais densa, com seu conteúdo destilado, ia no porta-malas junto com a bagagem da família. Não foi fácil encaixar tudo ali dentro, e Nelson não reagiu muito bem quando Judy, que na época tinha nove anos, começou a chorar, na primeira parada, num hotel de beira-estrada perto de Savannah, só de pensar que o vovô estava sozinho naquele porta-malas escuro e frio. Nos dois quartos do hotel não havia superfícies altas onde pôr uma coisa tão sagrada e tão sinistra — e surpreendentemente leve, flocos de ossos torrados, concentrado de Harold C. Angstrom —, por isso acabaram colocando-a em cima do estojo de imitação de madeira onde se encaixava o televisor. Sua mãe ficou com as crianças naquele quarto, e passou o tempo todo convencendo-os a não subir numa cadeira e abrir a caixa para ver o que havia dentro dela. Ele e Pru estavam tão indignados um com o outro que não conseguiam dormir, e por fim treparam para ver se desse jeito relaxavam, mas acabaram ficando ainda mais irritados e tristes do que antes. Na noite seguinte, num hotel da rede Comfort Inn depois de Raleigh, sua mãe e Pru ficaram num dos quartos e ele se instalou com as crianças no outro. Elas dormiram antes do pai, assistindo a *Roseanne* na televisão, mas na manhã seguinte ele ainda estava grogue de sono, e depois que Nelson e Pru trocaram algumas palavras no café-da-manhã que deixaram todos com a sensação de estarem pisando em cascas de ovos, foram embora largando as cinzas, dentro daquele pote de biscoitos quadrado, na prateleira de lençóis do armário do hotel.

Foi Judy quem se lembrou, quando já haviam passado por duas saídas da auto-estrada. Nelson pisou fundo no acelerador, mas a impressão que tinha era que decorreu toda uma eternidade até ele conseguir pegar o retorno seguinte e voltar à 95. Todo o seu corpo se liquefazia de culpa e pressa. O funcionário da recepção, um negro que acabava de assumir o serviço, pareceu encarar com desconfiança a explicação que Nelson lhe deu, ofegante, mas acabou entregando-lhes a chave. Foi estranho voltar àquele quarto, como se a um túmulo vazio — como se todos houvessem morrido ou tivessem sido seqüestrados. As camas ainda estavam desfeitas, as toalhas molhadas junto ao chuveiro. Encontraram uma escova de dentes de criança no banheiro, e as cinzas do vovô, quietinhas, na prateleira do armário, numa urna quadrada que parecia um desses cofres que às vezes se encontram nos quartos de hotel. Nelson sentiu uma tremenda sensação de alívio, de reencontro, enquanto voltava para o carro com a urna nos braços, uma sensação extática de remissão de pecados. Depois, revendo o ocorrido com seus olhos de terapeuta, percebeu que tinha havido uma certa vingança inconsciente, pois o pai que eles abandonaram no hotel os havia abandonado muitas vezes.

Nelson não lembra se todos riram, esquecendo com tanta facilidade a morte do chefe da família, mas lembra que tia Mim exagerou no preto na hora do enterro, foi toda de preto, as luvas, o chapéu, os óculos escuros grandes, era mais uma declaração de estilo do que um sinal de luto. Ela se destacava como uma vampira elegante em meio àquelas pessoas discretas enfileiradas no cemitério, que subia a encosta do monte Judge, onde Earl W. (1905-1976) e Mary R. (1904-1974) Angstrom repousavam à sombra de uma lápide cor-de-rosa polida, dupla, separada por uma pequena extensão de grama de uma lápide menor, mais antiga, de pedra menos brilhante, onde se lia:

REBECCA JUNE ANGSTROM
1959

Sua irmã. Nelson sempre se sentia de algum modo culpado. Se ele tivesse agradado mais a seu pai, seu pai não teria ido embora e sua mãe não teria se embriagado e a coisa não teria acontecido. No enterro do pai, tia Mim parecia um toque animado e irreverente de negro em meio a tanta gente malvestida (alguns homens mais velhos, que haviam trabalhado com o falecido na Verity Press ou na agência da Toyota, ou jogado com ele no mesmo time, ou no time adversário, quando ele estava no auge de sua vida, na adolescência, julgaram que a relação que tinham tido com o morto era suficientemente forte para que lhe dedicassem uma manhã do resto de vida que ainda lhes cabia), mas seu pai a adorava, e ela a ele, com aquele amor pesado e inevitável dos laços de sangue, que nos condena a uma família como a uma sina.

"Aconteceu uma ótima, tia Mim", diz Nelson ao telefone. "O papai teve uma filha com aquela mulher que viveu com ele uns tempos, e ela apareceu. Está com trinta e nove anos e trabalha como enfermeira aqui mesmo em Brewer. Foi criada numa fazenda. Fui almoçar com ela outro dia. Ela lembra um pouco o papai antes dele engordar muito, mas quando o rosto dele já estava ficando redondo — você sabe, aqueles olhos meio sonolentos, a pele muito branca. Quer dizer, agora você também tem uma sobrinha."

"Que droga", veio a voz ressecada depois de uma pausa. "Vou ter que refazer meu testamento. Mas por que ela resolveu dar as caras agora? O Harry sabia da existência dela?"

"Desconfio que ele desconfiava mas não tinha certeza. A mãe dela se recusava a contar pra ele. Ela morreu agora no verão, e se abriu com a Annabelle antes de morrer. Aí ela procurou a gente."

"A gente quem?"

"A família. Eu, mamãe e o Ronnie."

"Imagino que o Ronnie deve ter adorado. A Janice mais ainda. Acho que ela procurou foi você, Nelson. E o que é que você acha?"

"Bom, ela não me parece estar muito mal, não, até ganha mais que eu, mas a impressão que dá é que é uma pessoa muito solitária. Acho que ela devia conhecer mais gente. Mas desde que parei de cheirar não conheço quase ninguém, só os clientes lá da clínica."

Do outro lado da linha, sua tia reflete. "Há quanto tempo você está sabendo dessa moça?"

"Desde setembro."

"E só agora está me ligando para contar?"

"É, acho que eu estava adiando."

"Você está envergonhado", conclui a mulher. "Não fique envergonhado, não, menino. Seu pai não entendia nada de controle de natalidade. Você nasceu um pouco antes do tempo, se não me falha a memória. Você não tem nada a ver com isso. Quer um conselho da sua velha tia que não levou uma vida que sirva de modelo para ninguém?"

"Claro."

"Essa enfermeira não é problema seu, não. Com trinta e nove anos, todo mundo é dono de seus próprios problemas. Você já tem a sua família — aliás, como é que eles vão?"

Esta conversa está começando a decepcioná-lo. Nelson imaginava que, se havia uma pessoa no mundo que entenderia tal como ele a maravilha de descobrir a existência daquela irmã, era a tia Mim, a irmã de seu pai. "Eles estão bem, acho. A Pru finalmente se encheu de mim e há um ano e meio foi embora com as crianças para Akron. Ela trabalha pra um advogado grego no centro da cidade, perto da antiga fábrica da Goodrich."

"Ah, esses gregos", diz tia Mim. "Dizem que inventaram a democracia."

"E a Judy terminou a escola e agora está pensando em virar aeromoça."

"Agora elas gostam de ser chamadas de comissária de bordo. Tem umas que aprontam tanto que parece que a verdadeira profissão delas é aquela que só é legal em Nevada."

"Eu sei. Ela me preocupa. Ela é meio selvagem."

"Você se preocupa demais. A vida é selvagem. Quando não é, é uma chatice só."

"E o menino, o Roy, está com quase quinze anos. A gente se comunica por e-mail. Parece que ele é inteligente."

"Isso pra você é uma surpresa? Seu pai não era burro, não; ele só *fazia* burrice. Pois bem. E agora uma irmã pra completar o serviço. Você é mesmo um tipo bem família, Nelson, não sei a quem puxou. Imagino que aos Springers. Esses eram alemães sérios. Já os Angstroms nunca conseguiram se enquadrar."

"Achei que você ia me dar alguma idéia."

"Sobre o quê?"

"Sobre o que eu devia fazer com essa história de ter uma irmã."

"Bom, seu pai segurava minha mão quando eu atravessava a rua e gostava de me ver fazendo xixi, mas imagino que ela já tenha passado dessa fase. Como é mesmo que ela se chama?"

"Annabelle Byer."

"Quem foi o Byer?"

"O pai de criação dela. Ele é que era fazendeiro."

"Também já morreu."

"Já."

"É uma morreção cada vez maior, você já tem idade bastante para perceber isso? Las Vegas também já morreu, a Las Vegas que eu conheci — uma cidade de jogador. As pessoas que vinham pra cá tinham uma certa classe — os gângsteres, as starlets. Um toque de perigo, de glamour, sei lá. Classe.

Os homens pagavam tudo em dinheiro vivo, tiravam do bolso um maço grosso de notas de cinqüenta. Agora é uma multidão só. Manadas de zés-ninguém. Uns palhaços. Uma ralé se endividando com cartão de crédito. Agora o jogo é legal em metade dos estados, por isso eles construíram um monte de pega-otário na estrada do aeroporto. Tem pirâmide, tem Torre Eiffel, Veneza — tem tudo aqui, Nelson, pra pegar os otários. É um negócio muito deprimente. Às vezes penso até em voltar pro Leste, mas onde vou encontrar um lugar pra mim?"

"Aqui em casa, tia Mim", Nelson se dá conta de estar dizendo. "Essa casa é grande demais pra nós."

Ela ri, tosse, ri outra vez. "Eu nunca tive corpo pra me adaptar à vida aí do condado de Diamond. Eu era magricela, as outras garotas me odiavam. E a sua irmã, como é que ela é?"

"Um pouco cheinha, sabe, mas não chega a ser gorda. Porque tem umas clientes lá no Centro..."

"Já entendi tudo", interrompe tia Mim. "Ela está deixando cair. Na vida a gente não pode se dar a esse luxo, se quer continuar na disputa." Sua paciência já se esgotou. Ela não consegue dedicar muito tempo ao passado. Vive num mundo frenético. "Venha me visitar, Nellie. Traga a sua irmã se você quiser. Hoje em dia passagem de avião está de graça, pra pegar bastante otário. Se você quiser esperar até a Judy começar a trabalhar, vai ficar mais barato ainda. Eu duro até lá. Eu só fumava pra tirar onda. O Charlie Stavros ainda está vivo?"

Assim, é ele quem tem de dar a notícia. "Não, lamento dizer que não. Ele pôs uma ponte de safena tripla e depois teve uma espécie de sopro, problema de válvula, e tiveram de abrir de novo, mas aí ele teve uma infecção..."

"Você está me assustando, garoto. Ele era um cara legal. Tinha um pouco de classe. Você, você é um amor. Sua tia Mim adora você, não esqueça." E desliga, sem se despedir nem dar a Nelson uma oportunidade de dizer a última palavra. Ele nem teve tempo de perguntar como estava indo seu salão de beleza, e se ela tinha arranjado um marido.

Numa noite no início de novembro, Nelson sonha que está deitado em seu quarto, como de fato está, embora ao mesmo tempo seja um cômodo menor, como a saleta da frente onde fica o computador de Ron. Ele se levanta da cama quando ouve uns estalos ao longe. Vai até a janela e vê no quintal dos fundos um homem alto praticando tacadas curtas de golfe ao luar. O homem está curvado e concentrado, e irradia uma certa tristeza naquela luz azulada. Está de costas, e não se vira para olhar para Nelson, uma possibilidade que inspira terror a Nelson — uma máscara branca a encará-lo ao luar. Mas não, ele continua concentrado, paciente, como se realizasse uma tarefa que lhe tivesse sido atribuída por toda a eternidade — executa com cuidado o gesto da tacada, contempla o resultado, os ombros ainda curvados, melancolicamente coloca outra bola e posiciona o taco, e mais uma vez ensaia a tacada. Nelson fica indignado de ver que aquele homem de meia-idade, alto e tristonho, com calças comuns e camisa cinza-azulada de manga comprida, veio da rua e entrou no terreno deles com a maior desfaçatez, fazendo aquele barulho incômodo e repetitivo no meio da noite. Nem no sonho nem depois que o som o desperta Nelson diz a si mesmo quem é aquele homem sem lar.

Aos poucos, ele acorda. A porta do corredor, que está apenas encostada, a toda hora abre e fecha, produzindo um estalo, movida pelas correntes de ar que circulam pela casa agora que o tempo mais frio já acionou a caldeira. Ronnie vive tentando baixar o termostato; ele diz que esses árabes desgraçados estão de novo diminuindo o fluxo de petróleo, e o preço do barril aumentou mais de cem por cento em um ano.

Nelson obriga-se a sair da cama quente, olha de relance pela janela para ver se há realmente um homem alto lá fora praticando tacadas, fecha a porta com um pequeno empurrão, e o trinco se encaixa com um estalo firme. O ruído ressoa por toda a casa silenciosa. Não completamente silenciosa: a caldeira suspira, a geladeira gorgoleja. No quarto ao lado, sua mãe dorme com um homem que não é seu pai. Era o antigo quarto de seus pais; às vezes Nelson os ouvia fazendo mais barulho do que imaginavam estar fazendo. Os dois quartos da frente estão vazios, dando para a Joseph Street, agora sem nenhum carro. Nelson pergunta-se por quê, por mais alegres e inocentes que tenham sido as atividades do dia, quando você acorda no meio da noite há uma sensação de culpa no ar, o sentimento incômodo de que tudo está ligeiramente fora do lugar, errado — você está errado, e o mundo também, como se a escuridão fosse uma espécie de luz que nos mostrasse a profundeza do abismo em que estamos prestes a cair.

Na manhã seguinte ele telefona para o apartamento de Annabelle. Ela parece estar sonolenta; passou a noite de plantão, Nelson imagina, e ele a acordou. Constrangido, convida-a para almoçar novamente, no mesmo lugar, se ela gostou do restaurante. "Ah, claro", diz ela, "muito legal o restaurante", com a voz excessivamente sincera de uma pessoa que está fazendo força para se lembrar. Teria Annabelle esquecido Nelson de modo tão enfático quanto ele estava pensando nela?

Desta vez, The Greenery está lotado. Eles são obrigados a esperar por um reservado, e na cabeça de Nelson ressoam as vozes zangadas, desesperadas, tensas, de um grupo de relacionamento que ele coordenou às dez da manhã. A garçonete maternal não está; em seu lugar trabalha uma jovem com idade suficiente para ser filha deles, uma adolescente desajeitada e estressada. Annabelle está usando uma roupa — jeans e suéter de gola rulê — que parece proclamar a Nelson um lado novo dela, despreocupado, solto na vida. Se ela estava sonolenta quando atendeu o telefone, talvez não seja por ter passado a noite de plantão. Ela jamais lhe disse que não tinha namorado.

O outono começa a esfriar. Por cima da suéter ela usa uma jaqueta vermelha bordada, da Índia ou de outro lugar qualquer. Não há nenhum furacão varrendo a Elm Street com rajadas de chuva; o sol brilha fraco, um borrão branco no céu nevoento acima das cornijas dos prédios, mas já caíram tantas folhas das pereiras que o macadame reflete uma luz ofuscante nos trechos em que a superfície foi remendada com asfalto. A garçonete estressada os instala num reservado mais à frente, cuja mesa ainda não foi limpa; desta vez é Nelson que fica virado para a janela. Ele sente que seu rosto está bem iluminado, deixando à vista todas as imperfeições e rugas vermiformes. Está acostumado com a meia-luz do Centro, com aquelas meias janelas que se abrem para o nível da calçada e com a escuridão da casa atulhada de móveis no número 89 da Joseph Street. Diz ele: "Sonhei com meu pai na semana passada. Nosso pai. Acho que era ele".

"Você não tem certeza?"

"Não vi o rosto dele. Mas o... o afeto" — ela tem que conhecer a palavra, é enfermeira — "era dele. Dele até o fim. Antes dele fugir pro Sul e morrer."

"Foi isso que ele fez?"

"Você não sabia? É, mais ou menos — ele pegou o carro e foi até o apartamento dele lá em Deleon, na costa do golfo do México, pra não ter que enfrentar a mamãe."

"Eu entendo por quê. Ela é uma pessoa que tem idéias próprias."

"Gozado, está aí uma coisa que ele achava que ela *não* tinha."

"Mas qual era o afeto dele? Você começou a falar."

Nelson retoma o fio da meada. "Desanimado. Mas teimoso. Sempre fazia o mínimo que se esperava dele. Estava praticando golfe no quintal, coisa que nunca fez. Não havia espaço — tinha uma horta e também um balanço. Aliás, ele nunca praticava golfe. Ele simplesmente ia pro clube e achava que ia arrasar."

"E arrasava mesmo?"

"Que nada. Mas na cabeça dele ele tinha um tremendo potencial."

"Ele parece uma criança que sempre foi mimada."

"Isso mesmo. Você acha que significa alguma coisa — o sonho?"

"Você é quem tem que saber, Nelson. Você é que é o psicólogo."

"Não sou psicólogo, não. Vivo dizendo isso aos clientes. Eles ficam achando que eu posso dar respostas a eles — todo mundo quer um guru. Um salvador. Eu não sou salvador de ninguém."

"Nem mesmo de mim?" Ela sorri — Nelson acha que ela sorri, seu rosto está na sombra, a janela grande, fortemente iluminada, está atrás dela, as árvores da rua já quase sem folhas. "No sonho ele disse alguma coisa a você? Ele... deu instruções?"

"Não. Isso ele nunca fazia. Quase nunca. Ele nem olhava para mim. Acho que ficava triste quando me via."

"Por quê?"

"Talvez porque se lembrava da filha, a menina que morreu. Minha irmã Becky. Além disso, ele odiava a minha altura, eu saí baixinho como minha mãe."

"Era ele ou era você que odiava? Você é da minha altura, e eu não sou baixa. Um metro e setenta."

"É mesmo?" Ele está pensando em outra coisa; está tão embaralhado que é obrigado a se abrir com ela. "Hoje tentei conduzir o grupo de relacionamento, o assunto era como sobreviver ao período de festas — tudo aumenta nessa época, suicídio, surto psicótico, *acting out*, as expectativas ficam muito elevadas —, e aí perdi o controle da coisa, acabamos falando sobre o sentido da vida. O Glenn, um gay suicida com um monte de piercings na cara, adora dizer pra todo mundo que nada faz sentido, que o universo é um acidente, um soluço no espaço vazio, e que a nossa existência é uma brincadeira de mau gosto, uma peça que a evolução pregou em nós, e que ele preferia pular fora, mas tem tanto desprezo por toda essa palhaçada que se recusa a puxar o gatilho, porque seria uma maneira de dar satisfação ao mundo. Aí a Rosa entra em parafuso, ela é bipolar e quando está na fase maníaca diz que Jesus conversa com ela pessoalmente através de uma série de sistemas que Ele tem. Ela diz ao Glenn que ele vai direto para o inferno e que ela não vai ter pena nenhuma dele; ela vai ficar olhando pra ele lá no fundo e rindo. Aí a Shirley, uma mulher que pesa cento e cinqüenta quilos, come compulsivamente e já tomou choque como tratamento de depressão, a Shirley fica uma fera e diz que o Glenn é uma pessoa muito boa e delicada, e que o sentido da vida para ela está em pequenos gestos de bondade, e não num Deus num céu remoto."

"Como é que o espaço vazio teve soluços? O Glenn explica isso?"

"Mais ou menos. Partículas virtuais, acho que foi isso que ele disse. O espaço vazio na verdade não é completamente vazio, mas é cheio de partículas virtuais que aparecem e desaparecem em nanossegundos. Não sei como, elas se juntaram e provocaram o big bang. Ele lê sobre essas coisas."

"Interessante. Eu não acho que ele seja suicida, não."

"Eu também não! Ele diz que é, porque senão ele tem que ir embora do Centro. Nós somos a família dele. Então o Michael... Já falei sobre o Michael?"

"Só um pouco. É o rapaz bonito, que os pais vieram do nada e ficaram ricos."

"Isso mesmo." Às vezes, quando conversa com Annabelle tem a impressão de estar falando sozinho, porque eles se entendem tão bem. "O Michael fica muito irritado e diz que gostaria de saber como é que as pessoas que acham que conversam com Jesus sabem que não é o demônio fingindo ser Jesus, e que as vozes que falam com ele dizem uns palavrões que ele jamais seria capaz de usar, e que é por isso que ele sabe que elas estão fora da cabeça dele. Acho legal ele conseguir botar isso pra fora, ele tende a não se envolver nas conversas, quando ele se dá ao trabalho de comparecer ao Centro. Ele estava no primeiro ano da faculdade quando surtou. Então o Jim... Você quer mesmo ouvir essa bobagem toda? Não, não quer."

"Termine, Nelson, eu quero, sim. Mas a gente precisa chamar a garçonete e fazer o pedido. Ela ainda nem limpou a mesa e eu tenho dentista às duas horas."

"É mesmo? Eu nunca marco dentista depois do almoço."

"Eu trouxe fio dental e escova de dentes na bolsa", diz Annabelle, segura de si, autocomplacente. Seu cabelo, com aquele corte solto e irregular, forma uma auréola contra a janela, um rosto ensombrado e redondo, como um eclipse do sol. De repente Nelson tem a impressão de que ela é uma completa desconhecida, um anjo de vacuidade, e se pergunta o que está fazendo ali; Annabelle é demais para ele. A mesma sensação incômoda que o atinge quando ele acorda no meio da noite agora lhe ataca o estômago e destrói seu apetite no momento exato em que a garçonete, afobada e esfogueada, aparece no reservado, empilha os pratos sujos no braço e pergunta o que eles vão pedir.

"A gente ainda nem viu o cardápio", diz Nelson.

Mas antes que a moça tenha tempo de ir buscar um, Annabelle lhe diz: "Estamos com pressa. Me traga um hambúrguer".

Nelson olha para o quadro-negro acima do balcão onde estão os pratos do dia e diz: "Está bem, vou querer sopa de ervilha e meio sanduíche de broto de feijão".

"E pra beber?"

"Café."

"Um Sprite médio", diz Annabelle.

Ele diz, em tom de acusação, quando a garçonete se afasta: "Seus dentes são perfeitos".

"É só aparência, eles me dão o maior trabalho. Meus molares estão cheios de obturações, e talvez eu tenha que pôr coroa. Sempre gostei de doce. Mas e então, o Jim", ela retomou.

"Então, o Jim... ele é viciado. Viciado em tudo. É barrigudo de tanto beber, os dedos são amarelos por causa do cigarro, e há anos que ele toma metadona. Mas ele não dispensa bolinha, tranqüilizante, se não tiver mais nada ele se vicia em M&M."

"Humm, delícia", diz Annabelle.

"O Jim resolve nos dizer, de repente, só pra irritar todo mundo, que o sentido da vida é o sexo, e começa a relatar uma aventura sexual recente dele, usando todas as palavras, num tom assim filosofante, rolando os olhos, diz que conheceu uma menina num bar na Third Street..."

"Continue."

"Ela fez isso, ele propôs aquilo, ela disse por que não, gato, a terra começou a tremer — tive que cortar, o que eu detesto fazer, mas era puro exibicionismo, a Rosa se levantou e foi embora, uma coisa tão imprópria..."

"Eu sei", diz Annabelle. "Isso acontece com os meus pacientes de Alzheimer. Eles ficam sem inibições."

"O seu pai", diz Nelson, achando que vale a pena mudar de assunto. "O homem que você achava que era seu pai. Ele olhava pra você?"

Os olhos dela perdem o ar sonolento; azuis cor de calça jeans *stonewashed*, eles ficam arregalados como olhos de uma boneca que a gente põe para sentar.

"Quer dizer", Nelson se apressa a explicar, "ao contrário do meu pai, que não olhou pra mim no sonho, apesar de eu saber que ele sabia que eu estava ali."

"Olhava, sim", diz ela. "O Frank olhava pra mim. Especialmente..."

"Especialmente depois que você passou dos dezesseis anos", Nelson completa.

"Ele morreu quando eu tinha dezesseis anos. Começou a olhar antes disso. Quando eu tinha catorze." Seus olhos reassumem a tranqüilidade inabalável. "Mas, você sabe, nada. Ele era um homem maravilhoso, generoso. Já minha mãe não era muito fácil, não. Tinha um gênio... e também no fundo nunca se adaptou a morar na fazenda. Não conseguia conversar com as outras mulheres do interior, algumas eram menonitas."

Mais competente do que parece ser, a garçonete traz a sopa de ervilhas e o meio sanduíche de Nelson, mais o hambúrguer com fritas e uma fatia longitudinal de picles que Annabelle pediu. O cheiro de carne moída grelhada vem do outro lado da mesa de fórmica, trazendo à memória de Nelson os tempos do colégio secundário — os almoços no refeitório, os passeios de carro sem rumo que terminavam no Burger King. Desde que seu pai morreu com as artérias entupidas, Nelson é muito cuidadoso com sua dieta; sua pressão é alta para a idade que tem, e o colesterol também. Foi uma agressão da parte de Annabelle, ele pensa, pedir o hambúrguer, tal como sua roupa é agressiva, a suéter roxa tensa sobre o volume dos seios. Estaria ela usando um sutiã bege como o da vizinha, um Olga de seda ou um Bali de renda, ou um Barelythere de cetim? A inocência de Annabelle parece uma coisa aprendida, uma fachada. Depois da segunda mordida no hambúrguer ela confessa: "Morro de medo do Dia de Ação de Graças. Não sei o que você espera de mim".

"O que espero de você? Nada, só espero que seja você mesma e que os outros sejam educados."

"Pois é isso. Por que eles deveriam se esforçar pra ser educados? Uma amiga minha, do tempo que eu trabalhava no St. Joseph's, me chamou pra passar o feriado com a família dela lá em Brewer Heights. Não seria melhor? Mais fácil pra todo mundo?"

Nelson entra em seu modo de funcionamento conselheiro; a voz fica mais lenta, pesando cada palavra. "Mais fácil não é necessariamente melhor. Você faz parte da família pra mim, e eu queria que você estivesse lá comigo."

"Pra você, mas não pra eles. Pra sua mãe eu sou só uma lembrança de um período infeliz da vida dela."

"A infelicidade do mundo", diz ele, buscando dentro de si próprio recursos para vencer a resistência de Annabelle. "Era o que eu ficava pensando o tempo todo durante a sessão de grupo de hoje — a tristeza de tudo, de todos nós, essas almas confusas tentando sair do nevoeiro do modo mais patético — conseguir enxergar apesar das nossas compulsões, das necessidades que nos consomem. Entrei em pânico e perdi o controle. No final era o grupo que estava me conduzindo."

"Muitos dos velhos com quem trabalho", diz ela, tentando entrar em sintonia com ele, "acham que estão casados comigo. Eles querem segurar minha mão. Acham que sou da idade adequada pra eles, esquecem a idade que têm, só lembram quando olham no espelho."

"Aquele avião egípcio que caiu", ele continua. "Um dos pilotos resolveu se suicidar e levar todo mundo com ele. As crianças, todo mundo. Porque ele não conseguia pagar as contas do médico da filha dele. As pessoas são malucas. Tem vezes, quando eu estou com meus clientes, que não consigo ver a diferença entre eles e eu, fora a estrutura em que a gente está. Eu recebo um pagamento, pouca coisa, e eles recebem um tratamento, pouca coisa."

"Então por que é que você quer que eu passe o Dia de Ação de Graças com sua família?"

"Pelo mesmo motivo que você foi lá em casa", diz Nelson. "Sem a sua mãe, você está presa. Você não vai a lugar nenhum. Você está presa num encantamento, e nós temos que quebrá-lo."

"Meu salvador." Ela pega a fatia mole de picles com dedos delicados e, antes de mordê-la com os dentes enganosamente perfeitos, dirige a ele um olhar desafiador, um olhar de irmã. "Nelson, você tem certeza que é o *meu* encantamento que você está tentando quebrar?"

Ele está nervoso, preocupado com a mãe, a irmã e ele próprio, mas no jantar de Ação de Graças tudo corre bem até que são consumidas as quatro garrafas de *sauterne* da Califórnia e as pessoas estão inquietas e irritadiças por terem passado tanto tempo sentadas à mesa de mogno polido da sala de jantar dos Springers, que para a ocasião foi aumentada com as duas folhas extras, sendo necessário utilizar duas toalhas de mesa justapostas para cobri-la. Faz um calor excessivo para a época, com chuvas intermitentes. A seca do verão já foi esquecida. Agora estão precisando de frio. Narcisos e açafrões estão nascendo, e os brotos de lilás estão viçosos como se fosse abril. Algum dente de engrenagem escapuliu no céu, entupido de gases emitidos por nossos carros descuidados.

Os filhos de Ronnie compareceram — Alex, o nerd divorciado, veio da Virgínia; Georgie, ainda solteiro, por motivos bem óbvios, de Nova York; e Ron Junior, com a mulher gorducha, Margie, e os três filhos, do bairro onde moram, um novo loteamento à margem da auto-estrada de Maiden Springs. São onze, contando com Nelson e Annabelle; porém, por causa de sua hospitalidade e seus conselhos estimulantes nos últimos anos, sua mãe convidou Doris Dietrich, para usar seu nome atual, e o marido velho e rico dela, Henry, que Doris chama de Deet. Janice jamais imaginou que Doris fosse aceitar o convite, mas ela o fez, dizendo, num tom magnânimo, que dera folga à cozinheira e encarava com terror a idéia de ter de preparar uma refeição complicada só para Deet. Ele está com oitenta anos, no mínimo, e é mais surdo até mesmo que Doris. Mesmo assim, ainda tem um porte ereto e uma aparência distinta, um aristocrata do condado de Diamond, testemunha viva dos tempos em que as velhas fábricas de meias ainda eram mesmo fábricas e não pontas de estoque. Depois de muita hesitação e discussão, resolveu-se que ele ficaria sentado à direita de Janice e Annabelle ao lado dele, e Georgie, que Nelson considerava o menos ameaçador dos Harrisons, ficaria à direita dela.

E o velho aristocrata gostou — a pele vermelha fina sobre seus malares brilhava — de ser colocado ao lado da mais bonita mulher jovem presente ali. Margie, a única rival de Annabelle, é uma dessas moças que, com pernas grossas e fortes, calçando meias soquete brancas, e seios volumosos sob a suéter, fazem o maior sucesso aos dezessete anos como chefe de torcida, mas já não brilham aos trinta e poucos, chafurdando na gordura tal como suas mães. Também Ron Junior tinha engordado, e sua pele estava sempre bronzeada, como é comum nos trabalhadores da construção civil. A boca da mãe, com seu sorriso ligeiramente tímido porém simpático, no rosto dele ganhou a expressão obstinada e fixa de um homem que se contentou com menos do que poderia ter conseguido. Apesar dos dois anos que investiu no colegial, passava agora os dias pregando tábuas em casas vagabundas, todas idênticas, em loteamentos de dois mil metros quadrados. Havia se transformado numa versão de seu pai, carnudo, cabeça quase calva, potencialmente brigão, mas sem sua palidez de corretor de seguros. Alex, o mais velho e mais alto, era agora o que mais se parecia com a mãe — esguio e irônico, tal como ela ficou depois de anos de doença, inteligente e formal, com seus óculos de armação metálica. Seria de tanto trabalhar com circuitos minúsculos que sua boca acabara ficando do tamanho de uma casa de botão? Dos três rapazes foi ele o que se deu melhor; mudou-se para a costa do Pacífico, depois voltou para o Leste, subiu a escada tortuosa de uma carreira em programação de computadores, se bem que, em se tratando de um campo em que os mais inteligentes e sortudos se tornam milionários antes dos trinta, talvez se julgasse um fracassado; fosse como fosse, era um pouco curvo, com jeito de quem pedia desculpas, e nisso era também como a mãe, quando sua vida estava nas últimas.

Nelson já não se lembra de quando se deu conta de que seu pai e a sra. Harrison estavam tendo um caso. Naquele tempo, ele tinha sua própria família e seus próprios problemas, e os amigos de seu pai eram para ele um bando de velhotes que freqüentavam o Flying Eagle e achavam um tremendo barato tomar três gins com tônica e o máximo da ousadia dizer "foder" na frente das mulheres. Buddy Inglefinger era o mais idiota de todos, mas Webb Murkett e sua mulherzinha gostosa, com idade para ser filha dele, eram igualmente repulsivos. Quanto à sra. Harrison, ele praticamente nunca olhava para ela, uma pessoa tão desinteressante, calada, com aquela doença desagradável. No entanto, quando a cocaína o deixava mais perceptivo do que o normal, Nelson sentia alguma coisa no ar — a maneira como os adultos se agrupavam quando ele os via juntos, sua mãe ao lado do sr. Murkett, alto e desajeitado, ou do sr. Harrison, atarracado, e seu pai e a sra. Harrison um pouco atrás deles, conversando num tom de voz que ninguém mais ouvia e unidos por um certo clima estranho, excitante, de paz. Ela tratava Nelson muito bem, de um modo um pouco excessivo, como se ele fosse uma criança-problema sempre na berlinda. Aquela mulher amarelenta, severa, de voz tranqüila, estava bem informada demais a respeito de Nelson e tinha por ele um afeto um pouco maior do que ele merecia. Curioso, desde essa época ela já o perturbava. Os Murketts se separaram e os Inglefingers se mudaram para outra cidade — Buddy havia conseguido encontrar uma mulher tão amalucada quanto ele —, mas os Harrisons e os Angstroms ainda se freqüentavam, na metade do ano que seus pais não passavam na Flórida, e iam ao cinema, assistiam a uma partida dos Blasts, muito embora seu pai sempre dissesse que não suportava Ronnie desde os tempos em que ele era um garoto agressivo que morava na Wenrich Alley. E Nelson percebia que no contexto desse quarteto seu pai era menos barulhento do que de costume, menos brincalhão, sem aquelas traquinagens que aprontava para irritar sua mãe, mais discreto e contente: parecia mais adulto. Era difícil fazer uma associação entre esse homem modificado e a sra. Harrison, mas como explicar a mudança de outra forma? Então ela morreu. E seu pai demonstrou menos sofrimento do que era de se esperar, chegou mesmo a brigar com o viúvo consternado em pleno enterro. De fato, seu pai era mesmo um sujeito exibido, insensível, de coração duro, tal como Ronnie dizia.

Há muito tempo que esse romance clandestino se tornou de conhecimento público, envenenando todas as reuniões a que estão presentes os filhos de Ronnie. Não que eles façam qualquer comentário. Mas eles sabem, e vêem Nelson como herdeiro da culpa de seu pai, culpado de conspurcar aquela mãe quase perfeita.

"Alex, é um prazer ver você aqui", mente Nelson. "E então, já está ficando com sotaque de sulista?"

"É uma coisa contagiante", concorda o ex-prodígio da informática, agora um administrador de médio escalão. "A Virgínia é um estado esquisito — metade caipira e metade megalópole, lá para os lados de Washington."

"Como a Pensilvânia e Filadélfia", compara Nelson.

"É um estado que tem mais auto-imagem que a Pensilvânia. Berço de tantos presidentes, e mais a capital da Confederação, e agora a economia está decolando. Os arranha-céus, que são proibidos no Distrito de Colúmbia, estão sendo construídos do outro lado do rio, na Virgínia." As palavras saem da boca estreita com má vontade, como se seu cérebro estivesse sendo obrigado a exercer uma função inusitada.

"Você já conhece a minha irmã Annabelle? Quer dizer, meia-irmã."

"Me disseram que ela ia estar aqui. Muito prazer."

"Prazer", diz Annabelle, pensando se será aquele o irmão que Nelson quer que ela conheça. Só pode ser: dos outros dois, um é gay e o outro já é casado. Mas será que Nelson não compreende que se ela quisesse se casar ela já teria se casado há milênios? Chega a sentir-se insultada por ele achar que ela não podia ter fisgado um médico no tempo que era mais jovem. Aquele homem pálido de óculos bifocais, o orgulho dos Harrisons, parece um médico — a mesma formalidade fria, o mesmo ar superior de quem domina uma linguagem que é apanágio de poucos.

"E você, o que é que você faz?", Alex lhe pergunta, como se todos soubessem o que ele faz.

"Ah, eu badalo por aí", diz ela para provocá-lo; ele parece todo certinho, totalmente imune a tudo.

Nelson, a seu lado, intervém: "Ela é enfermeira prática, agora trabalha mais com clientes particulares, principalmente idosos".

"Humm, nada mau", diz Alex. "Geriatria é uma área em alta."

"Na verdade, o problema deles é mais solidão que doença, de muitos deles", ela retruca, sem saber se ele está sendo agressivo ou se realmente pensa em termos de áreas.

"A gente fica pensando até que ponto a sociedade pode arcar com tanto peso morto", ele prossegue. "Vai chegar um momento no próximo milênio em que os governos vão ter que estabelecer um limite. Os esquimós faziam assim, quando tinham uma população viável. Os índios norte-americanos também. Na Sicília a coisa virava uma festa, e todo mundo subia nos travesseiros, de modo que quando o velho morria sufocado ninguém se sentia individualmente responsável."

Está sendo agressivo, ela conclui. Diz então: "Não sei, não, tem sempre alguma coisa que ainda tem algum valor, mesmo quando eles não lembram mais o que fizeram há um minuto. É fácil estabelecer contato com eles. Talvez seja porque eles têm vergonha de não conseguir se exprimir, de se sentir inúteis, que eles se abrem tão fácil". A boca de Alex se estreita, seus óculos brilham. Ele compreendeu o que ela quis dizer: ele não se abre, com ele não é fácil fazer contato. Na nossa sociedade a gente tem que estar o tempo todo sondando, se esforçando; é tão mais fácil, pensa Annabelle, ficar num apartamento que você conhece tão bem quanto seu próprio corpo, fazer uma boa refeição e passar a noite vendo televisão, uma coisa muito mais confortável e unidirecional.

À mesa, ela se sente muito bem ao lado do sr. Dietrich, com sua cabeça alongada e elegante, o aparelho de audição discreto, cor de carne, os malares pronunciados vermelhos de animação serena. Ele lhe fala sobre suas viagens — os suvenires volumosos que sua mulher insiste em comprar, as vezes em que foram enganados — no México, no Egito, em Sri Lanka. Está claro que lhe dá muito prazer ter condição de sustentar uma mulher gastadeira e uma verdadeira legião de vigaristas. "Esses estrangeiros são uns velhacos, a maioria deles", diz ele, "mas é compreensível, porque eles têm o azar de não ter nascido americanos." Olha para ela de esguelha, irônico, para ver como ela reage ao comentário, e se vira para a mãe de Nelson, sentada do outro lado, perguntando: "É ou não é, Janice? Você ouviu o que eu falei pra essa mocinha tão simpática?".

"Não, Deet, meu querido, me diga o que foi!"

A sra. Harrison está tensa. Seus olhos negros — como os de Nelson, porém mais úmidos, femininos, e com cílios menos vistosos, encolhidos pela idade — estão constantemente percorrendo a mesa, examinando todos aqueles rostos ligados a ela. Com um neto de Ronnie a cada lado, Janice vira-se de repente quando o velho se dirige a ela. Esses dois se conhecem; há entre eles aquela intimidade sem dentes de pessoas que já passaram da meia-idade — eles podem fazer brincadeiras que jamais vão dar em nada.

"Eu falei, minha querida, que os estrangeiros são uns velhacos mas isso é compreensível, porque eles têm o azar de não ter nascido americanos!"

Janice parece perplexa. "Acho que não entendi direito, não. Se eles são estrangeiros, é claro que não são americanos."

"É claro! Isso mesmo!" Em triunfo, Deet coloca a manzorra manchada sobre o braço dela e lhe dá um apertão afetuoso.

Do outro lado de Annabelle, Georgie lhe faz perguntas sobre espetáculos da Broadway. Não consegue acreditar que ela não foi ver nem *Cats* nem *Miss Saigon*. Para compensar, descreve para ela um espetáculo chamado *Keep bangin'* que se resume a homens batendo em tambores. Oferece-se para conseguir ingressos se ela e Nelson quiserem: "As pessoas aqui estão bem mais perto de Nova York do que elas pensam. É menos de três horas de carro, e se você não quer depois ter problema de estacionar o carro, a viagem de ônibus é ótima. Agora, se você e o Nelson não gostam tanto assim de batucada, conheço um dos professores de dança que trabalham com a equipe da remontagem de *Kiss me, Kate* que vai entrar em cartaz na semana que vem. A produção mais fan-*tás*-tica que vi nos últimos tempos tem um nome meio constrangedor, *Os monólogos da vagina*, é um espetáculo com a Eve Ensler, só ela no palco, e na verdade é uma coisa bem mais séria do que pode parecer. É sobre a nossa relação com nossos corpos. Todos nós. Homens, mulheres e casos intermediários".

"Na verdade, eu e o Nelson não costumamos sair juntos", ela é obrigada a explicar. "A gente se descobriu recentemente."

"Que coisa incrível", diz ele, disposto a seguir por qualquer trilha que ela abra. Annabelle se dá conta de que ela o deixa pouco à vontade. Há no rosto de Georgie um sorriso fixo, como um fogo de artifício prestes a explodir. É um rosto teatral, com feições muito marcadas, e a pele tisnada de sol, como um fazendeiro — efeito das praias onde ele passa as férias, pensa Annabelle. Tem a magreza exagerada dos maratonistas, que combina com os lábios carnudos e inquietos, o nariz grande, semelhante a um bico, e as mãos compridas de veias grossas. Ele pergunta: "Você é daqui mesmo?".

"Sou, sim."

"E não tem vontade de ir embora? Eu vivia louco para ir embora. Queria ser dançarino, cheguei mesmo a participar de alguns shows, mas nenhum deles ficou em cartaz muito tempo, meu azar foi esse. O que eu faço agora, pra ganhar a vida — a vida em Nova York está absurdamente cara, até mesmo nos bairros que antigamente eram decadentes —, é trabalhar em teatro na área de vendas. Pra falar às claras, eu vendo ingressos por telefone. Meus irmãos e meu pai acham que isso é uma carreira *grotesca* para um homem que já passou dos quarenta, mas há muito tempo eu decidi que nem eles nem toda essa gente boa aqui de Brewer iam mandar na minha vida, não. Minha agência marca turnês em outras cidades, de modo que é um trabalho que envolve negociações, um trabalho de executivo — realmente não vejo motivo pra me envergonhar, ganho ingresso de graça pra todos os espetáculos que eu quiser assistir e ainda pratico *jetés* e *pliés* uma hora por dia. Não desisti de dançar, não; cada vez mais tem bons papéis pra homens que já passaram da puberdade há muito tempo. Os produtores estão começando a levar em conta a idade média dos espectadores. Os Estados Unidos estão envelhecendo — todos nós fazemos parte disso."

Annabelle olha ao redor, no meio daquela família borbulhante. Na sua família, ela relembra, toda a animação vinha dos irmãos, que à medida que cresciam traziam para casa pedaços do mundo exterior — jogos que aprendiam, habilidades que desenvolviam, ditos e canções —, mas sua mãe era uma mulher obesa e reclusa, e Frank falava pouco, operava sua frota de ônibus para ganhar dinheiro, sentindo, como todos os fazendeiros, que estava sendo passado para trás e explorado. As reuniões de família tinham sempre uma atmosfera furtiva, forçada. As famílias de suas colegas do secundário faziam viagens mais longas e mais exóticas no verão, e na casa delas havia árvores de Natal maiores, mais presentes, mais animação e mais vontade de comemorar. Annabelle sentia-se aliviada quando aquele momento de vulnerabilidade natalina — como o menino Jesus em sua manjedoura, nu sob o céu estrelado — chegava ao fim e todos podiam retomar a rotina confortadora e trabalhosa do cotidiano, quando o novo ano começava. Um garoto chamado Jamie, que foi por muitos anos o único garoto que ela conhecia, convidou-a para dançar com ele no baile de formatura, e seu vestido de baile, de chiffon cor de pêssego com corpete de cetim, dava-lhe a impressão de ter sido feito com a carne de seus pais, arrancado de seu orçamento magro, quente e grudento em sua pele. Sentia-se rígida como uma boneca, enfeitada, muito embora a mãe, de jeans e camisa de flanela, tivesse tentado abençoá-la na despedida: "Minha filhotinha linda". Annabelle não se julgava merecedora de tantas despesas, ao contrário de seus irmãos — com seus equipamentos esportivos, suas viagens, seus clubes —, como se sentisse, no que havia de melancólico naquele amor materno, a verdade oculta de que ela era filha apenas de sua mãe. Annabelle observa esta outra família com interesse; seu irmão é um cordeiro em meio aos parentes de seu padrasto.

Nelson está na outra extremidade da mesa, entre a sra. Dietrich e Margie, uma moça gorducha, baixinha e opiniática. Entre Margie e Janice estão as duas crianças mais velhas, dois meninos inquietos que olham com uma curiosidade escancarada para Annabelle. Do outro lado de Georgie estão seus dois irmãos, Alex e Ron Junior, e depois a filha menor deste, uma menina numa cadeira alta, e ao lado dela seu avô, o qual, à medida que a garrafa de vinho à sua frente vai esvaziando, fica cada vez mais efusivo com a sra. Dietrich. Esta, por sua vez, cobriu a pele grossa como couro com uma profusão de jóias metálicas pesadas, como se tivesse se preparado para uma outra função, mais espalhafatosa e mais chique do que esta comemoração em família. Os Dietrichs trazem ao jantar o toque do dinheiro, da riqueza proveniente do trabalho material honesto; os equipamentos foram vendidos para um estado sulista, os empregados há muito tempo foram demitidos ou morreram, com os pulmões entupidos de fiapos ou intoxicados por substâncias químicas, mas os lucros investidos continuam fazendo a felicidade dos herdeiros do fundador até a terceira geração.

Janice está na cabeceira oposta à ocupada pelo marido, ao lado do galante Deet, mas a expressão em seu rosto parece indicar que ela não é a anfitriã, e sim uma convidada, satisfeita por ter sido chamada, cada vez mais tonta à medida que seu copo é reenchido vez após vez e o jantar que ela preparou com tanto esforço é devidamente consumido. O peru estava seco e o molho ficou grosso demais, mas o recheio, o purê de batatas e o molho de vacínio foram todos comprados prontos e estavam excelentes, só lhes faltando aquele toque sutil, azedo ou apimentado, de que apenas uma cozinheira caprichosa e confiante é capaz. Janice está claramente aliviada pela constatação de que só daqui a um ano terá de passar por tudo isto de novo. Concorda com a cabeça enquanto Deet descreve a infinidade de templos do Mianmá, a antiga Birmânia, o país do Sudeste Asiático menos deteriorado pelos turistas ocidentais, graças àqueles generais pequeninos e durões, e contempla com olhos fixos a cabeça de seu marido, cada vez mais próxima do brinco de cobre de Doris. No entanto, apesar disso, Ronnie de vez em quando dirige a Annabelle um olhar que é como um soco; ela se sente intranqüila, mexida por dentro.

"E agora a vigarista se candidatou", diz a voz de Doris, que raramente encontra oposição, interrompendo seu tête-à-tête com Ronnie. "Eles não têm vergonha, aqueles dois."

Os dois meninos pequenos, com dez e oito anos de idade, mortos de tédio, tiveram permissão de se levantar para só voltar à mesa na hora da sobremesa, e produzem ruídos variados na varanda dos fundos. Annabelle está de olho em Janice, aguardando o momento em que ela vai se levantar para tirar a mesa, pois pretende se oferecer para ajudá-la. A anfitriã, porém, só se mexe para levar o copo aos lábios, embora o sr. Dietrich tenha por um momento interrompido a narrativa ensurdecedora de suas aventuras no estrangeiro. A voz de sua mulher, ouvida por todos, menos ele, teve o efeito de calar a mesa inteira.

Nelson examina seu prato sujo. O roxo do molho de vacínio sujou o purê. Olhando para baixo, de testa franzida, pergunta: "Mas por que é que ela devia ter vergonha?".

"Bom, pra começo de conversa, porque ela é uma ladra", diz Ron Junior, antecipando-se para o caso de Doris Dietrich não ter uma resposta pronta.

"Além disso, se ela é nova-iorquina, eu também sou", acrescenta Alex, com uma rapidez de digitador.

O terceiro irmão resolve intervir: "Mas quem é que é nova-iorquino?", indaga Georgie. "Aqui todo mundo é imigrante."

"Você vai votar nela?", pergunta-lhe Ron Junior.

Annabelle sente que Georgie, a seu lado, se encolhe de temor, mas é obrigado a reunir forças para responder: "Provavelmente. Se o adversário dela for o Giuliani. Ele tem mania de controlar tudo, essa história dele com o museu do

Brooklyn foi o fim. Não queria dar verbas municipais, é pior do que o que os comunistas fazem com a arte".

Diz Doris, sacudindo as pulseiras quando apóia o cotovelo na mesa e tira da boca o cigarro aceso: "Nova York nunca esteve tão tranqüila nos últimos vinte anos como agora. Eu e o Deet tínhamos medo de ir lá, agora não temos mais".

"Talvez seja só um problema demográfico", diz Nelson. "Agora tem menos negros jovens. E, graças ao Clinton, a maioria deles agora está empregada."

Proclama Alex: "Pra mim, não é mérito nenhum do Clinton a prosperidade econômica. É graças à indústria eletrônica. Os impostos dele só fizeram atrapalhar. E agora o Departamento de Justiça está perseguindo a Microsoft — estão querendo matar a galinha dos ovos de ouro".

"E o Alan Greenspan", acrescenta Deet, tendo ouvido alguma coisa da conversa.

"O Nelson está defendendo o Clinton, meu amor", grita Doris do outro lado da mesa.

"E a senhora Clinton, também", diz Nelson. Há nele um traço de rebeldia, Annabelle percebe — talvez algo que herdou do pai.

"Eu acho os dois um horror", acrescenta a mulher gorducha de Ron Junior, voltando da cozinha, tendo ido ver o que os filhos barulhentos estavam aprontando. "Pra mim, ela é tão responsável quanto ele por esse escândalo da Monica."

"Como assim?", pergunta Nelson.

"Não banque o inocente, não, Nelson. Ela é que deixa ele arrumar esses casos há anos — se ela não tivesse defendido o Clinton naquele caso da Gennifer Flowers, ele nem tinha conseguido se eleger."

"Ela deixa o Clinton sempre matando cachorro a grito", diz o anfitrião, da cabeceira da mesa. Há um tom de rosa-vivo em toda a cabeça de Ronnie, no couro cabeludo que o cabelo ralo não esconde por completo, nas pálpebras quase transparentes, nas orelhas protuberantes. "Que nem faziam antigamente com os lutadores de boxe." É outra geração falando, pensa Annabelle. Uma mentalidade mais grosseira, mais física, de sociedade industrial. Este homem conheceu o pai biológico dela — jogaram basquete nos mesmos ginásios, inalaram o mesmo ar poluído com poeira de carvão.

"E aquela história dela com o Vince Foster?", pergunta Ron Junior. "Garanto que esse caso vai vir à tona outra vez se ela se candidatar mesmo."

"O rei e a rainha da bandalha", diz sua mulher, numa espécie de êxtase. "Eu não suporto aqueles dois!" O casamento é isso, Annabelle observa, esse êxtase a dois.

"Vou, sim", interrompe Georgie com uma voz tensa, que estava presa dentro de seu peito como uma mola. "Vou votar nela, sim. Ela tem coração, ao contrário de vocês, que são republicanos. Ela é a favor do direito de aborto, da liberdade de expressão, d-dos direitos dos p-pobres." Está começando a gaguejar, de tão emocionado; os outros Harrisons apertam os olhos e suspiram, numa manifestação de piedade e desprezo já antiga; Georgie não é o bode expiatório que eles querem hoje.

"Que nem os pobres palestinos. Que nem a senhora Arafat. O pessoal de Nova York adorou esta. 'Vem, meu bem, vem dar um abraço'", continua Ron Junior.

"Vocês de Nova York", diz Alex a seu irmão, pomposo, "são todos..." Ele parece formar um "b", mas Georgie se antecipa:

"Bichas, é o que você ia dizer."

"Babacas, era o que eu ia dizer, mas aí achei melhor não. Tem senhoras presentes, e uma menininha à mesa." Aperta a boca, estreitando-a mais ainda.

"Ele é um cara-de-pau", diz Ron pai, ainda pensando em termos práticos. "Deviam ter acionado o impeachment contra ele, todo mundo sabe que era o caso."

"Mas o impeachment foi acionado, sim", diz Nelson ao padrasto. "Só que ele não merecia ser condenado, e não foi, como você se lembra."

Mas Nelson também não é o bode expiatório que eles desejam. Diz seu padrasto, paciente: "Nellie, ele *mentiu* para nós, pro povo americano. Ele disse com todas as letras na televisão: 'Eu não tive relações sexuais com aquela mulher, a fulustreca'".

Annabelle sente-se obrigada a falar. "Acho que ele é um excelente presidente", diz.

Sua voz, embora tímida, é límpida e pura, surpreendente. A mesa agitada, cheirando a pratos comidos e não comidos, imediatamente mergulha no silêncio. Ela é uma convidada, ou quase isso. Quem é essa, que saiu do nada com aquele rosto pálido e redondo?

"Como assim, minha querida?", pergunta Doris Dietrich, do outro canto da mesa. Seus brincos extravagantes, de tiras de cobre, tilintam quando ela inclina a cabeça para a frente a fim de ouvir a resposta.

Annabelle se esforça para não ficar vermelha. Espicha o pescoço para dissipar o calor. Ela ama Clinton, percebe agora, depois de tantas vezes que o viu na televisão, deixando-se dominar por aquele tom sério de primeiro aluno da turma que caracteriza as falas presidenciais, aquelas pausas em que ele morde o lábio enquanto procura a palavra exata, aquele leve sotaque caipira. "Ah, pelos motivos que todo mundo diz", Annabelle responde. "Ele realmente dá a impressão que se importa com a gente, que está olhando pra gente. Ele já passou por tudo, foi pobre numa cidade horrorosa, maltratado pelo padrasto. E também por causa da inteligência dele, ele sabe de tudo, sempre tem razão. Aqueles peritos todos, como o George Will, foram na televisão dizer que não ia adiantar nada bombardear o Kosovo, e deu certo. A intervenção dele no Haiti. Além disso, ele pacificou a Irlanda."

"Ele fugiu do serviço militar!" Ron Junior não consegue se conter. "Se eu fosse soldado e ele viesse me dar ordens, eu mandava ele enfiar as ordens dele naquele lugar. *Eu* é que não vou pra Bósnia!"

"Fizeram uma pergunta a ela, agora deixem ela responder", intervém Nelson; está acostumado a dirigir discussões de grupo.

Annabelle continua, odiando fazer um discurso, o rosto agora em brasa, mas — tendo lidado tantas vezes com pessoas às portas da morte, sabendo o que nos aguarda a todos, inclusive os presentes ali à mesa — sem medo de dizer o que pensa, afinal o presidente continuou trabalhando enquanto todo o país ficava fazendo piadas grosseiras e antipáticas: "Ele gosta de gente, gosta mesmo. E é corajoso. Sabe quando deve correr um risco e quando deve se segurar. E não guarda rancor, nem mesmo contra aqueles parlamentares cheios de ódio que tentaram fazer de tudo pra acabar com ele. É verdade, foi lamentável aquela... ele precisava de um pouco de afeto, e talvez tivesse esse direito. Todo mundo tem, não é?".

"Quer dizer que sexo oral é afeto?", indaga o anfitrião, dirigindo a ela um daqueles olhares, um golpe que vem de um passado em que ela ainda nem existia.

"Bom..."

"Claro", intervém Nelson. "É exatamente isso."

"Você concorda, Georgie?", Alex pergunta a seu irmão mais moço.

"Sem essa, Lex. Volte pro Sul, que é lugar de carola. Agora, concordo com a Annabelle, sim, acho ridículo este país idiota e puritano obrigar o presidente a fazer tudo escondido, que nem um adolescente. Em qualquer outro país do mundo, se ele fizer o que tem que ser feito ele pode até ter um harém."

Deet já ouviu o bastante para saber que estão falando sobre Clinton. Diz ele, com aquela voz tonitruante de surdo: "Ele até pode ser bem-intencionado, mas é muito radical. Não tinha nada que dar todo esse dinheiro do governo pra gente que não quer trabalhar. Esse negócio de aumentar os impostos sobre os ricos acaba afetando a economia e sendo pior pra todo mundo, é uma coisa que a história já demonstrou mais de uma vez".

"Ele é *a favor* de botar pra trabalhar todo mundo que recebe dinheiro da previdência", diz Nelson, quase sufocado pela ignorância que o cerca. "Os liberais dizem o diabo dele por isso mesmo."

"Ele me faz ter vergonha de ser americana", comenta Margie. Algo nela semelhante à paixão sexual foi acionado; no rosto dela vêem-se as marcas de espinhas extintas. "Ele expõe o país ao ridículo, com essas bandalheiras todas, depois pega o avião dele e roda pelo mundo afora como se nada tivesse acontecido. É muito descaramento!"

Sua filha, de cerca de dois anos, já crescida demais para ficar tanto tempo assim confinada a uma cadeirinha alta, percebe a tensão na voz da mãe, sente que o sangue dela está fervendo, e começa a espernear e choramingar. Com um tapa irritado, derruba no chão o prato de ervilhas e pedacinhos de peru. "Epa, calma aí, Alice", diz Ron Junior, cuja gravata foi atingida por algumas ervilhas.

"Pois bem", diz o pai dele, "uma coisa de bom esse cara fez: graças a ele agora todo mundo sabe o que quer dizer a expressão. Quando eu era garoto, a gente tinha que explicar pras meninas. Elas nem conseguiam acreditar que era pra fazer aquilo."

Janice acha que Ronnie parece cansado — está com olheiras, o cabelo muito ralo, as orelhas febris. Tendo perdido um marido prematuramente, ela está sempre preocupada com este, com sua pele sedosa, seu jeito sistemático.

Diz Nelson a Margie, em voz baixa, para só ela ouvir: "Pode ser descaramento, mas ele ainda é o presidente, meu Deus". Depois diz a Deet, bem alto: "Na verdade, senhor Dietrich, a política financeira dele é a mais conservadora que é possível no Partido Democrata. Lá no nosso centro de terapia a gente está sentindo o aperto, falando sério".

"Ora, Nellie, você tem que encarar a realidade. Esse cara é um sujo", diz Ron Junior, enquanto sua filha estrebucha em seu colo, satisfeita por estar fora da cadeirinha, mas nem um pouco disposta a ficar presa pelo abraço do pai. "Ele é podre. Mais podre que aquele resto de carne que a gente esquece no fundo da geladeira."

Observa Alex, severo: "Comparado com ele, o Nixon parece um santo. Pelo menos teve a decência de sumir de circulação. O Nixon era capaz de sentir vergonha".

"O Nixon? Esse aí nunca admitiu nada, a única coisa que ele demonstrava era autocomiseração", retruca Nelson.

"Mas essa *bandalheira*!", exclama Margie, numa espécie de orgasmo, estremecendo a olhos vistos. Alice começa a choramingar, em sintonia com a mãe. Esta aponta para a menina, perguntando: "O que as crianças vão pensar? O que é que a gente vai dizer pros escoteiros?".

"Os escoteiros!", exclama Georgie, com um sorriso de orelha a orelha. "Evite pensamentos imundos, era isso que o nosso chefe nos dizia. Mas ninguém seguia o conselho dele. Os escoteiros não são santos. Aliás, a gente ficou sabendo depois que o nosso chefe também não era."

"Um grande injustiçado", proclama Deet, tendo ouvido a palavra "Nixon". "O que ele fez naquela época hoje em dia ninguém levaria a sério."

"Que nem o Reagan não levou a sério o escândalo Irã-Contras", diz Nelson. "Se bem que ele nem sabia do que se estava falando. A demência senil já tinha atacado há um bom tempo."

"Pois foi ele que acabou com os russos. Ele que derrubou o Muro de Berlim", diz Ron pai, levantando a garrafa à sua frente e constatando que ela está vazia. "Janice, ainda tem mais vinho? Aí na sua ponta da mesa ainda tem?"

Doris Dietrich, a seu lado, também se dirige a Janice. "O que é que você acha, Janice? Da candidatura da Hillary?"

Janice tenta se concentrar na pergunta. Estava pensando na semelhança entre Nelson e Harry, que sempre defendia o presidente, fosse ele quem fosse. O filho está com aquela expressão que o Harry chamava de "branco feito um fantasma". Por que é que eles são assim, se importam tanto com esses homens remotos? Identificação. Pensam que o país é tão frágil quanto eles. O pai dela, que odiava o Roosevelt até o dia em que morreu, ficava exaltado, dizendo que os democratas estavam entregando o país inteiro. Diz ela à platéia, que aguarda seu pronunciamento: "Ah... se ela tem vontade de se candidatar, tudo bem. Ela tem mais é que botar isso pra fora mesmo. Ronnie, você já tomou muito vinho. É hora de limpar a mesa, mas todo mundo fica sentado, menos a Annabelle. Ela pode me ajudar".

Sua tentativa de proteger a moça fracassa, pois todo mundo — com exceção dos Dietrichs, Margie e Alice — começa a pegar os pratos sujos, e entram todos na cozinha ao mesmo tempo. Os dois meninos de Ron Junior, Angus e Ron III, pegaram os tacos no armário do avô e improvisaram um campo de golfe na varanda dos fundos, em meio aos móveis de verão empilhados. Estão dando tacadas cada vez mais fortes, e o pai deles os detém quando estão prestes a quebrar alguma coisa — a mesa de vidro canelado em que às vezes a família faz as refeições no verão ou uma tela de fibra de vidro nova em folha para a janela. "Vamos servir as tortas, meninos", promete Janice, e então se lembra de que já devia ter colocado no forno as tortas, de maçã e de frutas picadas, em vez de ter ficado sentada ouvindo os outros discutir.

Há um engarrafamento na cozinha, pois todos os convidados estão colocando sobre o balcão os pratos, copos e talheres usados. Annabelle passa água nos pratos, com o triturador ligado, e depois os empilha na lavadora, com um interior azul-bebê que ela nunca viu antes. O anfitrião vem ajudá-la, o que é direito dele, já que a cozinha lhe pertence. Mas ele chega muito perto dela; tirou o paletó e enrolou as mangas da camisa, expondo os pêlos louros, quase brancos, do antebraço; ele a pressiona de leve com seu corpo, obrigando-a a se afastar, e pega os pratos úmidos. Há nele uma densidade, uma plenitude sangüínea, que Annabelle sente nas próprias veias. "Vamos botar todos os pratos grandes no andar de baixo e deixar os pires pra próxima leva."

"Se o senhor quiser cuidar dos pratos, senhor Harrison, eu saio daqui."

"Não, por quê? Assim funciona: você enxágua, eu ponho na máquina." Ele está tão próximo que ela sente o cheiro adocicado de vinho junto às orelhas vermelhas dele. "Então quer dizer que sexo oral", diz ele, "é só uma maneira de demonstrar afeto."

"Foi o que eu disse." Ela já lidou com tantas cantadas de homens mais velhos que se sente tranqüila, confiante de que vai saber se safar.

"Você é mesmo filha da sua mãe."

"É mesmo?"

"Conheci sua mãe uma vez. Antes dela se envolver com aquele panaca do Angstrom."

"Ah, é?" Dentro dela, medo e fascinação se entrechocam. Sua mão treme quando coloca as taças antigas e delicadas de cristal trabalhado, tesouros da família, na prateleira de cima da máquina. Ron pega de Annabelle duas taças de cada vez, e rearruma as que ela já colocara antes.

"Senão elas ficam chacoalhando e se quebram", ele explica.

"E como ela era?" Mas, apesar da pergunta, Annabelle já decidiu que não quer prolongar aquela conversa. Faz menção de procurar uma toalha para enxugar as mãos, afastando-se um pouco dele.

Ronnie mantém a voz baixa, de modo que Janice, só agora pondo as tortas no forno, não o ouve. "Ela trepava com qualquer um", diz ele baixinho, os lábios quase roçando nos cabelos finos junto à nuca de Annabelle.

"Por que você não fez isso antes?", Nelson está reclamando com a mãe.

"Ah, esqueci", diz ela, "todo mundo discutindo por causa do Clinton. O governo dele já não está quase acabando?"

"E já vai tarde", grita Ron Junior da varanda, onde está tentando restaurar a ordem.

"Deve ser estranho", Ronnie murmura para Annabelle, "ser a filha ilegítima de uma vagabunda e um vagabundo."

Lágrimas vêm aos olhos de Annabelle como se um graveto os tivesse atingido durante uma caminhada num bosque. Nelson vê a mudança em seu rosto, vê-la virar-se de repente da pia com as mãos molhadas ainda levantadas, e dando dois passos coloca-se ao lado dela. "O que foi?", pergunta, com um bafo quente, os olhos mais fundos do que nunca nas órbitas.

"Nada", diz ela, engolindo em seco, tentando não chorar.

"O que foi que ele disse?"

"Não disse nada."

"Eu perguntei a ela", diz Ronnie ao enteado, num tom perfeitamente natural, "como ela se sentia sendo filha bastarda de uma puta com um vagabundo. Mas não pedi que ela fizesse sexo oral comigo, não."

"Ronnie!", Janice exclama, batendo a porta do forno com força.

"Ora, porra", diz ele, envergonhado, mas só um pouco, "que história é essa dela vir aqui pra dizer pra gente que o Clinton é um sujeito formidável?"

Nelson o enfrenta, embora seja um pouco mais baixo que ele e nunca tenha sido atleta. "Você disse à mamãe que ela podia vir. Você disse que queria ver como é que tinha saído a filha da Ruth Leonard."

"Pois é, e vi. É a cara dela, só que não é ruiva no cabelo. E imagino que nem nos pentelhos." Nessa avaliação vinham à tona anos de indignação.

"Você não suportava, não é?", diz Nelson. "Meu pai ganhava de você todas as vezes. Todas as vezes que você enfrentou meu pai, ele ganhou. Ele era assim, Ronnie. Um vencedor. E você é um fracassado."

"Você entende do assunto", diz Ronnie.

Outras pessoas entraram na cozinha, os dois filhos mais velhos de Ronnie. "O que está acontecendo?", pergunta Georgie.

"Mamãe", Nelson pergunta a ela. "Por que você se casou com ele? Como pôde fazer isso conosco?" Ou seja, ele se dá conta, com ele, Nelson, e o pai morto.

Janice faz cara de quem já teve essa conversa antes e não agüenta mais discutir o assunto. "Ele é bom pra mim", explica. "Ele bebeu demais. Não é, Ron?"

"Não", diz ele. "Bebi foi pouco. Você é que bebeu tudo."

"Por favor, esqueça o que ele disse, seja lá o que for", diz ela a Annabelle. "Vamos dar uma caminhada. Enquanto as tortas esquentam."

"A chuva voltou", observa Alex.

Ron Junior, que veio da varanda, quer defender o pai, só que não sabe do quê. "Seu merdinha", diz ele a Nelson. "Foi você que teve essa idéia maluca de chamar *ela*."

"Ele entrou em parafuso", Georgie tenta explicar, de seu ângulo nova-iorquino, vendo o pai com um distanciamento que os outros dois ainda não adquiriram, como um velho que está ficando cada vez mais velho. "Ficou perturbado, ela despertou umas lembranças nele." Seu rosto de jovem velho, com feições exageradamente grandes, revela, num sorriso discreto no canto dos lábios, o que ele tem em comum com os irmãos: a satisfação de ver que de algum modo Coelho Angstrom está sendo punido por ter praticado adultério com a mãe deles.

"Não estou perturbado coisa nenhuma", diz Ronnie, com a teimosia implacável do corretor de seguros que só sai da casa do cliente depois de fechar o negócio. "Esta casa é minha e gosto de ter algum controle sobre as pessoas que entram nela."

"Bom, estamos de saída", Nelson diz a ele. "Chega. Mamãe, venho pegar as coisas quando esse escroto não estiver aqui."

"Nelson, você não tem onde ficar!"

"Dou um jeito. Vamos, Annabelle. Tome", e, esquivando-se de Ronnie numa manobra surpreendente, arranca um bom pedaço de toalha de papel do rolo instalado debaixo do armário de madeira antiquado e o entrega à irmã, para que ela possa enxugar as mãos molhadas e ensaboadas.

Aparvalhada, coberta de vergonha, ela vai atrás do irmão para a sala de jantar, passando pela cristaleira grande, os passos dos dois fazendo tremer a preciosa porcelana Koerner de sua avó Springer. Annabelle tem de se apressar para acompanhar o ritmo de Nelson. Para este jantar, ela vestiu um cardigã branco de caxemira e uma saia cor de canela, talvez um pouco apertada e curta demais para aquele ambiente. Mas hoje em dia as saias vêm todas assim de Nova York para os shoppings do país.

Só continuam sentados à mesa Margie, a pequena Alice e os Dietrichs. Uma nuvem de fumaça dos cigarros de Doris paira no alto, junto ao teto, em torno do *plafonnier* redondo de latão. Nelson pára, abaixa-se e diz bem alto: "Senhor Dietrich, desculpe, mas aconteceu uma coisa e nós temos que ir embora antes mesmo das tortas. Tudo de bom pro senhor. E pra senhora também, senhora Dietrich. Continue sendo amiga da minha mãe, ela precisa da senhora. Margie, mesmo a gente não estando de acordo quanto ao Clinton, sua filhinha é uma graça".

"Até logo", diz Annabelle à mesa, com uma voz rouca e quase inaudível, a garganta arranhada de tanto conter os soluços. Ela enxuga o rosto com a toalha de papel, usando a mão que Nelson não está apertando e puxando. Os dois meninos já seguiram à frente deles e se instalaram na sala de visitas, onde ligaram a televisão Zenith. Uma partida de futebol americano: uniformes azul-prateados contra um fundo de um verde vivo, com uma linha amarela que é produto da computação gráfica. Em cima do aparelho há uma profusão de cacarecos, entre eles um pesado ovo de vidro verde-claro que desde a mais tenra infância Nelson vê como um objeto milagroso. Como foi que conseguiram enfiar aquela bolha em forma de lágrima lá dentro? Ele está sem casaco, e a jaqueta dela está no hall. A porta da frente, com suas finas folhas de vidro fosco ornamental, prende ao ser aberta naquele dia úmido, mas com um estalo se desprende e os dois estão livres, na varanda da frente, no ar fresco. Está chovendo; o ar está frio, vivo. Quando menino, Nelson sempre adorou aquela varanda, a varanda de seus avós Springers, onde ficava um balanço estofado que rangia e cheirava igual ao colchão de oleado do seu chiqueirinho. Naquele tempo também havia ali uma poltrona de palhinha. Hoje em dia as pessoas não usam mais as varandas da frente; aqueles móveis foram levados para o depósito de lixo de Mt. Judge, que já foi fechado, em alguma década em que ele não estava prestando muita atenção. Ser adulto, ao que parece, é não prestar muita atenção nas coisas. Para suas narinas de menino, o cheiro da palhinha evocava sua origem vegetal, um salgueiro em algum livro de histórias, debruçado sobre uma lagoa, as pontas dos galhos e as folhas finas roçando na superfície da água cristalina. Nelson tem a impressão de que seus sentidos estão limpos outra vez, sente os respingos de chuva no rosto, ouve o tamborilar nítido sobre as folhas das árvores, gota por gota, enquanto puxa a irmã em direção ao velho Corolla branco em que ela veio. Do outro lado da rua, a casa onde ele viu brilhar as abóboras e a mulher só de sutiã está escura, vazia. Os vizinhos foram passar o feriado fora, e assim não vêem o herdeiro abandonando para sempre a casa de número 89 da Joseph Street.

IV.

"Está certo, está certo, eu pisei na bola", Ronnie admite a Janice. "Não havia motivo para engrossar, ninguém escolhe onde vai nascer."

"Você devia telefonar e pedir desculpas." O incidente deu a Janice uma vantagem, e raiva suficiente para valer-se dela. Ronnie viu na moça a mulher já morta com quem ele havia trepado; aproximou-se dela e, frustrado, agrediu-a. Isso tinha sérias implicações a respeito do que sua esposa era para ele. Ela era, Janice compreendeu de cabeça mais fria, uma maneira de vingar-se de Harry, e de se apropriar da casa. *Esta casa é minha,* Janice o ouvira dizer, mas não era, a casa era dela, era a casa em que ela fora criada, que o orgulho de sua mãe mantinha sempre limpa e reluzente, e que o dinheiro de seu pai sustentava. Estavam cercados de objetos que pertenceram aos Koerners e aos Springers; os Angstroms e os Harrisons não haviam contribuído com praticamente nada, eram uns pés-rapados naquele condado, as únicas coisas que deixariam no mundo seriam suas lápides.

"Não estou preparado", diz Ronnie. "Não posso garantir que vou fazer a coisa certa. Ela é clintonista, pelo amor de Deus. Imagino que ela deve andar com um bando de maluquetes lá de North Brewer."

Ele teve vontade de comer a garota, Janice percebe; sendo sua esposa, não consegue deixar de sentir pena dele, pensando naquele pau que lhe dá tanto trabalho, pendendo sob a barriga proeminente e peluda, um pau que é achatado em cima, um porrete triste e pesado, circuncidado, ao contrário do de Harry. Sem ter onde esconder a cabeça. "Então pelo menos telefone pro Nelson", diz ela.

"A gente não sabe onde ele está, não é?" Ronnie supõe, com razão, que sua mulher sabe mais do que ele. Um longo fim de semana se passou depois do Dia de Ação de Graças. Nelson passou pela casa no domingo, quando Ronnie estava na igreja. Ronnie continua indo fielmente à igreja fundamentalista sem nome, que fica depois de Arrowdale, outrora freqüentada por ele e Thelma. Uma vez Janice lhe perguntou por que ele persistia no hábito; Ronnie respondeu, irritado: "Pelo mesmo motivo que todo mundo vai. Porque somos todos pecadores". O comentário foi como uma bofetada para Janice. Harry jamais diria uma coisa dessas; ele não se considerava um pecador. Janice tenta não odiar Thelma agora que ela está morta, mas não acha direito ter que dividir os dois maridos com ela. Janice herdou da mãe o episcopalismo, só que, ao contrário de Bessie Springer, não costuma ir à igreja. Há muitos anos ela faz coisas demais nas manhãs de domingo — o grupo de tênis feminino no Flying Eagle no verão, e no inverno as sessões no Stepmaster da academia que fica no agonizante shopping center na estrada de Brewer. Está decidida a não engordar como a mãe. Seu corpinho esguio é do que mais gosta nela mesma. Além disso, a mãe tinha companhia para ir à igreja depois que o marido morreu — amigas como Grace Stuhl e Amy Gehringer —, enquanto ela não tem ninguém. Assim, passa as manhãs de domingo lendo o *Standard* de Brewer, com todas aquelas seções coloridas, enquanto o marido comunga com os mortos.

Sabendo disso, Nelson telefonou cinco minutos após Ronnie sair de casa, e chegou de carro quinze minutos depois. Pegou duas trouxas de roupas e disse que voltaria para pegar um dos aparelhos de televisão e duas das cadeiras do andar de cima assim que tivesse encontrado um lugar para morar. Ficaria dormindo na casa de Annabelle na East Muriel Street, no chão, até que pudesse procurar um quarto na segunda-feira. Ela estava bem, só que chorava muito por todos os Harrisons a odiarem. Nelson lhe explicara que Georgie não a odiava e que os outros não tinham consciência dos próprios sentimentos. De mais a mais, o erro fora dele. Outro erro, ele se dava conta, fora permanecer naquela casa por tanto tempo, por não ter uma idéia melhor e por achar que sua mãe precisava dele, o que era uma ilusão. "Você não precisa de mim, mãe. Você está bem. O Ronnie também está bem, mesmo sendo um idiota. Diga a ele que ele foi bom comigo, por ter me aturado por tanto tempo."

Realmente, Janice não tinha argumentos para contrapor. Adorava Nelson por tudo que havia passado a seu lado, mas não tinha mais idade para atender às suas necessidades. Ela e Ronnie, sozinhos, cuidariam das necessidades um do outro, uma das quais, jamais comentada, era preparar-se para a morte; poderia começar a qualquer momento. Uma dor no meio da noite, um número problemático num exame de laboratório, e pronto: era o início do fim. Eles dois tinham visto isso acontecer com seus cônjuges. Ela sentira a criança escapulir de suas mãos ensaboadas e, por alguns segundos, não conseguira encontrá-la na água cinzenta e opaca da banheira. Se havia alguma verdade no que as igrejas diziam, ela voltaria a ver sua filha num futuro não muito distante. Era o que a morte tinha a lhe oferecer.

Janice deu a Nelson um pedaço de torta de frutas que havia guardado para ele no congelador e disse que lamentava muito o que tinha acontecido. Todo mundo ficara muito chateado com a história, menos Deet e as três crianças, ela imaginava. "Não", respondeu Nelson, "foi esclarecedor. Me mostrou que eu tenho uma tendência a ser bundão e sanguessuga. Não havia motivo pra envolver vocês todos nessa história; minha irmã só tem a ver comigo e com meu pai, não com vocês."

Isso foi ontem. Agora ela diz ao marido: "Você podia ligar pro trabalho dele". Ronnie entende o comentário como uma ordem, por ele ter se excedido.

Não é fácil dar esse telefonema, mas não é pior do que convencer um cliente recalcitrante a comprar uma apólice. O jeito é construir uma casca em torno da gente e falar de dentro dela. "Nelson, você tem um minuto?"

"Um minuto, tenho." O grupo de relacionamentos começa em dez minutos.

"Olhe, eu me sinto péssimo por ter falado daquele jeito com a Annabelle."

Nelson se ofende por ele chamar a irmã pelo nome, porém escuta.

"Acho que eu estava bêbado", prossegue Ronnie.

"Tão bêbado assim? A ponto de falar nos pentelhos da mãe dela?" Os clientes do Centro são disfuncionais, mas têm ouvido de tuberculoso. Pela porta aberta de sua saleta Nelson vê se virarem várias cabeças no espaço livre, inclusive a de Rosa, a que fala com Jesus. Ela está com uma cliente nova, uma obsessiva-compulsiva de quarenta e sete anos. Quando estava preenchendo sua ficha, Nelson observou com atenção as mãos da mulher, dolorosamente esfregadas e rachadas, as unhas roídas até o sabugo. Também eram assim as mãos de Pru, longas e vermelhas, ele se lembra — grossas nos pulsos, delicadas na ponta dos dedos.

"Olhe", a voz de Ronnie insiste, "estou ligando pra pedir desculpas, acho que você não vai querer tornar tudo isso mais difícil."

"Ah, não, é? Há quem ache que você devia pedir desculpas não a mim, e sim à Annabelle."

"Não confio em mim, se for falar com ela. Continuo puto com ela por causa dessa paixão dela pelo Clinton."

"Mas foi mesmo por causa do Clinton que você ficou puto? Me diga uma coisa, Ronnie: quando você olhou pra ela, o que foi que você viu?"

"Vi uma liberalóide grande demais pra aquela minissaia."

"Mais alguma coisa? Vamos. Pode pensar. Pense bem."

"Vi a Ruth Leonard nos anos 50. Ela trepava com qualquer um."

"Mais. Quem mais você viu?"

Ronnie está mudo, mas seu silêncio indica menos hostilidade que uma tentativa de pensar. Esta é a melhor conversa que Nelson teve com Ronnie em toda a vida. Ele já conseguiu isso por ter saído de casa, em apenas quatro dias. Pela primeira vez, Ronnie é obrigado a respeitá-lo. "Você quer que eu diga que foi o seu pai", ele arrisca.

"Só se for verdade."

"É verdade. Ela tem mais dele do que você. Pare de fazer essas perguntas todas pra me obrigar a botar coisas pra fora. Você não gosta de mim, nunca gostou de mim, porque eu como a sua mãe."

"Tem certeza? Talvez seja motivo pra eu gostar de você, já que eu não posso fazer isso. Na verdade, eu não desgosto de você, Ronnie. Você não me ameaça do jeito como ameaçava meu pai, por algum motivo. Eu gosto de você. Gosto porque você cuida da mamãe e desse casarão feio que mais parece um celeiro. Você sabe cuidar. Coisa de corretor de seguros, sempre preocupado com o que vai acontecer com os entes queridos quando o chefe da família se for desta pra melhor. Você tenta fazer os mortos funcionarem, assim como eu tento fazer os malucos funcionarem. Nós não somos fodões, mas somos cidadãos respeitáveis. Você fica puto com o Clinton porque ele apronta e sempre se dá bem no final. O papai também era assim. Vou lhe dizer uma coisa, Ronnie, uma coisa que eu aprendi: *ninguém* sempre se dá bem no final. Os que não são punidos acabam se autopunindo. Todo mundo é assim. A gente anota tudo numa espécie de livro-caixa."

Ronnie permanece mudo, pensando, procurando um gancho. "Mas que bobajada", diz por fim. "Nellie, você virou o rei da enrolação."

"Outro motivo pra eu gostar de você, Ronnie", Nelson prossegue, falando depressa, o insight acaba de surgir em sua mente com tanta força que ele se sente obrigado a comunicá-lo, "é que eu e você somos praticamente as últimas pessoas vivas que meu pai ainda incomoda. Ele nos incomoda porque nós queríamos conquistar o respeito dele e não conseguimos. Ele era pior do que nós, mas ao mesmo tempo melhor. Ele nos derrotou. Você olha pra Annabelle e vê uma prova viva de que ele derrotou você — você comeu a Ruth, mas foi ele quem a engravidou, e cada vez que você olha pra ela você vê a cara dele olhando pra você. Certo?"

"Você me pegou", Ronnie admite. "Me diga uma coisa, o que é que você vê nessa garota?"

"O que eu vejo? Uma coisa que meu pai deixou pra mim, pra eu tomar conta, e não faço idéia do que preciso fazer. O jantar de Ação de Graças não foi uma boa idéia. Seus filhos também não."

A voz de Ron Harrison ganha um tom elevado. "Nellie, vou dizer a verdade, porque eu gosto de você. O que vou lhe dizer vai ajudar você. Essa garota é uma piranha metida a besta, que sabe muito bem se virar sozinha. Vou lhe dizer uma coisa que vai chocar você. Lá na cozinha ela ficou excitada comigo. Ela queria que eu comesse ela. Percebi, e aí tive que engrossar. Eu me sacrifiquei pela família."

"E *eu* é que sou o rei da enrolação?", exclama Nelson, e desliga. Durante esse longo telefonema, Rosa e a cliente nova, de tão horrorizadas com o que ouviram, acabaram se afastando. Nelson sai de sua saleta para o espaço livre, procurando-as, para saber o que elas queriam e para lhes mostrar que ele é fundamentalmente uma pessoa equilibrada, normal e confiável.

De: papai [nelsang.harrison@qwikbrew.com]
Data: Sexta-feira, 10 de dezembro de 1999 17:11
Para: royson@buckeyemedia.com
Assunto: mudança de endereço

Querido Roy — Desculpe eu ter deixado tantas mensagens e piadas se acumular. Achei engraçada aquela de quantos alunos da Texas A & M são necessários para trocar uma lâmpada, mas também achei um pouco cruel, já que morreram doze jovens que estavam construindo aquela fogueira imensa, e em sua maioria eram calouros que estavam cumprindo ordens de pessoas que deviam entender do que estavam fazendo. Quando você entrar para a faculdade, não esqueça que é importante não ir pela cabeça dos outros. Desperdicei muito tempo tomando cerveja com o pessoal da minha associação estudantil lá em Kent, até que sua mãe começou a cuidar de mim. Ela era um pouco mais velha que eu e tinha tido uma educação mais realista.

Demorei para responder porque me mudei da casa onde moram a sua avó e o sr. Harrison, de modo que não tenho mais acesso diário a este computador e só posso usá-lo em oportunidades como esta, em que os dois saíram para fazer compras de Natal num shopping e depois talvez tenham ido assistir a um filme, o novo James Bond ou o último do Tom Hanks. Um comentário

grosseiro durante o jantar de Ação de Graças me obrigou a sair da casa, mas eu estava pensando em fazer isso há algum tempo. Eu e sua mãe já conversávamos sobre o assunto quando você e a Judy ainda eram pequenos, mas a gente acabou nunca tomando a decisão de sair porque o aluguel era bom demais (US$ 0,00).
Por uma quantia um pouco maior que essa (US$ 85 por semana — aliás diga à sua mãe que agora tenho mais essa despesa), aluguei uma sala grande de frente no segundo andar de um prédio na Almond Street, logo depois da Eisenhower Avenue, a três quarteirões da passagem subterrânea, onde você e sua mãe, se ela quiser, podem ficar quando vierem para cá depois do Natal. Podemos colocar colchões no chão e pedir emprestados sacos de dormir às duas moças que moram na outra metade do segundo andar. Elas estão na faixa dos vinte e são o que antigamente a gente chamava de secretárias, só que agora usam títulos como assistente administrativa e assessora empresarial. Quase nunca as vejo, mas ouço o barulho que fazem com os namorados insuportáveis tarde da noite.

Estou morando aqui na Almond Street há apenas uma semana, mas estou gostando muito. O apartamento já vem com instalação para TV a cabo e outras coisas essenciais, inclusive um banheiro com chuveiro. Cozinha não tem, mas sua avó me deu um pequeno microondas, um Magic Chef de trinta e quatro litros, para eu preparar o café-da-manhã e degelar o jantar congelado à noite. Tem uma loja de conveniência aqui pertinho na rua. Era neste quarto que morava a filha da proprietária antes de casar e mudar, de modo que ficaram da antiga moradora umas coisinhas legais.

Quando você vier, precisa conhecer a sua nova tia, ou meia-tia, se é que existe tal coisa, Annabelle. Ela é tímida, mas é muito simpática, e sabe tudo a seu respeito.

Aqueles protestos em Seattle me lembraram o tempo em que eu tinha mais ou menos a sua idade, quando as pessoas viviam protestando contra tudo, fazendo quebra-quebra na rua. Elas xingavam os policiais e diziam o diabo do presidente, tal como agora. Pelo visto as coisas andam em ciclos.

Gostei de saber que correu tudo bem no seu aniversário, e peço desculpas por ter esquecido. Me diga o que você gostaria de ganhar de presente, para a gente comprar quando você vier me visitar. Um telefone celular me parece um pouco excessivo, mesmo sabendo que seus amigos todos têm. Como você sabe, haveria uma conta mensal pela qual você seria responsável. Pode continuar escrevendo para este endereço, mas como já lhe disse nem sempre vou poder responder prontamente. Lá no meu trabalho eles não gostam que a gente use o computador para mandar mensagens pessoais. Mas o meu apartamento tem telefone: 610-846-7331. Ligue para mim quando quiser conversar. Um grande abraço para você e para todos esses fabulosos Angstroms de Akron, do seu pai.

Ele não se surpreende quando Pru lhe telefona na noite seguinte. Há muito tempo não ouve sua voz tão leve, tão juvenil. "Nelson, o que houve que você finalmente saiu da casa da sua mãe?"

"Achei que tinha gente demais. O Ronnie é um escroto, que nem meu pai sempre dizia."

"A tal da sua irmã — foi *ela* que incentivou você?"

"Não, a Annabelle seria incapaz de me pressionar desse jeito."

"Pois bem, ela conseguiu que você fizesse uma coisa que eu jamais consegui."

"É mesmo? Você nunca deixou isso muito claro. Você ficava dividida, como eu. Casa e comida de graça, com babysitter e tudo."

Ela faz uma pausa, consultando a memória. Nelson imagina seu rosto ossudo de lábios apertados, como um astronauta quando a força da gravidade começa a se exercer sobre ele. Diz Pru: "Acho que eu estava querendo mesmo era ir embora da Pensilvânia. É muito legal, muito simpático, mas tem uma atmosfera pesada de, sei lá, uma coisa moralista. Acho que pra Judy é melhor não ter que se rebelar contra esse ambiente".

"E o Roy?"

"Fico preocupada, claro, por ele não largar o computador, mas vários amigos dele também são assim. Numa tela onde eu e você não vemos nada de especial, eles vêem um espaço mágico, cheio de túneis e passagens e tesouros. Ele cresceu mexendo com isso."

Nelson se dá conta de que ela o está convidando a falar como pai, como colaborador nesse empreendimento imenso e acidental de colocar mais um ser humano no mundo. "É, mas é assim mesmo, quando não é uma coisa é outra. Televisão, carro, cinema, beisebol. Um assunto pra conhecer a fundo. Todo mundo precisa disso. Aliás, o Roy sempre teve um lado astronauta."

"Agora ele vive se masturbando. A internet está cheia de pornografia. E ele ainda não aprendeu a ter um mínimo de cuidado e limpar o lençol com um lenço."

Nelson suspira, sentindo que para Roy o sexo vai se tornar uma fera onívora e implacável. "É. Ele acha que ninguém repara. Eu também pensava assim, se não me engano. E você, como é que anda em matéria de amores?"

Ele não ousaria fazer essa pergunta uma semana antes, mas por ter saído de casa sente que está num novo patamar não só em relação a seu padrasto como também a sua ex-mulher. Pru é um ano mais velha que ele, e esse ano sempre fez diferença no relacionamento deles: por conta disso ela lhe parecia uma conquista maior quando começou a namorá-la na Kent State; era mais adulta porque ganhava um salário de secretária, tinha um carro (um Valiant bege corroído pelo sal) e um apartamento próprio em Stow, e porque sabia trepar, apertando o clitóris contra a pélvis dele e gozando com a maior facilidade, como se fosse seu direito inquestionável de mulher. Mas depois que se casaram aquela diferença de um ano passou a ser um constrangimento, como se ele tivesse apenas trocado de mãe. Não era de admirar que ela terminasse se envolvendo com seu pai. Depois, mais recentemente, aquele ano de diferença voltou a ter menos importância, tornando-se apenas um pequeno incômodo, como o fato de ela ser canhota, desde que passou o ano em que ela já estava com quarenta e ele só tinha trinta e nove. Nelson estava com quarenta e um quando ela o largou, no meio do calor úmido de agosto, para matricular os filhos em escolas de Akron. Havia anos ela se queixava de morar com a mãe dele e Ronnie, e dizia que aquele emprego de Nelson não estava com nada, essa história de viver pajeando aqueles fracassados patéticos para valorizar seu próprio ego, dando mais atenção a eles do que à mulher e aos filhos, mas a coisa toda se resumia, na mente atônita de Nelson, a uma frase que Pru gritou uma vez, os olhos verdes brilhando como cacos de vidro no rosto vermelho: *Minha vida com você é pequena demais!* Pequena demais. Como se fosse grande coisa ser assistente administrativa e amante ocasional de um advogado grego. Mas o tamanho da vida é uma questão de percepção. Pru tem seis irmãos, e embora seu pai, um encanador aposentado, já tenha morrido de tanto tomar cerveja, e sua mãe, uma mulherzinha frágil e delicada, católica irlandesa, more numa residência geriátrica, ela ainda tem os seis irmãos e a prole deles, que lhe proporcionam um teatro em que ela brilha no papel de tia. Enquanto sua tia Mim só tem Nelson. E agora Annabelle.

"Vou muito bem, seu metido", diz Pru. "Aliás, já dei aviso prévio ao Gekopoulos, a partir do ano que vem. Quero trabalhar numa coisa que eu tenha que lidar mais com gente, talvez na área de relações públicas. Não agüento mais viver redigindo ações de danos e divórcio consensual com base num glossário-padrão, sempre a mesma lengalenga."

Nelson contém o ímpeto de observar que a vida, de modo geral, é uma lengalenga. "Pelo visto, não é o tipo de emprego que utiliza todo o seu potencial."

"Obrigada, mas *que* potencial? Boa pergunta. Enfim, continuo com essa idéia maluca de que devo servir pra *alguma* coisa. Quer dizer, sou uma pessoa agradável. Eu agrado, pelo menos de início. De repente eu devia fazer o curso de comissária de bordo junto com a Judy. Só que fico com a mão toda suada quando ando de avião. Acho horrível aquele tempo todo que demora até terminar de aterrissar, sobrevoando aquelas estradas e cemitérios."

Pru vai passar o Natal com a mãe e os irmãos e depois vem de carro visitá-lo, atravessando toda a Pensilvânia, com suas montanhas e pedreiras, fábricas e fazendas, oito ou nove horas de estrada, revezando-se com Judy ao volante, Roy jogando videogame em cada parada. "Quando vocês vierem aqui depois do Natal, onde é que vocês querem dormir?", pergunta Nelson. "Este meu apartamento é de um cômodo só. Você podia ficar com a mamãe e o Ronnie, e as crianças dormem aqui em sacos de dormir. Ou será que a Judy já está grandinha demais pra isso?"

"Vamos pensar", diz Pru. "O importante é elas ficarem com o pai."

"Certo. Mas posso dizer uma coisa? Vai ser um prazer ver você também."

"O.k.", diz ela com aquele tom seco de garota durona de Akron.

"Vamos tentar nos divertir um pouco quando você vier", ele insiste. "A vida é curta."

"Vou chamar o Roy", diz Pru. "A Judy não está."

"E aí?", ele pergunta ao filho.

"Tudo bem", é a resposta cautelosa. Roy sempre teve esta voz estranha, grave, que surpreende o pai. Para Nelson nunca foi difícil amar Judy, desde o começo — os olhinhos castanhos sérios, os pezinhos quadrados, os tornozelos flexíveis como punhos, a pequena fenda entre as pernas. Já Roy, com seu olhar severo, aquele pênis em botão virado para cima, parecia um invasor, um rival implacável sempre a exigir espaço, comida, atenção.

"Você recebeu o meu e-mail, não é?"

"Recebi. Obrigado."

"Como é que está lá na escola?"

"Bem."

"Está aprendendo alguma coisa interessante?"

"Que nada. O professor de informática mostrou pra gente uns problemas de programação no Windows 98. Ele acha que o Bill Gates está impedindo o progresso da tecnologia de internet, e que o governo tem razão."

Esta fala talvez tenha sido a mais longa que o filho já lhe dirigiu em toda a vida. Nelson responde: "Nisso você está muito na minha frente. Nunca vou conseguir dominar esse assunto como você".

"É fácil. É só lógica booliana."

"Tem alguma coisa que você quer fazer aqui no condado de Diamond? Fazer compras nas pontas de estoque? E aquele restaurante no alto do morro? Ir ver de novo aquela caverna? Se bem que no inverno acho que ela fica fechada." Enquanto enumera esses itens melancólicos, Nelson pensa que não há nada a fazer no condado de Diamond — só nascer, viver e morrer.

Mas a voz grave e sonora de Roy ganhou velocidade e objetivo. "Papai, acho que você não sabe, mas uma das maiores companhias de biotecnologia do mundo fica no condado de Diamond. Em Hemmigtown, sabe onde é?"

"Sei, sim." Nelson está começando a se cansar de ser um pai atencioso. Seu filho é um nerd, ele se dá conta, um chato para os colegas e uma aporrinhação para os professores.

"A Genomics ponto com. Ela é famosa na internet. O pessoal de lá está aprendendo a fazer transplante de gene pra criar uns vírus que vão devorar as doenças da gente. E atacar aquela parte da célula que causa o envelhecimento. Um monte de coisas fantásticas."

"Pra ser franco, Roy, acho isso terrível. Se ninguém morrer, onde é que vão ficar as pessoas novas que nascem? Mas vou me informar, sim. Você quer conhecer essa empresa?"

"Eu queria pelo menos ver o prédio por fora."

"Se você entrar, pode acabar pegando um vírus."

"Eles não vão me deixar entrar nessa parte do prédio, não."

"Mas vou me informar, sim. Gostei de saber que tem alguma coisa aqui neste condado de que você já ouviu falar."

O menino está começando a se entusiasmar. "Papai, você sabia que no futuro os chips de computador não vão mais ser fabricados? Eles vão ser *criados*, que nem bacilos, numa placa de Petri. Cada íon vai atuar como um transistor."

"Roy, não quero atrapalhar o seu dever de casa."

"É. Está certo. Até logo." E desliga antes que Nelson tenha tempo de lhe dizer: "Eu adoro você".

Brewer está toda enfeitada com iluminação natalina, desde uma fileira de lâmpadas em miniatura a piscar na vitrine da 7-Eleven da Almond Street até os holofotes verdes e vermelhos projetados sobre as águias de concreto no alto do fórum do condado, um edifício de vinte andares. Nelson consegue ver o topo desse prédio, encimado por um mastro de bandeira de ponta vermelha, pela janela lateral de seu apartamento, apertando o rosto contra a vidraça. Na área comercial perto do Centro, a Discount Office Supplies pôs na vitrine umas pilhas cônicas de resmas de papel, lapiseiras e caixas de disquetes e cobriu-as com ouropel e confete; a PrintSmart tirou cópias de uma foto de uma coroa de Natal em exemplares de papéis de todas as cores lá vendidos e os pendurou numa corda comprida, como roupas no varal para um mundo pluralista. No Centro, os clientes, sob supervisão da equipe de terapeutas, lutam contra a depressão de fim de ano enfeitando as janelas com algodão e velas elétricas de brilho fraco e montando uma árvore de Natal de mais de dois metros de altura, tão sobrecarregada de ornamentos feitos à mão quanto uma mente doentia é cheia de pensamentos impróprios.

Agora Nelson pode voltar para casa a pé, e ele gosta dessa caminhada de dez quarteirões, partindo da Weiser Street em direção ao oeste, passando pela antiga fábrica de pastilhas para tosse, abandonada porém ainda cheirando a hortelã depois de tantos anos, e pelas casas padronizadas construídas, um quarteirão de cada vez, pelas associações de poupança de trabalhadores, no século anterior a este, que está chegando aos últimos dias. Alguns dos moradores atuais enfeitaram as varandinhas da frente, as bandeiras das portas e as janelas com fervor católico ou evangélico — fileiras duplas ou triplas de lampadinhas de cores berrantes e ouropel em abundância, e aqui e ali um presépio de gesso ou uma oleografia representando Jesus adulto, como se para dizer: foi assim que ficou o menino nascido à luz das estrelas, o Homem-Deus barbudo que veio ao mundo para ser crucificado.

O pessoal da 7-Eleven já conhece Nelson, e ele também conhece os empregados que trabalham no balcão e cuidam da caixa registradora: a loura oxigenada grandalhona e cheia de gírias que às vezes traz o filhinho mulato para fazer seu dever de casa no canto, atrás da máquina de fotocópia (dez centavos a cópia); a moça branca de cara amarrada, tez de cor indefinida e cabelo cortado bem rente, com um único tufo tingido de verde, sempre lendo um livro-texto universitário grosso e se irritando diante de qualquer comentário simpático; o homem velhusco de olhos pidões e úmidos e de inglês muito claudicante, uma espécie de refugiado do extinto império comunista; o negro assustadoramente grande de cabeça raspada, que entra com um rádio tocando rap a todo o volume e está quase sempre falando ao telefone num inglês antilhano ininteligível; a moça hispânica miudinha de cabelo encarapinhado e de piercing de prata na língua. Eles já quase não reparam quando Nelson entra às cinco e meia e compra uma refeição congelada para o jantar e uma caixa de leite para o café-da-manhã, a qual ele deixa a noite inteira no parapeito da janela. Apesar de já ser dezembro, a temperatura ainda está tão elevada que o leite rapidamente coalha.

Nelson acha a televisão burra, porém gosta daquele brilho tecnicólor, gosta de vê-la iluminar-se alguns segundos depois de ele entrar em casa e ligar o controle remoto. Um gênio que aparece quando se esfrega a lâmpada, uma multidão de gênios. Ele fica vendo tevê até achar que sua inteligência está sofrendo uma agressão insuportável ou até sua paciência não suportar mais a arrogância dos comerciais, que interrompem o programa com uma avidez cada vez maior quando ele começa a ficar interessante. Porém há comerciais que ele aguarda ansiosamente. O anúncio de Nicoderm, por exemplo, em que uma mulher bonitona, mais ou menos da idade de

Nelson, com uma pequena ruga no queixo que indica maturidade e experiência e um vestido de ombros retos, diz que o adesivo é o método mais sensato e eficiente de abandonar o cigarro. Nelson adora o modo como ela olha para o espectador, de frente, quase sorrindo, dando a entender que, se parar de fumar, você vai poder relacionar-se com ela num nível mais puro. E gosta mais ainda da jovem que apregoa o Secret Platinum, "o desodorante mais forte que se pode comprar sem receita". Ela tem a pele escura, e nela não há um pingo de gordura salvo nos lábios, bem carnudos, e à medida que ela fala seu corpo fica a zanzar de um lado para o outro da tela, suando em bicas, e no clímax do anúncio a moça levanta o braço e faz um muque, dirigindo a Nelson um diabólico olhar de esguelha. Ela malha com vontade e certamente trepa com vontade, é o que o comercial dá a entender. Ele está precisando de mulher, meu Deus. Há noites em que, como na piada que seu filho lhe mandou por e-mail, lhe falta pele para fechar os olhos. Tenta analisar-se: por que será que as mulheres daqueles dois anúncios mexem tanto com ele? As duas são fortes, é isso. Ele quer uma mulher que assuma o controle. No trabalho, suas possibilidades são parcas: cliente é tabu, e as colegas deviam ser também, mesmo se fossem mais interessantes e menos feiosas — Katie Shirk, tão séria; Andrea, a arte-terapeuta, metida a besta, cheia de caras e bocas; Elenita, a recepcionista dominicana, que pinta o cabelo de laranja e o empilha sobre a cabeça em várias camadas lanosas, como o Sideshow Bob dos *Simpsons*; ou Esther, que é judia, mais velha que ele, casada com um advogado que trabalha no centro da cidade e forte *demais*. Nos bares que Nelson freqüentava antigamente, as garotas agora são muito mais moças que ele, tão jovens que parecem bobas, como aquelas duas que moram no apartamento ao lado. Elas dizem "tipo assim" e "super" o tempo todo e prolongam as sílabas tônicas com uma afetação exagerada. Nelson fica achando que estão fazendo troça dele, imitando Lisa Kudrow, mas não, é assim mesmo que elas falam. Quando uma das duas moças que moram do outro lado da parede pára de rir e a voz rouquenha de algum namorado se entrelaça com a dela, e as palavras cada vez mais escassas se intercalam com silêncio e grunhidos animais, a inveja de Nelson não conhece limites; é como se ele despisse uma boneca Barbie em sua mente e constatasse que ela é lisa e rígida, sem mamilos, com pernas que não se dobram.

Nelson está aguardando que alguma mulher ligue para ele. Sua mãe liga, para saber como ele está, mas seus telefonemas estão ficando cada vez mais espaçados. O mercado imobiliário está animado, como se ao final do ano — do século, do milênio, do mundo tal como o conhecemos — as pessoas estivessem agitadas e procurassem uma forma de renovação mudando de abrigo. Janice já está sonhando com a Flórida, onde ainda tem seu apartamento em Deleon, quando passar o período de festas e os netos voltarem para Ohio. "Pra falar com franqueza, Nelson, só de pensar eu sinto quase medo, vai ser tão estranho sem você aqui em casa."

Ele faz pé firme. "O Ronnie foi muito escroto com a minha irmã, e o resto da família dele também não agiu muito bem. Você até que não se saiu muito mal, mas também não foi nenhuma maravilha, não. Afinal, você foi casada com o papai por trinta e três anos."

"É, mas essa descoberta de uma filha natural não ajudou muito a melhorar a imagem que eu tenho dele."

Nelson sorri daquela expressão antiquada, "filha natural". Ele sempre foi muito próximo da mãe. Desde pequeno lhe enfiaram na cabeça que ele havia puxado aos Springers — pequeno e de olhos negros, e com um toque de malandragem, tal como o avô; agora Nelson se pergunta se não é hora de abrir mão disso. Essa irmã inesperada, essa filha natural, é uma oportunidade para ele se aproximar do pai, do seu próprio lado Angstrom.

No entanto, o terceiro almoço com Annabelle no Greenery é meio decepcionante. A Elm Street está desolada em dezembro, em parte por causa desse calor inusitado, que elimina qualquer possibilidade de um Natal com neve e desperta preocupações referentes ao aquecimento global, tal como a seca do verão passado. O planeta está sendo cozido. Os oceanos vão subir de nível, as terras férteis vão virar desertos. O

Greenery parece desanimado. Os únicos enfeites de Natal são uns esferóides brancos, feitos de algum material sintético reluzente, colados às janelas e aos espelhos atrás do balcão: não parecem bolas natalinas de verdade, e sim objetos em duas dimensões e meia, como produtos da computação gráfica. Mais uma vez Nelson pede a Annabelle que desculpe o mau comportamento de sua família extensa.

"A coisa não podia dar certo", diz ela. "Eu não devia ter ido."

"O erro foi meu. Eu não conseguia imaginar que alguém pudesse ver você diferente de como eu a vejo."

"E como é que você me vê, Nelson?"

"Como uma pessoa muito legal, muito natural", diz ele. *Filha natural.* Sente o impulso de colocar suas mãos sobre as dela, largas e de unhas curtas, pousadas sobre a mesa de fórmica. Annabelle recolhe as mãos, como se lesse seus pensamentos.

"Não sou uma pessoa tão legal assim, não, Nelson", diz ela. "Eu já fiz coisas. E também fizeram coisas comigo."

"Todo mundo é assim", diz ele. Quando as palavras lhe saem da boca, ele as acha batidas, palavras de irmão mais velho. "É a vida", acrescenta, um comentário igualmente idiota. Mas do que ele estava falando exatamente?

"Eu acho", diz Annabelle, "que a gente devia dar um tempo. Você está morando sozinho e tem umas coisas pra resolver com a sua família. Na verdade, eu não faço parte da sua família."

Como aquelas bolas de Natal brancas que na verdade não são bolas. "Faz, sim, porra."

"Vou viajar antes do Natal e só volto alguns dias depois. Aquela garota que eu falei, que trabalhou comigo lá no St. Joe's, ela e o marido me convidaram pra ir a Las Vegas, e aí eu pensei, sabe, é uma idéia, eu nunca fui lá, nunca fui a praticamente lugar nenhum. Dizem que se você não joga todo o resto é bem barato. Tem uns prédios novos maravilhosos, e a gente pode entrar de graça neles."

"Ah, não deixe de procurar a minha tia Mim. A sua tia Mim. A irmã do seu pai. Sério. Falei com ela sobre você e ela ficou muito animada. É realmente uma figura. É dona de um salão de beleza lá. Nem sei que nome ela está usando agora, já se casou várias vezes, mas o nome de solteira é Miriam Angstrom, vou lhe dar o telefone dela pra você ligar. Eu ligo antes e aviso. Por favor, faça o que eu peço. *Por favor.* Vai dar certo, eu garanto. A tia Mim é muito divertida." Sente-se aliviado ao pensar que alguém vai tomar conta de Annabelle durante o feriado, para que ele possa dar um pulo na casa de Ronnie e sua mãe com a consciência limpa. Será que todo mundo tem uma consciência como a dele, deformada quando ele ainda era pequeno e sempre inquieta?

"Não quero, não, Nelson. Vai ser mais uma coisa."

"Como você quiser", diz ele, seco. Annabelle rejeitou um dos poucos presentes que ele lhe podia dar, um tesouro que é fruto de seus próprios genes. "Vou deixar o telefone dela na sua secretária eletrônica, mas não vou avisar a ela que você está indo pra lá, não." A atmosfera desanimada do restaurante começa a afetá-lo. A conversa com aquela mulher quase desconhecida morre a toda hora, por falta de assunto. Por fim Nelson lhe pergunta, recorrendo ao noticiário da televisão: "O que é que você acha? O menininho cubano deve ser mandado de volta pra família dele naquele país miserável ou deve ficar no Disney World?".

"Deve ser devolvido ao pai."

"Eu concordo." Era tão estranha quanto aquele calor em dezembro, essa concordância que havia entre eles com relação a todos os assuntos.

Mas uma noite o telefone toca, quando ele está assistindo a uma reprise de *Jornada nas estrelas.* Não é voz de mulher, e sim a de um homem saído do passado, Billy Fosnacht. "Peguei seu telefone com a sua mãe. O Ron filho me contou que você saiu de lá. A mulher dele é minha paciente."

"Uma verdadeira jararaca. Cristã de extrema direita."

"Se soubesse como é o maxilar dela, você ficava com pena da coitada. É como se fosse giz. Já fiz três implantes, cruzando os dedos."

Billy estudou odontologia em Boston, na Tufts. Ele e Nelson, amigos na infância, voltaram a andar juntos na fase barra-pesada de Nelson, no Laid Back e em outros lugares que ele freqüentava, mas desde que Nelson largou a droga, dez anos antes, eles pouco se vêem. "O que é implante?", ele indaga.

"Nellie, como é que você pode não saber o que é um implante? Eu vivo disso. É um dente artificial integrado ao osso. Os melhores são os fabricados na Suécia. Você extrai o dente de verdade, que já está podre até a raiz, porque se não estivesse você fincava um pino de ouro na raiz e fazia uma coroa, aí você abre a gengiva e insere um parafuso de titânio com uma rosca interna e outra externa, e se o osso se fundir com ele em cinco ou seis meses, você atarraxa um dente falso dentro dele e a mordida fica perfeita. Melhor do que a natural. Eu faço três, quatro por dia. É a única hora em que eu me sinto feliz, quando estou fazendo implante."

"Você não é feliz, Billy?"

"Esqueça o que eu disse. Depois dou os detalhes. Vamos almoçar juntos. Estou convidando. Estou cheio da grana, e não tem nenhuma mulher gastando o que é meu."

Billy aprendeu uma maneira diferente de falar — seca, irônica, rápida. Na infância deles, ele era quatro meses mais velho e alguns centímetros mais alto que Nelson, e era sempre o primeiro a ganhar de presente a última novidade da garotada. Sua mãe teve um pequeno envolvimento com o pai de Nelson naquela confusão sexual dos anos 60, naquele tempo em que todo mundo vivia se separando. Mas a sra. Fosnacht já morreu de câncer de mama, e o pai de Billy — um sujeitinho magricela que era o dono da loja de música que ficava em cima do antigo cinema Baghdad na Weiser Street, onde agora há um grande buraco no chão — foi para o Sul, para Nova Orleans, berço do jazz, e sumiu por lá. A conversa dos velhos amigos de infância revela que, embora a clientela de um não tenha quase nada em comum com a do outro, os dois têm como ocupação dar vida nova aos habitantes de Brewer e que, na meia-idade, os dois estão um tanto perdidos. "O.k.", diz Nelson, referindo-se ao almoço.

Combinam de se encontrar no centro da cidade, no restaurante da Weiser Square que muitos anos atrás se chamava Johnny Frye's Chophouse, depois se transformou em Café

Barcelona, depois passou a ser a Crêpe House, em seguida Salad Binge e agora, sob nova direção, renasceu como Casa di Pasta — dizem que massa faz bem para as artérias, e é uma coisa um pouco mais substanciosa do que salada e crepe. Por acaso eles se encontram um dia após Charles Schultz anunciar que estava encerrando sua tira *Peanuts* e Jimmy Carter ir ao Panamá para dar o canal aos panamenhos.

"Ele acabou entregando o canal duas vezes", observa Billy. "Uma vez quando era presidente e agora quando está de pijama. O Clinton é que não é bobo de dar as caras nessa hora. Daqui a dez anos os comunistas chineses vão estar controlando o canal, escreva o que estou dizendo. Aqueles cucarachas vão vender para eles."

O pai interior de Nelson sente repulsa cada vez que alguém ameaça falar mal de Clinton ou de quem quer que seja o presidente no momento. Seu pai nunca gostou muito de Billy, dizia que o menino tinha uns beiços muito gordos. No entanto, ao vê-lo, Nelson sente um prazer inegável: eis aqui um parceiro de seus sonhos infantis, da conspiração de velocidade imaginária e violência triunfante que os meninos constroem em torno de si próprios como uma barraca montada no quintal na noite assustadora. Billy, que era pesadão tal como sua mãe vesga e malsinada, acabou ficando magricela como o pai, se bem que mais alto. O cabelo, negro e crespo, diferente do paterno e do materno, tem entradas ainda maiores do que as que se abriram no cabelo liso de Nelson, com aquele seu corte de presidiário. Billy tem uma calva no cocuruto do tamanho de um quipá. Sempre houve em Billy algo que fazia com que as pessoas não o levassem totalmente a sério, e esse algo transformou-se num jeito ríspido de fazer troça de si mesmo, numa tendência à hipocondria, características judaicas que ele adquiriu com seus professores e colegas no curso de odontologia protética. Sim, diz ele, seu pai continua vivo, tocando clarineta nessas bandas de Dixieland, embora ser branco seja uma grande desvantagem, e continua se virando aqui e ali com diversas atividades suspeitas. Sim, ele, Billy, se casou, aliás duas vezes, primeiro com uma moça de boa família, de Newton, que ele conheceu na Nova Inglaterra, e depois com uma de suas assistentes na clínica aqui mesmo em Brewer. O segundo casamento foi o que o fez largar o primeiro, e depois começou a fazer água. A mulher era doze anos mais moça que ele e gostava de sair muito mais do que Billy, e acabou se cansando dos suores noturnos dele, dos gritos que ele dava durante o sono, de suas perturbações do humor.

"Humor?", pergunta Nelson.

"Depressão, irritação, insônia. No fim de semana eu ficava tão pra baixo, tão entediado, que rezava pra surgir algum caso de emergência. Problema de estrutura dentária eu sabia resolver. Já mulher...", ele prossegue. "Elas desligam completamente e nem reparam no que estão fazendo. Primeiro acabam as firulas, depois o básico é reduzido a uma vez por semana, depois duas por mês, e depois só nos feriados e viagens ao exterior. Portugal, Áustria, Acapulco — tudo isso só pra conseguir descolar uma trepadinha com a minha legítima esposa."

"Bom, no meu caso", começa Nelson, mas Billy o interrompe: "E aí, quando você diz que na sua opinião o casamento não está dando muito certo, ela se finge de embasbacada e diz ao advogado pra tentar arrancar o máximo possível, porque a iniciativa não foi dela".

Por ter passado tantos anos trabalhando com pessoas cujas bocas estão imobilizadas, Billy se tornou uma pessoa fácil de conversar; não é necessário dar quase nenhum feedback. "Você grita dormindo?", pergunta Nelson.

A garçonete, que lembra muito a beldade suada de pele azeitonada do anúncio de Secret Platinum, interrompe para lhes dizer quais são os pratos do dia. Billy pede farfalle com camarão picado, Nelson pede ravióli de champignon. Nenhum dos dois aceita o vinho, preferindo água. "Peça Pellegrino com gás, é caríssima", diz Billy. "Não esqueça que sou eu que estou pagando." Em seguida, diz a Nelson: "É, sonhos horríveis. Num deles estou enfiado dentro do porta-malas de um carro, com a cara encostada no macaco, e estou vendo o carro — você sabe, nos sonhos a gente vê as coisas por fora e por dentro ao mesmo tempo — ser empurrado pra dentro do rio, que nem aquela mãe fez com os filhos na Carolina do Sul uns anos atrás. Num outro sonho estou não sei onde e a minha casa está pegando fogo, e não tenho como ir pra lá, apesar de estar vendo as chamas devorando o assoalho que eu estou pisando." Faz uma pausa. "E aí — o que você acha?"

Então é por isso que ele convidou Nelson para almoçar — para fazer uma consulta de graça. Não foi só a lembrança dos velhos tempos em que eles acampavam no quintal. Nelson não gosta de bancar o sábio fora do centro de terapia. Diz: "Hoje em dia a gente não trabalha mais muito com sonho, não. Não dá tempo. As companhias de seguro querem resultado rápido — surtou, tomou uma pílula, acabou. Mas o segundo sonho tem uma referência óbvia. Aquela noite que passei na sua casa, com a sua mãe e o cachorrinho, e a nossa casa pegou fogo em Penn Villas, a pouco mais de um quilômetro de lá".

Billy espicha os lábios, desconfiado, e seus olhos ficam um pouco saltados. "Quando foi isso? Quantos anos a gente tinha?"

"Doze, você tinha uns treze talvez. Sério mesmo, você esqueceu?"

"Bom, agora que você falou, a coisa meio que me volta à mente, mas é mais como se fosse uma notícia. Olhe, Nelson, deixe os sonhos pra lá. Tenho uns ataques durante o dia. Começo a suar como se estivesse malhando, sinto o coração a mil. Penso na morte, me imagino fechado dentro de uma caixinha de chumbo e todo o universo seguindo em frente, girando, explodindo, sei lá que diabo ele faz, sem parar, até se extinguir um dia, e enquanto isso eu continuo lá dentro, totalmente esquecido. Eu vou *morrer*, não consigo tirar isso da cabeça. No trabalho estou usando agora umas luvas de látex, e aí eu tenho uma fantasia que uma gotinha de sangue vai conseguir atravessar a borracha, saída da gengiva de um gay, e eu vou pegar AIDS. Basta uma gotinha entrar numa microabrasão. Isso está tirando a graça do meu trabalho de fazer implante."

Nelson tem de rir do autocentramento de seu velho amigo, que leva tão a sério aquele sofrimento mental. Então ele quer que suas unhas, que os pêlos de seu nariz, durem para sempre? "Com a nossa idade, Billy, a gente já tem obrigação de saber encarar essas coisas."

"Você consegue?"

"Acho que sim. É como tirar um cochilo, só que depois você não tem que acordar e procurar os sapatos." Nelson está sendo duro; há agonia ali, mesmo sendo Billy um velho amigo meio ridículo. Não apenas os beiços dele são gordos, mas o nariz também engordou; plantado no meio da cara, parece alguma coisa que foi acrescentada, com uma cor um pouco destoante do resto. Nelson aconselha, mais compassivo: "Acredite em Deus e no além, se isso ajuda. Há alguns indícios — gente que teve uma experiência liminar e está absolutamente convicta e está doida pra voltar logo pro outro lado".

"Deus", diz Billy, zombeteiro. "Como alguém pode acreditar em Deus depois do Holocausto? O que foi que Deus fez pra ajudar a minha mãe? Cortaram os peitos dela fora e assim mesmo ela morreu."

Nelson relembra a sra. Fosnacht, aquele olho inútil virado para fora, seu olhar escancarado, seu corpanzil simpático, sempre desmazelada, normalmente com a anágua aparecendo e sapatos deformados dos lados, como se apertassem. Ela era boa com Nelson; achava que ele era uma influência positiva sobre Billy. "Essas crises de ansiedade", diz Nelson, "acabam passando, normalmente. O organismo cansa de insistir nisso e se liga em outra coisa."

"Nellie, não consigo entrar em *túneis*. Também não me amarro em ponte, não, principalmente a Running Horse, com aquele arco elevado. Agora, como é que eu posso ir a um congresso em Nova York se eu não posso entrar num túnel? Tenho que desviar até Fort Lee e enfrentar a ponte George Washington."

"Você tem sorte", diz Nelson. "Aqui na região de Brewer não tem túnel."

"Não, mas tem passagem subterrânea. Eu preciso fazer força pra passar naquela no cruzamento da Eisenhower com a Seventh. Minha tolerância pra situações de enclausuramento é zero. Até aqui neste restaurante, como você está vendo, eu tive que sentar na cadeira mais próxima da saída. Avião eu não pego desde que me separei da Moira. Avião é um túnel de metal voando a dez quilômetros de altura."

"Como é que você enfrentava essas fobias", pergunta Nelson, "no tempo em que você estava casado?"

Billy levanta as mãos, superlimpas e enrugadas nas pontas dos dedos, de tanto tempo que passam enfiadas em luvas de látex, para que a garçonete possa pôr na mesa sua montanha de farfalle e camarão picado. "A Shoshana", ele responde, "também era meio nervosa, e eu é que era o estabilizador do casal. Com a Moira, como eu lhe falei, a gente vivia viajando de avião, pra conseguir descolar uma trepadinha, e eu tomava dois drinques no aeroporto."

A garçonete coloca na mesa o ravióli quente de Nelson, o vapor cheirando a champignons, a fungos escuros que brotam em segredo, a terra úmida, a estufas.

Billy continua matraqueando: "Quando eu era casado, acho que era jovem demais prà acreditar que ia morrer mesmo. Quer dizer, morrer *mesmo*, completamente — zero. Você é reduzido a *nada*. Não consigo comer". Larga o garfo.

Nelson pega seu garfo, dizendo: "A cabeça da gente não foi feita pra aceitar esse fato. Por isso, pare de tentar. Vamos comer, vamos. Eu lhe contei, Billy, que descobri que tenho uma irmã? Não, não é brincadeira, não".

Para Nelson, é no Centro que o Natal parece menos falso. Aquelas psiques conturbadas em corpos malcheirosos, que oneram a sociedade e suas famílias, as quais muitas vezes as abandonam, condenando-as a viver em abrigos e pensões protegidas, recebem bem aquela história tão antiga — o casal de sem-teto vivendo sob o estigma de uma gravidez misteriosa, a criança nascida em meio a palha e esterco, o esplendor secreto captado pelos pastores, asnos e bois imóveis em suas baias. Glenn, o das pálpebras azuis e piercing reluzente no nariz, sabe tocar piano desde os tempos da adolescência enrustida; ele arranca as tradicionais canções natalinas do teclado do piano de armário desafinado enquanto a obesa Shirley exibe uma voz delicadamente argentina, acompanhada pelo barítono metálico e vigoroso do dr. Howard Wu. Vendo que o médico também participa, junto com Esther Bloom, a cantar as letras cristãs com um espírito esportivo palpável, os clientes ficam animados: os dependentes químicos, os atormentados por alucinações, os que sofrem de fobias, os casos fronteiriços, Rosa e sua nova amiga, que rói as unhas compulsivamente, chamada Josephine Foote, e Jim, o viciado libidinoso e exibicionista, que sempre sabe de cor o primeiro verso da canção, só que seu cérebro não passa daí. Nelson fica contente ao ver que Michael DiLorenzo compareceu e resolveu baixar a guarda de sua postura cool, dividindo a folha de letras com o pequeno Bethleen, um negro bipolar. Os lábios do rapaz se movem, porém os olhos escuros, sob as belas sobrancelhas, estão em outro lugar, confusos, fora do ritmo; ele não fez a barba hoje, o que Nelson considera um bom sinal, sinal de que sua mãe o está atazanando um pouco menos. Todos eles, com suas dificuldades, conseguem entrar no barato, animados com aquele barulho organizado, aquela tentativa de cantar em uníssono, a ilusão de uma família feliz ali diante da árvore atulhada de artefatos produzidos nas aulas de arte de Andrea. Depois da cantoria, servem-se biscoitos, bolo e sorvete, e distribuem-se presentinhos comprados pela equipe do Centro na Discount Office Supplies — fálicas esferográficas de quatro cores para os homens e vaginais agendas de bolso para as mulheres. Em seguida, os clientes começam a entregar a este ou aquele membro da equipe tímidas lembranças, enigmáticos agradecimentos pelos cuidados recebidos. Nelson ganha de Josephine uma complicada colagem, montada sobre uma tábua laqueada negra, de rostos sorridentes recortados de anúncios de revistas e dispostos em profusão, destacados dos corpos, como flores num buquê. Ou seria um floco de neve composto de sorrisos? O dr. Wu recebe um pagode construído com fósforos, bem como um arco troncho feito com massa de modelar de várias cores, o qual, Jim explica, é um arco-íris, apontando para o pote cheio de ouro numa das pontas. Todos, assistindo, riem. O subsolo fica impregnado do sentimento cálido de que o mundo exterior às paredes daquela antiga escola primária é um lugar receptivo, que não se esqueceu deles, que lhes deseja tudo de bom e quer que eles se regozijem.

É véspera de Natal, uma sexta-feira. No dia seguinte, o Natal na casa de sua mãe e Ronnie parece uma obrigação rotineira. Nelson vai de manhã a Mt. Judge e pega o Corolla que está há dias estacionado junto ao meio-fio na Almond Street. A 7-Eleven está aberta, embora neste momento em todas as casas as crianças estejam abrindo os presentes trazidos por um Papai Noel onisciente e onipresente. A Weiser Square e o parque estão desertos; as únicas presenças são um saco plástico arrastado pelo vento e um pedestre curvado a contemplar sua própria sombra naquele dia sagrado de sol fraco. O shopping center em frente ao viaduto é um lago morto e vazio de asfalto listrado. A ESPERA DE UM MILAGRE BRINQUEDO II ANNA KING HEROIS FORA DE ORBITA.

Sua mãe é uma pessoa difícil de se presentear, sempre foi. Quando menino, Nelson lhe dava guloseimas, sabendo que ela iria prontamente reparti-las com ele. À medida que foi ficando mais velho, obrigava-se a reprimir o impulso de lhe dar coisas delicadas, calcinhas e meias para as pernas de que ela se orgulhava, como ele bem sabia. Na infância de Nelson, sua mãe usava meias sustentadas por cinta-liga, e elas tinham no alto uma faixa mais escura que, vista de relance, era perturbadora. As meias-calças, por outro lado, tinham aquela mancha escura na virilha, em forma de feijão. Uma vez, na adolescência, Nelson deu-lhe meias L'eggs, e quando as viu sendo retiradas do estojo em forma de ovo, finas e sedosas, ficou vermelho de vergonha. Este ano ele está sem dinheiro — oitenta e cinco por semana de aluguel, trezentos e sessenta por mês de pensão para Pru, despesas extras como o frigobar que ele comprou para que o leite não coalhasse, e não sobra muita coisa de um salário semanal que nem chega a quatrocentos depois de todos os descontos na fonte — assim, Nelson escolhe uma dúzia de bolas de golfe Top-Flite para Ronnie, embora seu pai sempre dissesse que a tacada dele era pesada como uma marreta, e para sua mãe um software chamado Melhore Seu Bridge; fica a imaginá-la usando o computador na saleta em que sua avó Springer gostava de costurar. Mas Ronnie diz, naquela sala em que todos os móveis tiveram que ser arrastados para o lado de modo a abrir espaço para a árvore de Natal, que ele não quer sobrecarregar a memória de seu computador e perder todos os seus dados financeiros, desde os anos 70.

Para atenuar a rejeição, sua mãe intervém: "Falando sério, Nelson, acho que eu não ia conseguir usar esse programa mesmo, ele parece muito complicado, eu já tenho dificuldade em entender o que a Doris me explica todas as vezes, com a maior paciência".

"Está bem, eu devolvo na loja", ele retruca, seco, "e compro outra coisa. Que tal uma camisola sexy?" Para Nelson, ela comprou um pijama de flanela e uma suéter de malha grená, como se temesse que ele passaria frio longe dela.

Ronnie saiu-se com um presente estranho, uma espécie de provocação: *A arte da felicidade*, assinado pelo Dalai Lama e por um médico americano. Nelson surpreende-se ao desembrulhar o livro, porque o santo asiático na capa lembra seu falecido pai, menos por alguma característica física do que por uma certa aura, um olhar atento e irônico, algo de cuidadoso, escorregadio e simpático no sorriso discreto. Ron explica, com sua voz de corretor de seguros: "Achei que, já que você despreza a religião cristã, talvez se interessasse por uma coisa alternativa. É muito importante, Nelson, ter um lado espiritual na vida. Está havendo todo um renascimento espiritual no mundo inteiro para saudar o novo milênio".

Ele parece estar citando alguém. Nelson examina o livro, procurando algum sinal de que se trata de mercadoria em liquidação, mas não encontra nenhum. Ronnie pagou o preço integral desse presente insólito. "O Dalai Lama", diz Nelson. A expressão hesitante, por trás dos óculos escuros de lentes quadradas, lhe dirige um sorriso cuidadoso: um pai que ele poderia ter tido. "Obrigado, Ron", diz. "Vou dar uma lida nas minhas noites solitárias." Talvez seja um cachimbo da paz, mas é desnecessário; depois da conversa pelo telefone logo após a briga no Dia de Ação de Graças, Nelson tem sentimentos positivos em relação a Ron, os mais positivos de que é capaz. Ron é apenas um americano pateta mais ou menos bem-intencionado, esteja comendo a sua mãe ou não. Depois que a testosterona vai embora, só restam o passo manco e o lado espiritual.

Nelson quer cair fora antes que cheguem Ron Junior, Margie e as três crianças para comemorar. Em matéria de comemorações com essa gente, ele já teve o suficiente para um ano inteiro. Alex vai ficar na Virgínia com sua família desfeita, mas Georgie está vindo de ônibus de Nova York. Ron e sua mãe dizem a Nelson várias vezes que ele pode ficar, eles põem mais um prato na mesa, mas depois daquele Dia de Ação de Graças ele já sabe que a sua casa, onde quer que ela seja, não é a mesma dos filhos de Ronnie.

Já à porta, sua mãe lhe diz: "Ah, eu ia esquecendo. Uma mulher ligou pra você hoje de manhã. A tal da Esther, da clínica. Eu perguntei se ela não sabia que hoje era Natal. Ela disse que sabia, sim, mas que queria que você ligasse pra lá assim mesmo. Ela foi muito seca comigo. Esses judeus são muito suscetíveis".

"Não posso imaginar o motivo. Eu ligo pra ela lá de casa. Obrigado, mãe. Feliz Natal. Mande um abraço pro pessoal do Ronnie." Beija a face seca e pequena da mãe; ocorre-lhe que ela parece estar encolhendo. Osteoporose, como dizem aqueles anúncios na televisão. Tudo enfraquece nossos ossos. O casal vizinho está no quintal lateral com o filho e o trenó novo dele, com trilhos vermelhos, embora não haja um único floco de neve na grama. A caminho de Brewer, Nelson tem a impressão de que o sol faz com que todos os enfeites natalinos, todas as lâmpadas e ouropéis e papais-noéis de plástico e renas de focinho vermelho pareçam desbotados, melancólicos. Ele pára numa 7-Eleven, compra um bolo de carne congelado e café num copo plástico enfeitado com motivos natalinos, ramos de azevinho. O café deles é bastante bom. Recorrendo a seu parco espanhol de assistente social, Nelson diz "*Feliz Navidad*" à moça de cabelo encarapinhado que está no balcão. Ela responde com um sorriso de uma alvura deslumbrante naquele rosto escuro, e uma rajada de fala espanhola da qual Nelson só pesca "*Muchas gracias, señor*", ceceando os esses por causa do piercing na língua.

Nelson volta para seu apartamento, toma o café e liga para a casa de Esther. Atende o marido — uma voz melíflua, condescendente, voz de advogado. Ele é rico; Esther não precisa do dinheiro que ganha, dirige o Centro porque ama a humanidade. Quando ela pega o telefone sua voz está fraca, trêmula. "Nelson, achei melhor falar com você, porque você trabalhava com o rapaz, o DiLorenzo."

"Falar o quê?" Mas o tremor da premonição já lhe domina o peito. Ele viu Michael ontem mesmo, na periferia da multidão em torno do piano, tentando participar. Desejou-lhe boas festas. O rapaz respondeu: "Tudo bem, sim senhor" e desviou a vista. Não havia feito a barba. Mas estava começando a participar dos grupos, conseguindo dominar a repulsa que lhe inspiravam os outros clientes. Ele queria melhorar.

"Ele se matou. Essa noite. Encontraram o corpo hoje de manhã. Foi o pai que ligou lá pro Centro. Estava em estado de choque, mas falou em processar a gente e o Birkits."

Aquele espaço interior onde uma vez ele sentiu uma faca se cravar, no momento em que tentava sentir empatia por Michael, torna-se mais escorregadio; Nelson sente que está esticando os braços, tentando pegar algo, mas suas mãos estão ensaboadas e ele não consegue pegar a coisa, que afunda. *Você é reduzido a nada.* "Ah, meu Deus", ele diz a Esther. "Não. Como foi que ele fez?"

"Com um saco plástico pra proteger terno. Amarrado no pescoço com uma gravata. Parece que foi uma maneira dele enviar uma mensagem aos pais: 'Vocês querem a tinturaria, pois tomem tinturaria'."

"Perdemos o Michael. Tenho a impressão que fui eu que perdi."

"Nelson, não seja egocêntrico. A gente faz o melhor que pode, mas não dá pra fazer tudo. Eu só queria lhe dar a notícia logo, pra você não ficar sabendo pelo jornal de domingo. Todo mundo é freguês da Perfect; isso vai sair no jornal." Ela está sendo corajosa e se segurando, mas o fato é que o Centro dela sofreu um golpe, ficou marcado.

"Você acha que o pai dele estava falando a sério com essa história de processo?"

"Sei lá! Ele é uma pessoa de ação, tem que fazer alguma coisa."

"Ele não faltou à consulta nem mesmo no dia do furacão. Confiava em nós. Eu devia ter notado alguma coisa, não mandei um recado pro Howie a respeito da medicação. O Trilafon não estava calando as vozes dele."

"Pare de se torturar, Nelson. A culpa não é sua."

É o que todos dizem. Foi o que ele mesmo disse aos pais. Mas o fato é que, depois que ela desliga o telefone, o rapaz continua morto. Fechado dentro de um vidro escuro, os pés para a frente, rumo a lugar nenhum. Nelson imagina a sra. DiLorenzo deitada num quarto com as luzes apagadas, as filhas chegando de viagem, suas comemorações de Natal interrompidas, o rosto belo, quase feminino, pintado pelo lado de dentro de uma bolha adesiva, como um capacete de astronauta. A força necessária para não rasgar o plástico sufocante com as unhas, a determinação furiosa de abafar as vozes e silenciar suas obscenidades.

Ele se sente mal demais, deprimido demais, para comer. Precisa telefonar para alguém, mas Annabelle está em Las Vegas e Pru em Ohio, e ela tem o direito de passar o Natal em paz com os filhos e a família dela. Sua mãe está fazendo sala para seus enteados fundamentalistas. As comemorações natalinas praticamente silenciaram os ruídos de trânsito da cidade, embora na Eisenhower alguns indiferentes e solitários continuem passando em seus automóveis ruidosos. O final daquele dia curtíssimo já começa a escurecer as janelas antes que ele tenha ânimo de colocar no microondas o bolo de carne e ligar a televisão para ver o campeonato de futebol americano. O Hawaii derrota o Oregon, por vinte e três a dezessete, e no noticiário das seis Jerry Seinfeld finalmente se casou, o telescópio espacial Hubble voltou a funcionar e um grupo de siques, por algum motivo obscuro, seqüestrou um avião indiano, que agora está zanzando pelo céu, de um lado para o outro. Michael DiLorenzo não é mencionado. É apenas uma notícia local.

* * *

"Oi. Você voltou. Como é que foi em Las Vegas?"

"Nelson, foi uma *coisa*. Aquilo é o futuro, sei lá. A minha amiga e o marido dela me convenceram a jogar também, eu ganhei duzentos dólares numa noite e perdi tudo na noite seguinte, é claro."

"Aposto que você não ligou pra minha tia Mim."

"Bom — surpresa! — liguei, sim, e ela foi um amor, e muito engraçada também. Ela se lembrava da minha mãe, vagamente, parece que se conheceram num bar que ficava na Running Horse Street, e falou mil coisas sobre o meu pai. O nosso pai."

"É mesmo? O quê?"

"Ah, que como irmão mais velho ele era muito protetor e que se esforçava muito pra ser bom no basquete. Quer dizer, não era um talento natural, não. E que ele deu todo o apoio a ela, sem fazer nenhuma crítica, mesmo depois que ela virou prostituta."

"Ela disse isso?"

"Disse, sim, por que não? Ela diz que a minha mãe nunca foi uma prostituta de verdade, porque não sabia se organizar. Ela nos levou até para ver *O*, lá no Cirque du Soleil, se é assim mesmo que se diz. Nunca vi nada parecido em Nova York — balé debaixo d'água, *bungee jumping*, um barco que sobe no ar! Fiquei absolutamente fascinada."

"Pois é", ele reclama, "enquanto você se divertia tanto, eu fiz a ceia de Natal sozinho e um cliente jovem meu, lá do Centro, se matou."

"Ah, Nelson, não diga! Que coisa horrível! Ele era um dos seus?"

"A gente não divide eles assim, mas tive umas sessões com ele, sim. Eu achava até que ele estava melhorando — estava mais participativo e dizia que não andava mais tendo alucinações auditivas. Pra você ver como eu não sei nada."

"Mas você não deve ficar se sentindo culpado", Annabelle prossegue, com aquela sua voz prática, bondosa, um pouco fora de foco. "Nós somos profissionais, não somos mágicos, não. Logo antes da minha viagem, o senhor Potteiger morreu. Estava com oitenta e seis anos e muito fraco, mal conseguia usar as pernas, mas a cabeça dele estava perfeita, muito ágil. Ele até flertava! Um dia fui de manhã no quarto dele, ele estava numa residência geriátrica lá perto de Oriole, e tinha uma nota escrita num Post-it colado na porta, dizendo que ele tinha falecido. Só isso: 'falecido'."

"Não é exatamente a mesma coisa", Nelson começa a explicar, mas ela o interrompe.

"Como é que vai a sua linda família? Eles chegaram?"

"Chegaram, mais ou menos."

"Mais ou menos?"

"A Judy não veio. Ela queria ficar com o namorado no apartamento dele, porque o rapaz que mora com ele foi passar o Natal esquiando no Colorado, pra depois ir com ele, o namorado, a uma grande festa de chegada do milênio, traje a rigor, numa casa chique onde mora um rapaz que o namorado dela conhece, lá em Silver Lake, dinheiro velho, gente que enriqueceu com a borracha. O tal namorado vive grudado nessa gente. Pelo visto é um tremendo puxa-saco."

"Eu *sabia* que você ia dizer 'puxa-saco'!"

"Ela e a Pru tiveram uma briga feia por causa disso, e a Pru acabou entregando os pontos. Afinal de contas, a menina vai fazer vinte anos no mês que vem, e não foi ela que pediu pra ir morar em Akron; ela está só tentando se virar da melhor maneira possível depois da confusão que os pais dela aprontaram. Ela veio de carro, dirigindo sozinha, a Pru, só ela com o Roy; quando chegou estava *exausta*, às nove da noite da segunda-feira, eles vieram parando de vez em quando naquela rede que antigamente se chamava Howard Johnson's." Nelson sente cansaço só de pensar naquela sua família incontrolável, todos ficando cada vez mais velhos.

"Onde é que eles estão?"

"Pra que tanta pergunta? Lá na mamãe. Aqui é muito pequeno, não tem nada, e o trânsito da Eisenhower Avenue de manhã só falta fazer o prédio tremer." Ele não conta a Annabelle que ontem à noite, terça-feira, depois do trabalho, foi a um jantar preparado por Pru na cozinha de sua mãe e acabou dormindo no seu antigo quarto nos fundos da casa, enquanto Pru foi para o quarto que era de Judy, na frente, e Roy ficou na saleta do computador, numa cama dobrável. Todos ficaram bem instalados, só que ele queria estar na cama com Pru, ou pelo menos vê-la de roupa de baixo, e ficou se virando sem achar posição. Havia gente demais dentro da sua cabeça, como naquela colagem de Natal que Jo Foote fez para ele. Entre outras coisas, tinha medo de dormir e ver outra vez aquele homem praticando golfe no quintal.

"Que pena, Nelson", sua irmã estava dizendo. "Pelo menos o Roy devia ficar com você."

"É, mas eu tenho que trabalhar, o Centro está desfalcado esta semana, e com o suicídio os outros clientes ficaram mais malucos ainda. E o estranho é que o Roy e o Ronnie se dão às mil maravilhas. Ficam falando sobre megabytes e memórias RAM e não desgrudam do computador o dia inteiro, navegando na internet, procurando Deus sabe o quê. Provavelmente sacanagem. Ontem à noite o Ron levou o garoto pra assistir uma partida de basquete no colégio. Parece que está tendo um campeonato aqui no condado, um campeonato importante, participam tanto os times masculinos quanto os femininos."

"E como é que você ficou quando viu que a sua filha não veio? Ficou muito chateado?"

"Aliviado, de certo modo. Ela anda dando muito trabalho. É ruiva, que nem a mãe."

"É, mas ela precisa ver o pai."

"Foi o que a Pru disse a ela, e a Judy respondeu que se o pai dela não se dá o trabalho de ir visitá-la, por que é que ela tem que perder, por causa dele, um evento que só acontece uma vez a cada mil anos? Parece que ela acha que não vai acontecer aqui em Brewer, só lá em Akron."

"É", diz Annabelle, discreta, "que pena. E quando é que eu vou conhecer a Pru e o meu querido sobrinho?"

"É sobre isso que a gente precisa falar. O que é que você vai fazer na sexta à noite?"

"É o..."

"Eu sei. O último dos últimos."

"Eu estava pretendendo ir dormir e deixar que a coisa passasse sem mim."

"É, eu também, mas a Pru é pior que a filha. Ela quer *fazer* alguma coisa. Eu não queria que você fosse na casa da mamãe nunca mais, depois do que aconteceu no Dia de Ação de Graças, mas a gente podia passar lá só pra pegar a Pru, dar um abraço no Roy e depois ir ao restaurante e ao cinema. Eu não quero ir a festa nenhuma."

"Você com duas mulheres? Fica estranho, Nelson."

"Pois é. Concordo. Mas tem um sujeito que eu conheço, eu brincava com ele quando menino, era meu melhor amigo de certo modo, agora ele é dentista e faz implantes suecos, e ele me ligou outro dia e me chamou pra almoçar; parece que está meio perdido. Casou duas vezes, mas agora está sozinho. E se eu chamasse ele também? O nome dele é Billy Fosnacht."

"Continua estranho. Duas pessoas que eu não conheço, e você."

"Escute, você confia no seu irmão ou não? Com a Pru não vai ter problema nenhum, todo mundo gosta dela, ela já foi muito bonita, e o Billy é um derrotado pela vida — meu pai dizia que ele era um mongo —, mas, enfim, você não vai fazer programa com ele, ele vai ser só mais uma pessoa no grupo. Aliás, ele está muito bem de dinheiro. Você tem algum plano melhor? Com aquela sua amiga e o marido dela? Ou eles já cansaram de você por uns tempos?" Esse último comentário é cruel, talvez.

Ela não diz nem sim nem não. Observa: "Dizem que pode haver atentados terroristas".

"Em Brewer? Onde, nas fábricas de biscoitos?"

"O prefeito de Seattle cancelou as comemorações hoje."

"Ele está preocupado com a Torre Espacial de lá."

"Nelson, espero que você saiba o que está fazendo." É assim que Annabelle aceita a proposta.

"Não", diz ele, sentindo-se alegre pela primeira vez naquela semana terminal. "Pra falar com franqueza, não sei, não."

"Este é o meu filho, o Roy."

Diz Annabelle, assumindo um tom de tia: "Mas que menino *alto*! É um grande prazer conhecer você, Roy".

Todos, inclusive Billy Fosnacht, estão amontoados, sem jeito, na sala de estar, no espaço apertado entre o sofá de pelúcia e a mesa de centro imitando bancada de sapateiro, de um lado, e a árvore de Natal e a televisão Zenith, coroada de cacarecos, do outro. Pru e Annabelle trocaram apertos de mão, como dois gatos grandes roçando bigodes, e Ronnie e sua mãe foram excessivamente simpáticos com aquela moça de rosto redondo que lhes apareceu pela primeira vez em setembro. Annabelle está com um vestido vermelho curto de colarinho alto, com um zíper diagonal atravessado no peito, e meias longas negras cobrindo as pernas vistosas — um traje meio apiranhado, pensou Nelson quando foi pegá-la em seu Corolla na East Muriel Street. Talvez Ronnie tivesse mesmo percebido alguma coisa. Pru encontrou um vestido de seda cinza-iridescente, com uma jaqueta folgada que disfarça seus quadris largos demais, cheia de brilhos; o cinzento oscila entre o prateado e uma espécie de roxo quando ela se mexe. Está mais gorda na cintura e no rosto, e há pés-de-galinha e rugas minúsculas nas bochechas e no queixo liso, que se formam e desaparecem quando ela sorri aquele seu sorriso torto e insatisfeito. Nelson não se lembra se o nariz dela sempre foi tão adunco, com uma ponta tão fina. Aquela mulher de braços e pernas compridos e olhos verdes, que despertou desejos nele e em seu pai, agora parece recoberta de uma certa gaze de idade e decepção, mas os que se lembram ainda conseguem ver a beleza original; para uma mulher de quarenta e quatro anos, ele pensa, Pru está muito bem. Seu cabelo, outrora liso, comprido, cor de cenoura, agora ostenta um tom que, de tão uniforme e brilhoso, desperta suspeitas, em comparação com o de Annabelle, que deu ao seu um corte irregular, pintou-o de muitas cores e o está deixando crescer, fazendo com que seu pescoço muito branco pareça menos nu. Para Pru, Billy é um dos rapazes daquela turma que quase levou Nelson à perdição nos tempos do Laid-Back, por isso ela o cumprimenta com frieza, embora na verdade Billy naquele tempo não fosse dos que mais abusavam da droga; os pais dele quebraram muito cedo e ele teve que se virar sozinho. Sua mãe, nervosa, e talvez animada pelo trago que deve ter tomado antes do jantar, grita "Billy Fosnacht!" e o abraça quase chorando, dizendo: "Eu gostava tanto da sua mãe!".

Roy é mais alto do que a avó e mais ou menos da mesma altura de Nelson, Ronnie, Pru e Annabelle, mas vai crescer mais; aos quinze anos, ainda há de esticar por alguns anos. Os genes morenos dos Springers foram mais fortes do que a brancura dos Angstroms no cabelo e nas sobrancelhas do menino, e também nos cílios longos e curvos, que lembram os do pai, só que os olhos não são tão fundos e desconfiados. Uma penugem lhe cobre o lábio superior; as orelhas são de abano e os olhos brilham; o novo século será dele. Põe a mão ossuda na mão macia e competente de Annabelle e diz: "A minha irmã disse que é uma pena ela não estar aqui pra conhecer você. Ela pediu pra eu dizer a você uma coisa: o seu pai era um fofo".

"Um fofo?" Annabelle sorri.

"Um cara legal, acho que é isso que ela quer dizer. Ele morreu quando ela estava com nove anos, daí ela tem muito mais lembrança dele que eu."

Nelson intervém: "A Judy se lembra da vez que o papai salvou a vida dela na Flórida, quando eles estavam num barco que virou. Outra maneira de encarar a coisa é que ele quase matou a neta".

"Nelson", diz Pru, num tom conjugal, não muito sério, de repreensão.

Roy acrescenta: "Lembro que uma vez fui visitar ele no hospital, numa cama branca alta, cheio de tubos entrando e saindo. Lembro também que quando tinha bala ou amendoim a gente disputava com ele — ele era capaz de roubar uma barra de chocolate da gente".

O comentário faz sucesso; todo mundo ri. Roy sorri aquele sorriso meio torto de sua mãe e Annabelle diz: "Muito obrigada, Roy. Você me fez visualizar meu pai".

"Você precisa vir jantar conosco no Ano-Novo", diz Ronnie a ela, numa voz ensaiada, sem encará-la diretamente.

"Conheço mil histórias do Coelho que nem mesmo a Janice já ouviu."

"Fizemos uma reserva no Lookout", Nelson intervém. Para os mais velhos, explica: "É o restaurante chique que abriu no antigo Pinnacle Hotel. Quando liguei, primeiro disseram que não tinha mais lugar. Mas o Billy conseguiu uma mesa pro primeiro horário, às sete".

"Fui eu que fiz o pré-molar superior direito do maître", explica Billy. "Só pegou na segunda vez; o primeiro não deu certo. Tem gente que chora quando isso acontece."

"Ah, mas vocês estão todos tão bonitos!", exclama Janice, como se alguma coisa nesta ocasião, a súbita confluência de tantos rios cujas nascentes remontam ao início de sua jornada nesta terra, fosse demais para ela. "Quero que vocês se divirtam muito!" As lágrimas que lhe vêm aos olhos com a lembrança de Peggy Fosnacht, tão séria, vesga e desajeitada, que se chamava Peggy Gring quando ela e Janice eram meninas, turvam a imagem das quatro crianças crescidas, entre elas seu filho e a mãe de seus netos, figuras tão comoventes, muito produzidas para aguardar aquele momento crucial do calendário, estando Harry e Fred e sua mãe e a pequena Becky de algum modo espremidos dentro deles, o DNA. "Imaginem só", diz ela, "na próxima vez que a gente se encontrar, o ano vai estar cheio de zeros! Não gosto nem de pensar nisso!"

"Bom, mãe", diz Nelson, nervoso.

Diz Ronnie, com uma animação de marido, para compensar as lágrimas da mulher, orgulhoso delas: "Eu e o nosso Bill Gates vamos nos divertir muito, fazendo cachorro-quente e pipoca e vendo televisão, assistindo à chegada do futuro. Nas ilhas Fiji e no Japão já é o ano 2000 há várias horas — nem em Sydney nem em Tóquio o bug do milênio deu problema nenhum, pelo visto. Em Paris foi espetacular meia hora atrás, e às sete vai chegar em Londres, com o Blair, a rainha e aquele domo besta deles. Pra maior parte do mundo a meia-noite já entrou pra história! O tempo é mesmo relativo, como dizia o Einstein. É ou não é, Roy?".

"É mais ou menos isso", diz o menino, envergonhado daquela aproximação tão grosseira da verdade.

"Ele estica", insiste Ronnie, desagradável. "Que nem uma camisinha." Por mais que esse sujeito vá à igreja, ele não consegue pensar em outra coisa.

Estão todos se desinibindo juntos. Diz Billy: "Eu fico pensando em todas as pessoas que não vão chegar lá. O filho do John Kennedy, Payne Stewart, e outro dia mesmo o Zorro, coitado".

"Deus o abençoe, Billy!", Janice exclama, transbordando algum reservatório caótico de sofrimento que Nelson, de olhos secos, vê como um poço escuro no fundo do qual sua própria cabeça aparece em silhueta, contra um disco de céu refletido. Sob a pressão daquele evento solene e impalpável que está quase chegando, todos se beijam — Nelson beija Roy; Janice, Pru; Billy, a sra. Angstrom (é assim que ele ainda a vê); e Ronnie, Annabelle, que tenta se esquivar de modo a lhe oferecer o rosto mas acaba atingida na boca, lábios polpudos, semelhantes, ele não pode deixar de lembrar-se, dos lábios com que Ruth uma vez o chupou numa cabana de praia em Nova Jersey, tudo grudento de sal, os cheiros de sexo espalhados para todos os lados tal como as roupas deles, ela encarando a coisa como se estivesse abocanhando um picolé cada vez menor, parando e recomeçando e olhando para ele por cima de seu ventre nu, recoberto de pêlos dourados. Todos se beijam, ali à porta cuja campainha está nas últimas, cuja maçaneta de latão foi polida por uma infinidade de mãos, uma infinidade de entradas e saídas no século XX, no número 89 da Joseph Street. A casa do outro lado da rua, Nelson observa, está toda iluminada, como se para uma festa; no quarto da frente do andar de cima, a moça da casa passa pela janela, apressada, com uma blusa vistosa, formando com os lábios palavras urgentes que ele não ouve.

É preciso apressar-se, não podem chegar atrasados senão o maître não vai segurar a mesa para eles; todos entram afobados no Corolla gelo de Nelson estacionado junto ao meio-fio, empolgados como adolescentes saindo para um programa. A idéia é jantar e em seguida ir ao cinema, não um dos quatro do shopping decadente na estrada de Brewer, embora ao passarem por lá Billy exclame melancólico, no banco de trás: "Eu queria muito ver *Heróis fora de órbita*. Uma assistente minha diz que tem uma cena de sexo fantástica — um dos seres humanos transa com uma extraterrestre que vira uma, sei lá, uma espécie de polvo quando fica excitada".

"Legal", diz Annabelle, sentada a seu lado.

Ele prossegue: "Agora, a morte que mais me arrasou no final deste ano foi a de uma mulher numa clínica de repouso em Allentown ontem, que era a pessoa mais velha do mundo. Cento e dezenove anos. Se ela tivesse vivido só mais dois dias, ela ia abarcar três séculos".

"É, seria interessante", diz Pru, seca; ainda não aceitou Billy por completo. Está concentrada ao lado de Nelson, silenciosamente ajudando-o a dirigir. Percebe que ele está estressado. Nelson está pensando em Michael DiLorenzo, mais um que não conseguiu chegar até o terceiro milênio.

"Algum de vocês sabia", pergunta Billy, "que a pessoa mais velha do mundo era aqui da Pensilvânia?"

Annabelle fica aguardando que Pru ou Nelson façam algum comentário antipático, e como nenhum dos dois diz nada ela responde: "Isso não me surpreende. Os velhos adoram este estado. Só a Flórida tem mais velhos, proporcionalmente".

O filme que Nelson escolheu para eles é *Beleza americana*, considerado o melhor do ano por vários críticos de cidades grandes, porém atacado por alguns defensores da moral e dos bons costumes da Pensilvânia; está passando agora num cinema barato, que só exibe filmes que já estrearam em outras salas, chamado Instant Classics, depois da antiga área de feiras. E é o filme que acabam vendo. Voltam para o carro de Nelson as onze e vinte já mais integrados, após passarem cinco horas juntos, tendo assistido ao filme e, antes disso, conversado educadamente no restaurante, tentando encontrar tópicos viáveis, mudando de assunto sempre que os homens recaíam nas lembranças da infância, as mulheres falando sobre suas insatisfações profissionais, cada um dos quatro secretamente temendo o instante do milênio, tentando extrair sua importância daquele ar morno, sem um floco de neve. Durante o jantar, a vista do alto do monte Judge, grandiosa embora houvesse uma outra mesa entre a deles e a janela, exibia no telão da realidade a grade de ruas de Brewer se estendendo até a curva negra do rio, os poucos gasômetros grandes ainda não desmontados e os subúrbios ao longe, luzes cada vez mais fracas se espalhando pelas encostas azuladas cobertas de mata, as luzes domésticas do condado de Diamond.

De volta ao carro, digerindo o filme com certa dificuldade após os vinhos e as ostras defumadas do jantar, Pru comenta: "Bom, não achei nenhuma maravilha. Vocês conseguiram engolir aquele final? Eu, não. Estrelas à noite num campo, as mãos da avó — aquele cara parecia nunca ter reparado nas mãos da avó nem em qualquer outra coisa que não fosse os desejos egoístas e o ego ameaçado dele".

Do banco de trás, Billy observa: "Confesso que me ajudou a encarar a morte. O Kevin Spacey não parecia feliz depois de morto?".

"Ele parecia doidão", diz Nelson. "Como um filme quando o projetor pára de repente. A morte é isto: uma imagem que pára de repente. E aí, aonde vocês querem ir agora? Eu não tenho mais idéias. Ainda temos meia hora. No centro da cidade estão rolando umas coisas. Vai ter um show de rock cristão numa tenda aquecida naquele buracão lá na Weiser depois da Sixth, onde iam construir o tal conjunto habitacional. A gente podia ir lá dar uma olhada."

"Argh", diz Billy.

Não é fácil sair do estacionamento do Instant Classics, cinco fileiras de carros e uma única faixa de saída, e Nelson sempre fica um pouco perdido naquele lado de Brewer. Agora existem uns viadutos e pistas de acesso novos que o confundem. Ele imaginava que todos espontaneamente saberiam para onde ir. Por que é que tudo acaba sempre sobrando para ele? Sugere: "De repente a gente podia tentar entrar no Laid-Back".

Diz Pru: "Aquele lugar cheio de drogado aonde você ia sempre?".

"Agora lá está limpo", intervém Billy. "Mudou de dono, depois que o último foi parar na cadeia. Agora não rola mais droga nenhuma. Não pode nem fumar cigarro."

"Eu viro a esquerda ou à direita pra voltar pra 222?", indaga Nelson.

Annabelle ouve a pergunta, mas a única coisa que lhe ocorre dizer é: "Eu trabalhei numa clínica aqui perto, mas agora está tudo mudado".

"Vá pela direita que é mais fácil", diz Billy.

Enquanto Nelson segue a sugestão, ouve atrás dele Annabelle perguntar, com uma voz suave e bondosa que ela jamais utilizou falando com o irmão: "Billy, você pensa muito na morte?".

"O tempo todo, como é que você sabe?"

"Porque você ficou muito nervoso durante o filme."

"Achei que aquele garoto neurótico da câmara de vídeo ia acabar matando alguém, talvez a moça que ele vivia espionando."

"Mas a menina, hein, que monstro, não é?", comenta Nelson. "'Mate meu pai. Vamos.'" Lembra que Michael DiLorenzo confessou ter vontade de matar os pais e acabou se matando, talvez para não cometer o crime. Nelson sente o gosto de ferro morto que há no núcleo até mesmo dos planetas verdes. Impossível começar de novo; não existe piedade. Os faróis do carro iluminam partículas voadoras que parecem insetos; não pode ser neve, então só pode ser poeira.

"Não gostei dela", afirma Annabelle. "Eu me identifiquei mais com a outra, aquela bonita, que parecia uma vagabunda mas depois a gente descobre que é virgem."

"E toda aquela coisa gay me incomodou", diz Billy.

"Achei tudo muito exagerado e nem um pouco convincente", pontifica Pru, seu perfil quase esquálido contra os faróis dos carros que vêm em sentido oposto; o tráfego está tão pesado que fica difícil enxergar as linhas e setas traçadas no asfalto.

"Puxa", Billy continua tagarelando, "eles não economizaram sangue naquela cena em que ele leva um tiro."

Annabelle, por sua vez, observa: "Adorei a dança das puxadoras de torcida com os chapéus-coco".

"Aquilo é puro Bob Fosse", diz Billy. "Eu estava com

medo de que alguma casa pegasse fogo, a do protagonista ou a do militar."

"Pensando bem", insiste Pru, "o filme só faz é atacar todo mundo. Os publicitários, os militares etc. etc. Ah, *qual é*!"

"Achei muito legal", Annabelle prossegue, "quando a menina está a fim, mas ele em vez de transar prepara um hambúrguer pra ela." Nelson nunca ouviu a voz de Annabelle desse jeito, fazendo associações livres, confiante como uma criança. Talvez a noitada não tenha sido tão desastrada quanto ele imagina. Ele está sempre com a sensação de que há uma quinta pessoa presente no carro.

"Ô Nelson", vem a voz estridente de Billy do banco de trás. "Você não está indo pro lado errado?"

Então era por isso que o tráfego estava diminuindo. O carro deles é o único na estrada agora, correndo entre fazendas escuras e luzes natalinas distantes.

"Você está indo pra Maiden Springs!", diz Billy. "Brewer é lá para trás!"

"Ora, puta que o pariu", exclama Nelson. "Saindo do estacionamento eu perguntei pra que lado a gente devia ir e ninguém me ajudou."

"Nelson, você mora aqui desde que nasceu", observa Pru.

"É, mas não neste trecho. Detesto esta região. Aquela feira me deprimia sempre, a gente tinha que vir nela todo ano em setembro, com a escola."

"Eu também detestava", disse Billy. "Morria de medo dos monstros. E andar naqueles brinquedos me dava um nó no estômago. Lembro que uma vez eu estava com a Betty Majka num desses que a gente fica rolando um em frente do outro, e eu estava com medo de vomitar na cara dela."

"Entre na próxima saída", diz Pru com uma voz baixa e precisa de esposa. "Pegue o viaduto à esquerda e depois vire à direita, aí você volta à estrada na mão certa."

"Eu sei pegar a mão certa", retruca Nelson com irritação.

"E os bichos enjaulados", Billy continua. "Eu tenho um pesadelo em que estou numa jaula que vai ficando cada vez menor, que nem um cortador de ovo."

"Como você é preocupado, coitadinho", diz Annabelle com voz sedosa.

Pru se dirige a Annabelle, enquanto Nelson, com raiva, sobe a rampa de acesso para a saída: "Também achei irreal isso. O normal era o homem trepar com ela de qualquer jeito. Afinal, ele não pensava em outra coisa".

Porém Pru não consegue quebrar o casulo de narcisismo mútuo que está sendo tecido no banco de trás. Do alto do viaduto, fazendas escuras se estendem em todas as direções, interrompidas apenas por um posto da Gulf, com sua placa oval iluminada no alto de uma torre, contra o perfil da serra. Nelson pergunta para o banco de trás: "O que é que você acha, Annabelle? Até onde o homem mais velho iria? A figura paterna?".

E ela com voz suave: "Nelson, o que é que você está perguntando?".

"Até onde o senhor Byer foi com você? Minha intuição me diz", prossegue ele, descendo com imprudência a rampa em direção à estrada, vendo à sua frente a cúpula de luz que Brewer projeta, sujando o céu, "que ele foi bem longe. Por isso você vive dizendo que ele era uma pessoa fantástica. Não era. Vivia pegando em você. Ainda bem que ele morreu quando você estava com dezesseis anos, senão a coisa ia ficar bem mais feia."

"Meu *bem*", diz Pru ao marido, mas não há como detê-lo, agora que ele e o carro estão seguindo na direção certa. Ele sente necessidade de despir a irmã diante dos olhos de Billy.

"E a sua mãe também não ajudava, não é? Puta velha que era, garanto que ela percebia. Ela já tinha passado por aquilo, então por que não você, hein?"

"Não é verdade!", exclama Annabelle. "Ela nunca ficou sabendo de nada! E ele nunca... qual é a palavra?..."

"Não houve penetração", arrisca Nelson.

"Isso mesmo!", ela concorda. "Ele só fazia passar a mão em mim, tudo em nome do afeto paterno, claro." O leve sarcasmo tem o efeito de abri-la por completo; ela emite um som estranho, trêmulo, prolongado, de uma dor contida que vem à tona, e então explode em soluços, ofegante: "Eu não tinha coragem de dizer pra ele parar, ele pegava em mim desde que eu era bebê, eu achava que não era direito, mas como é que podia estar errado? Ele parecia que não conseguia se conter, era como se, como se ele fosse sonâmbulo. Depois ele me cobria direitinho".

"Ele sabia o que você não sabia", observa Nelson. "Que ele não era seu pai verdadeiro. E a sua mãe também sabia."

"Ela não imaginava o que ele fazia, tenho certeza. Mas fiquei tão aliviada quando ele morreu que pus a culpa em mim. A coisa tinha virado um segredo entre nós dois, como se eu gostasse também, mas eu *odiava*!" Agora as lágrimas fluem livremente, lágrimas contidas, acusadoras. Nelson aperta os olhos para enxergar em meio aos faróis altos, caminhões, aquelas porras de utilitários, que atingem seus olhos de trás e da frente. O tráfego segue apressado em ambas as direções rumo a algum desastre, o fim do tempo tal como eles o conhecem. Annabelle dá mais um passo, gritando: "Tenho a impressão que o matei! Foi bom pra mim!". O rosto redondo dela surge por um instante no retrovisor, e um olho úmido o encara.

"Certo", diz Nelson tranqüilo. "E é por isso que você nunca conseguiu se relacionar direito com os homens, não é? Por quê, pensando bem, por que será que você nunca se casou?"

"Ah, pare com isso!", ela protesta. "Por que é que você quer me ver casada, que interesse isso tem pra *você*?" Ela se recosta no banco, chorando agora num tom mais abafado que parece indicar que está sendo confortada por Billy. Nelson não pode correr o risco de virar a cabeça para trás; a sensação da quinta presença no carro é tão forte que ele se sente obrigado a apertar o volante com força.

Diz Billy: "Bom serviço, Nelson. Quer dizer que psicoterapia é isso".

"Faz bem botar as coisas pra fora", diz ele, azedo. "Daqui em diante, a pessoa se vira." Olha fixamente para a frente. Jamais gostou deste lado plano de Brewer, e sim da parte inclinada na encosta do monte Judge. Postos de gasolina de auto-serviço com bombas enfileiradas, lanchonetes com mini-playgrounds para crianças obesas, deprimentes shopping centers horizontais com apenas seis lojas, pontas de estoque de carpetes e linóleo, sacolões fechados no inverno, outdoors vistosos que mostram pessoas com trajes *amish*, para seduzir os turistas incautos do interior com promessas de *Cozinha alemã autêntica.* Agora Nelson sabe onde está. Se seguir em frente nesta nova e reformada 222, logo verá à direita uma saída que contorna Brewer pelo sudoeste, seguindo em direção a Lancaster e à estrada federal; em vez disso, ele sai, na altura do depósito de colchões, logo seguido pelo Aurora Massage Parlor, pela velha Route 111, que corre paralelamente ao rio, com a silhueta do monte Judge à extrema direita, coroado pelas luzes distantes do Pinnacle Hotel, onde os quatro estiveram jantando e conversando sobre amenidades poucas horas antes. O tempo faz maravilhas.

Diz Pru, torcendo o pescoço para falar com Annabelle: "Quer dizer que você foi vítima da mão-boba. Eu também fui. Meu pai era um merda, pensando bem. Isso não é o fim do mundo". Ela é durona. Seu nariz, visto de perfil, parece afilado como o de uma bruxa, mas Nelson sente que o volume de seu corpo, contido no vestido de seda iridescente e no casacão marrom, irradia calor. As mãos compridas repousam na escuridão de seu colo. Ele baixa a mão para ajustar a calefação do carro e vê que sua mão e os joelhos de Pru são igualmente brancos à luz fraca do painel. Nelson relembra que uma vez, quando ela ainda era nova na família dele, Pru o tranqüilizou de maneira inesperada, dizendo-lhe: *Ora, meu querido. Pelo que eu vi, acho que seus pais até que gostam muito um do outro. Tem de haver alguma coisa, para um casal ficar junto tanto tempo.*

No banco de trás, sua irmã está fungando e Billy dizendo: "Calma, calma. Isso tudo são águas passadas".

Agora há sinais de trânsito na estrada, e mais adiante alguém, um comerciante de automóveis ou dono de boate, se deu o trabalho de alugar uma fileira de holofotes; três deles riscam o céu, chegando aos limites da névoa que cobre a cidade.

"Estamos passando", diz Nelson, com uma voz neutra de guia turístico, "no local onde ficava a Springer Motors Toyota, um prédio agora abandonado."

Sua mãe vendeu o terreno e o prédio para uma firma de informática que nunca decolou; uma súbita guinada tecnológica deixou-a para trás. À luz de um luar interior, Nelson vê os fantasmas de seu pai e dele próprio e Charlie Stavros e Elvira Ollenbach parados diante das janelas fechadas com tábuas, olhando para a Route 111, à espera de fregueses que jamais virão.

"A agência do meu pai!", Annabelle exclama, empertigando-se no banco do carro com um farfalhar. "Eu me lembro. Com o Jamie. Ele acabou comprando um Corolla laranja."

"Na verdade era mais da minha mãe", diz Nelson. "Dá pena de ver. A companhia que comprou o prédio ainda está em processo falimentar, dez anos depois. Imagino que eles nem lembram mais que são proprietários disso aqui. Ouvi dizer que a Barnes and Noble estava interessada em abrir uma megalivraria aqui."

Os holofotes ficam um pouco mais adiante na Route 111, à frente de um prédio onde outrora se vendiam amendoins Planters e que, após uma ampliação, virou uma discoteca nos anos 70. A silhueta alta e esguia de Mr. Peanut do lado de fora, um cartaz de três metros e meio de altura, foi substituído por uma dançarina seminua com as partes pudendas cobertas por bolas, mas a imagem era sexista demais para durar muito tempo. Agora a forma humanóide é de uma vaqueira com uma saia branca curta e botas brancas de cano longo, anunciando MÚSICA COUNTRY PURA. A música country sempre volta à moda. Ou estará apenas demorando a morrer? O estacionamento parece estar pela metade. As pessoas sensatas resolveram ficar em casa hoje, cansadas de tanta badalação, apavoradas com a idéia de fanáticos árabes entrando no país vindo do Canadá.

"Ô Nellie", vem a vozinha de Billy. "Já é quase meia-noite e a gente não está em lugar nenhum."

"Eu sei, estou correndo o máximo que posso. Vocês tanto fizeram que eu me perdi..."

"O Nelson já contou pra você", Pru pergunta a Annabelle, "que ele cheirou a agência inteirinha?"

"Não, não contou, não." A voz dela parece seca, ao menos por ora.

"Puxa, obrigado, hein?", reclama Nelson com sua mulher.

"Entre irmãos não deve haver segredos", diz Pru, e faz, ele sabe mesmo sem olhar para ela, aquele seu muxoxo com a boca, como se estivesse chupando uma coisa azeda. "O Nelson nem sempre foi santo."

"Aliás, ele era uma tremenda mulherzinha", contribui Billy, tornando a brincadeira mais pesada. "O próprio filhinho da mamãe, que morria de medo do pai, que na verdade era um cara muito legal."

"Ao contrário do seu", diz Nelson. "O maior bunda-suja."

"Mas muito musical", diz Billy a Annabelle. "Ele tocava qualquer coisa, qualquer instrumento, de ouvido."

"Ah, sempre tive vontade de saber fazer isso!", ela retruca, acomodando-se no banco, pelo que seu tom de voz dá a entender. Será imaginação de Nelson ou ele ouve um zíper ser aberto, aquele comprido zíper diagonal na frente do vestido de Annabelle? Sua irmã dá um risinho e uma mão leva um tapa de leve.

Nelson segue em frente, atravessando West Brewer. Aquelas luzes novas, em forma de pingente de gelo, pendem como se fossem guardanapos luminosos das varandinhas das casas padronizadas que se estendem por toda a ladeira, até chegar ao rio e à ponte da Weiser Street. Na ponte, os postes de iluminação são como os de antigamente, bolas de vidro amarelas e arabescos de ferro esverdeados pelo tempo, mas a luz desce fria e moderna de compridos tubos violeta no alto de caules de alumínio. Do outro lado da ponte há um café chique que já foi um lugar freqüentado por negros, o Jimbo's Friendly Lounge, mas os negros foram expulsos de South Brewer à medida que o bairro foi ficando mais rico. Então o Corolla chega à artéria principal de Brewer, devidamente endomingada para o Natal: as árvores em torno da Weiser Square estão enfeitadas com colares de luzes brancas, rabiscos tridimensionais. A praça, outrora um mercado ao ar livre de produtos agrícolas, foi cercada para se transformar num parque para pedestres, com a intenção de revitalizar o centro da cidade, mas o plano não deu certo e o parque virou uma floresta perigosa; um novo plano reabriu a praça para os automóveis. Eles passam pela Fourth Street e pela estátua de Conrad Weiser com um cocar *mohawk* no centro do círculo da interseção com a Fifth Street. Era a partir deste ponto que as linhas de bonde se irradiavam para o leste, o oeste, o norte e o sul, até os parques de diversões e as áreas de piquenique. O trânsito se intensifica; as autoridades municipais estão promovendo um baile do milênio no trecho de rua coberto de vidro entre a Fifth e a Sixth, do lado esquerdo da rua, e além disso, a um quarteirão à direita, no buraco, está havendo o show de rock cristão. Uma zoeira atenuada penetra as janelas fechadas do carro.

"Ô Nelson!", diz Billy. "O relógio da cerveja Sunflower está dando meia-noite! Chegou o milênio e nós estamos aqui todos presos dentro deste carrinho japonês! Está tudo parado!"

"Não entre em pânico", Nelson responde. "Aquele relógio nunca funcionou direito. O Laid-Back é logo ali na Ninth, a gente chega lá em um minuto."

Então Nelson vê o pior acontecer: no cruzamento da Sixth com a Weiser, onde antigamente ficava a loja de departamentos Kroll's, dois carros à frente deles, o sinal de trânsito se apaga. A luz que pendia acima do asfalto, verde, de repente morre. Não fica vermelha; não fica nada. O tráfego lerdo pára por completo. Foliões, em sua maioria garotos hispânicos de jeans e blusões de náilon, correm por entre os carros. Um grito começa a se elevar, mas aqui e ali, como se ninguém soubesse exatamente o que está acontecendo. Os carros atrás deles buzinam, em comemoração ou em desespero. As luzes da rua piscam.

"Ah, meu Deus", Annabelle exclama, "terroristas, bem que eles disseram", e começa a chorar de novo.

"É só um defeito passageiro", diz Billy, fingindo estar calmo, embora por dentro deva estar se sentindo num túnel. "Essas luzes são todas controladas por computador."

"Puta que o pariu!", grita Nelson. Décadas de injustiças,

humilhações, mortes imerecidas pressionam seus olhos. Ele tranca as janelas. Garotos encapuzados com o rosto cheio de purpurina estão se amontoando em torno do Corolla e olhando em direção ao monte Judge. Os alarmes de incêndio da cidade começam a soar; os sinos das igrejas batem ao longe. No alto da montanha, os fogos de artifício explodem, uma flor lenta de cada vez, entremeadas por surtos em *staccato* de branco-potássio e verde-bário, amarelo-sódio e azul-cloro, morrendo, florescendo, morrendo em ondas de faíscas e se dissipando, enquanto as concussões surdas atravessam o pára-brisa. "Estamos perdendo!", ele exclama.

O Corolla era o terceiro carro antes do cruzamento quando o sinal se apagou. O primeiro carro passou, sem se dar conta do que acontecera, e o segundo esperou que o carro da direita passasse para seguir. A Sixth tem mão única neste trecho, de modo que não vem trânsito nenhum da esquerda. Os carros atrás dele estão no escuro, mas quem está bem perto do cruzamento vê claramente qual é a solução: esperar a sua vez, bem à maneira democrática americana. O carro à frente do de Nelson, um exemplar vermelho-cereja do novo Fusca, bonitinho como um besouro, com lanternas traseiras ovais e inclinadas como olhos de bichinhos de Walt Disney, avança devagar e cruza; o carro à direita, um Audi sério, todo linhas retas, com suas quatro argolas, segue também quando chega sua vez, como bom cidadão. Então é a vez de Nelson, com seu Toyota branco-sujo, cruzar o sinal apagado e seguir pela Weiser em direção à montanha e à queima de fogos, passando pelo local onde ficava a Kroll's e onde seus pais se conheceram (se não tivessem se conhecido, ele não existiria, uma idéia e tanto), cruzando a Seventh, onde passavam trens de mais de um quilômetro de comprimento, carregados de carvão, vindo de Pottsville e indo para Filadélfia, onde antigamente havia um restaurante chinês, e começando então a procurar uma vaga nos quarteirões depois do Laid-Back, ali na região onde seu pai outrora trabalhara como linotipista para a Verity Press. Vai ser divertido caminhar, eles quatro, ao ar livre. Ele está pensando num daiquiri congelado, ou que tal uma margarita, com sal na borda do copo?

"Ei!", ele exclama. Colado atrás do Audi, um Ford Expedition preto e prateado, um enorme utilitário com rodas de caminhão e um espelho lateral do tamanho de uma cabeça, vem seguindo, tentando se intrometer fora da vez, desrespeitando todas as regras. Um filhinho de papai rico, cheio de cerveja, com um boné na cabeça, acompanhado de um monte de bobalhões como ele, encara Nelson com um olhar cujo sentido é "foda-se". Nelson vira bicho. "Filho-da-puta", diz. *Este programa realizou uma operação ilegal e será fechado.* Pru dá um grito quando percebe que Nelson pisou fundo no acelerador e que a única coisa que poderá deter o movimento do Corolla será o impacto com o Expedition. O pára-choque alto e gordo do utilitário — em duas cores, sendo a metade inferior cromada — reflete o farol direito do Corolla como uma mancha de luz; Pru se prepara para o impacto, o pára-brisa rachado, o metal amassado, o baque da dor. Mas o garoto arrogante de boné, de olhos arregalados, vê que Nelson não está brincando; pisa no freio com força, fazendo as cabeças vazias de seus companheiros balançar todas no mesmo ritmo. O Corolla passa pelo Expedition, ainda acelerando, tirando uma fina. Um cheiro urgente de borracha queimada enche o interior do carro. O casal no banco de trás aplaude, um pouco ofegante. "Eu *odeio* esses utilitários", explica Nelson. "Bebem gasolina e se acham os donos da rua."

Pela parte de cima do pára-brisa esverdeado, que lhe empresta sua cor, uma bola de fogo faiscante se expande. O som do rock cristão vem da enorme escavação iluminada à direita. Nelson tem um arrepio, como se um espírito guerreiro estivesse abandonando seu corpo. E agora Pru investe contra ele, tenta abraçá-lo, seu nariz esbarra na bochecha dele, seu hálito quente lhe bafeja a nuca. "Ah, meu bem, parabéns, *adorei* ver você pôr moral naquele babaca. Acho que molhei as calcinhas."

"Eu também, quase", diz Annabelle.

"Coisa engraçada, a morte", contribui Billy do banco de trás. "Quando ela aparece na frente da gente, dá um certo frisson."

A Nelson Pru diz, tão baixinho que os outros só poderiam escutá-la se fizessem um esforço especial: "Não vamos demorar muito no Laid-Back, não. Eu estava pensando em ficar no seu apartamento hoje".

V. E DEPOIS

De: Roy Angstrom [royson@buckeyemedia.com]
Data: Sábado, 8 de janeiro de 2000, 8:29
Para: ron.harrison@qwikbrew.com
Assunto: Obrigado

Oi vovo e Ron — Ja passou uma semana e por isso esta mais do que na hora de escrever para agradecer voces pelo ptimo ano novo que passamos juntos. Gostei muito de ver aqueles fogos no mundo inteiro passando em todos fusos horarios. Eu entendi como o planeta TERRA e pequeno na verdade. A mamae disse que teve fogos ate no monte Judge que a gente podia ter visto. A coisa que ficou mais na minha memoria foi o programa do David Letterman com aqueles tres caras que um deles deu uma tacada numa bola de golfe que estava no umbigo do gordão e o terceiro pegou a bola com a boca. Nao sei como ele nao quebrou os dentes.

A mamae nao voltou para casa depois porque eles quase tiveram um acidente muito serio quando os sinais de transito apagaram e ai todo mundo ficou exausto. Ela disse que o papai vai vir morar conosco aqui em Ohio e isso e muito legal tambem.

Essa e boa — sabe como e que se chama cheiro de xiita que nao toma banho? Caatinga. Falando serio, achei legal eles soltarem todo mundo la no Ira, menos o passageiro que eles degolaram porque ele ficou encarando o tal que eles chamavam de doutor. Mas o que eu mais gostei no noticiario foi a historia do garoto tibetano que e exatamente da minha idade e era o segundo lama mais importante do mundo e fugiu atravessando a pe o Himalaia, dias caminhando no meio de uma nevasca, o nome dele e KARMAPA. No mesmo site da internet diz que o Dolly Lama (o mais importante dos lamas) falou sobre o bug do milenio: "Milenio? Para mim, o sol e a lua nao mudaram nada". Isso tudo Ron esta em www.tibet.com. Tem muita piada boa em www.ohyesyouare.com. Exemplo: Qual a diferenca entre o Al Gore e o Bill Bradley? Resposta o Gore da sono e o Bradley zzzzzzz... RNCDTR (rolando no chao de tanto rir).

Obrigado mais uma vez por tudo inclusive por me ensinar a jogar besigue a tres. Acho que so vou voltar a ficar jogando besigue ate depois de meia-noite quando eu for para a faculdade, talvez a Kent State igual ao meu pai. E a melhor.

beijos para vocês dois ;-) (piscada de olho) ROY

"Alô? Annabelle? É..."

"*Nelson*! Como é que você está?"

"Nada mal. Estou bem, aliás. O apartamento dela é bastante espaçoso, mas é possível que a gente comece a procurar uma casa. O Roy está querendo uma casa em Stow."

"Ele deve estar empolgado."

"Na idade dele, empolgação não dura mais que meia hora, mas ele parece que gostou, sim. E a Judy também. Ela diz que namorado leva a garota mais a sério quando o pai mora com ela. Ela terminou, graças a Deus, com aquele escrotinho que convenceu ela a ficar em Ohio para ir numa festa muito pretensiosa, segundo ela me contou. Diz a Judy que se arrepende de não ter ido a Brewer."

"Ela continua decidida a virar comissária de vôo?"

"Bom, isso está meio... como era de se esperar, ainda está no ar..."

"Eu *sabia* que você ia dizer 'está no ar'!"

"Mas é o que eu acho mesmo. Se um desses panacas

não convencer a Judy a ir morar com ele. Mas essas garotas de agora — não é fácil fazer a cabeça delas, não. Elas não abrem mão do espaço delas, como se diz agora. A Judy fica até gozando porque eu não tiro o olho dela, mas realmente estou surpreso de ver como ela ficou bonita desde a última vez que a gente se viu no verão passado. Cada dente, cada cílio, sabe, é tudo *perfeito*. O mesmo redemoinho que eu tenho, e que o papai tinha, numa das sobrancelhas. E agora ela anda e faz as coisas de uma maneira nova, toda expedita. Ela ficou menor que a mãe, se bem que o cabelo lembra o da Pru como era antes, mas não tem aquele jeito todo desajeitado, aquele sorriso sem graça que a mãe tem. A Judy é *sarada*. Ela praticou tudo que foi esporte no secundário e malha numa academia. Já senti o muque dela."

"Ela parece mais a *sua* mãe."

"É mesmo? Minha mãe é tão desajustada, e a Judy é totalmente ajustada, mas de certa forma você tem razão. Com relação aos ossos." *Essas mãozinhas dos Springers*. "Adoro olhar pras mãos dela, quase parecem mãos de criança, mas elas têm uma graça, uma... sei lá, um equilíbrio, e as unhas são compridas, com duas cores. Metade roxa, metade amarela. Eu disse a ela que na USAirways ela não ia poder trabalhar assim. Ela respondeu: 'Eu sei. Estou só tirando *onda*, papai. Você sabe o que é tirar *onda*'."

"E a Pru?"

"Uma boa notícia. Ela viu um anúncio dizendo que um dos bancos grandes da Market Street estava precisando de um 'assistente de recursos humanos', e que estavam procurando um indivíduo que gostasse de lidar com pessoas. Ela foi lá, e foi aprovada; agora estão entre ela e só mais duas pessoas. Em matéria de experiência ela não tem muita coisa, mas imagino que o tal do Gekopoulos deve ter feito uma excelente carta de recomendação pra ela."

"Eu queria saber como você e a Pru estão."

"Ah. Ah. Tudo bem. Você conheceu a Pru, sabe como ela é. Não é muito de demonstrar os sentimentos. Diz que ter um homem no apartamento é como ter dois cachorros ainda não adestrados. Tem graça ela dizer isso, a casa vive cheia de parente dela, é uma parentada que não acaba mais."

"Você está falando muito mais, agora que voltou com ela."

"É só com *você* que eu gosto de falar. Estou falando demais, é?"

"Não, não. Mas por que 'Pru'? A sua mãe chama a Pru de Teresa."

"Como é que você sabe?"

"Ela telefonou me convidando para jantar. Só ela e o Ronnie. E o Billy, se eu quisesse."

"O Billy. Aquele mongo. Desculpe eu obrigar você a aturar o Billy aquela noite. Ele conseguiu fazer eu me perder na minha própria cidade e depois ficar preso no trânsito do maior evento da história."

"É, essa dele foi demais. Ele chora dormindo por causa disso."

Uma pausa, enquanto Nelson se pergunta o que ela quer que ele conclua com essa revelação. "Com relação à Teresa", diz ele, "é o nome dela, mas no colegial todo mundo achava que ela era muito *prudish*, puritana, e já havia uma Terry na turma. Mas você tem razão, foi bom voltar pra ela. Eu amo a Pru, eu acho."

"É claro que ama."

"Já comecei a procurar trabalho por aqui na área da saúde. Akron é muito parecida com Brewer, só que três vezes maior. Tem o mesmo rio, quilômetros de casas todas iguaizinhas, fábricas abandonadas que foram transformadas em outra coisa — tem uma fábrica enorme da Aveia Quaker que virou um Hotel Hilton, com quartos redondos onde antigamente eram os silos —, e o que não falta é sofrimento. Estou pensando em trabalhar numa clínica de reabilitação de drogados. Eles às vezes morrem de frio, mas não costumam se suicidar."

"Aquilo foi terrível. Eu vi como mexeu com você."

"Não mexeu tanto assim, não. A Esther disse que eu reagi de um modo egocêntrico. Ela me perguntou, quando dei o aviso prévio, se o motivo tinha sido esse. Respondi que esperava que não. Mudando de assunto, feliz aniversário! Quarenta. Puxa!"

"Você lembrou."

"Claro que lembrei. Tenho até uma citação pra você. 'O propósito da nossa existência é buscar a felicidade.' Fim da citação."

"De onde é isso?"

"De um livro totalmente idiota que o Ronnie Harrison me deu de Natal. Fica logo no primeiro capítulo, porque eu não passei daí."

"De repente você devia ler até o capítulo dois."

Ele interrompeu a bela fluência que haviam conseguido estabelecer. Ronnie Harrison ainda a assusta. Nelson pergunta: "E como está o tempo aí no condado de Diamond?".

"*Frio*. Inverno! Não sei quantos centímetros de neve, e hoje à noite deve nevar de novo. E a gente achando que não ia ter mais inverno por causa do tal aquecimento global."

"Eu sei. Aqui também. O tempo é igual, praticamente tudo é igual. Mas eu gosto. Gosto de ver as placas de carro diferentes."

"A sua mãe me disse pelo telefone que ela e o Ronnie vão pro apartamento da Flórida, e estão pensando em vender a casa e se mudar pra lá de vez. Os dois estão cheios de dores que talvez melhorem no calor."

"Há *anos* que estou dizendo pra ela fazer isso. Mas escute. Se você for mesmo jantar na mamãe, leve o Billy ou outra pessoa qualquer pra se proteger do Ron. Você é muito..."

Ela aguarda.

"Deliciosa. Doce. Inocente." Ele não se contém.

"Nelson."

"Sim?"

"Eu tenho saído com o Billy."

"Surpresa!"

"Você está brincando, não está, quando diz que ele é um mongo?"

"Bom, ele *era* mongo quando garoto. Mas neste país até mesmo os mongos têm seus direitos."

"Acho ele um amor."

"Como assim?"

"Ele me acha maravilhosa. Depois daquelas coisas horríveis que você me obrigou a confessar no carro, pelo menos eu não tenho mais nada a esconder dele. Ele diz que quando está comigo as ansiedades dele passam."

"Mas isso lá é motivo pra..."

"Nelson, *nenhum* motivo é perfeito. Mas nós também não somos."

"O.k., eu assino embaixo." A felicidade dela já está subindo dentro dele, como água trêmula.

"Vou lhe fazer uma pergunta séria. Não brinque, pra mim é importante. Desde pequena sempre achei que se um dia eu me casasse, tinha que ser na igreja, com todas as formalidades." Pergunta Annabelle: "Se eu me casar com o Billy, você me leva ao altar?".

Diz Nelson: "Claro".

ESTA OBRA FOI COMPOSTA PELO GRUPO DE CRIAÇÃO EM GARAMOND,
PROCESSADA EM CTP E IMPRESSA PELA RR DONNELLEY SOBRE PAPEL
PÓLEN SOFT DA COMPANHIA SUZANO PARA A EDITORA SCHWARCZ
EM JUNHO DE 2003